Martin Nicol
Meditation bei Luther

Meinen Eltern

MARTIN NICOL

Meditation bei Luther

VANDENHOECK & RUPRECHT
IN GÖTTINGEN

Forschungen zur Kirchen- und Dogmengeschichte

Band 34

CIP-Kurztitelaufnahme der Deutschen Bibliothek

Nicol, Martin:

Meditation bei Luther / Martin Nicol. –
Göttingen: Vandenhoeck und Ruprecht, 1984.
(Forschungen zur Kirchen- und
Dogmengeschichte; Bd. 34)
ISBN 3-525-55140-1

NE: GT

D 29

 Satz und Druck: Gulde-Druck GmbH, Tübingen.
Bindearbeit: Hubert & Co., Göttingen

Vorwort

Die vorliegenden Lutherstudien verstehen sich als historischer Beitrag zu einem aktuellen Problem der Praktischen Theologie. In diesem Rahmen wurden sie im Wintersemester 1982/83 von der Theologischen Fakultät der Friedrich-Alexander-Universität Erlangen-Nürnberg als Dissertation angenommen.

Mein besonderer Dank gilt dabei Herrn Professor Dr. Manfred Seitz. Er hat mir das Problem der Meditation bei Luther anvertraut, ist meinen Weg einer Lösung unter Anregung und Korrekturen mitgegangen und hat mich auch in Zeiten, in denen die Wogen historischer Fakten und Erkenntnisse mich zu überschwemmen drohten, bestärkt in der Überzeugung, an einem drängenden Problem der Gegenwart zu arbeiten.

Ich danke auch Herrn Landesbischof Prof. Dr. Gerhard Müller D.D., der mir immer ein kundiger sowie auch in praktischen Fragen der historischen Forschung hilfreicher Ansprechpartner war und der trotz seines Wegganges aus Erlangen die Mühe des Korreferates auf sich genommen hat.

Gerne denke ich an dieser Stelle daran, daß Herr Professor Dr. Jürgen Roloff während meiner Zeit in Erlangen dem Assistenten, der ihm doch keiner war, so viel großzügiges Verständnis entgegenbrachte.

Mein Dank gilt auch allen denen, die an oder über den Quellen sitzen und mir bereitwillig Zugang gewährten. Ich denke besonders an die Mitarbeiter am Lutherregister sowie an die Bearbeiter der Werke von Paltz und Staupitz, allesamt in Tübingen, wo ich Wochen ergebnisreicher Forschung verbringen konnte.

Es ist mir eine Freude, daß das Buch noch im Zusammenhang mit diesem Luther-Jahr erscheinen kann. Dem Verlag Vandenhoeck & Ruprecht, insbesondere Herrn Dr. Arndt Ruprecht, danke ich für die Aufnahme des Buches in die Reihe „Forschungen zur Kirchen- und Dogmengeschichte" sowie für die überaus schnelle, dabei sehr sorgfältige Drucklegung. Zuschüsse haben bisher dankenswerterweise zugesagt oder bereits gegeben die Zantner-Busch-Stiftung in Erlangen und der Landeskirchenrat der Evang.-Luth. Kirche in Bayern. Für freundschaftliche Hilfe bei den Korrekturen danke ich Sabine Wagner und Paul-Gerhard Fenzlein, beide Nürnberg.

Eine Expedition in unbekanntes Land, wie sie die vorgelegten Forschungen darstellen, ist nicht nur eine erhebende, sondern oft genug auch eine auf dem Autor und den Menschen seiner Umgebung lastende Aufgabe. So gilt zum Schluß mein herzlicher Dank all den Menschen, die mich in den Jahren, die in dieses Buch verwoben sind, in belastbarer Freundschaft ein Stück Weges begleitet haben.

Nürnberg-Großreuth (b. Schweinau), am Erntedankfest 1983

Martin Nicol

Inhalt

Einleitung

„Meditation“ ist zu einem der Schlagworte unserer Zeit geworden; die kaum noch übersehbare Literatur zu diesem Thema, oft popularisierender Art, ist dafür ein deutliches Zeichen[1]. Innerhalb wie außerhalb der Kirche verbirgt sich unter diesem Begriff eine brennende, zuweilen recht unbestimmte Sehnsucht nach innerem Halt, nach tiefgegründeter Ruhe und nach einer Selbstfindung, die den Menschen mit seinen gesamten seelischen Kräften einbezieht und die somit weit mehr ist als lediglich rationale Erhellung des Daseins. Zugleich verbinden sich mit dem Begriff der Meditation bestimmte Methoden, deren Bogen sich von genuin christlichen Übungen wie etwa den ignatianischen Exerzitien bis zu den Angeboten spannt, die aus östlichen Religionen zu uns dringen.

Für die Kirche aller Konfessionen bedeutet dieser Ruf nach Meditation, der sich im Raum des Christentums einfügt in den umfassenderen Ruf nach einer erneuerten Spiritualität[2], eine große Herausforderung. Vieles spricht dafür, daß es hier mindestens ebenso wie bei der Frage des politischen Engagements der Christen um eine „Überlebensfrage der Kirche“[3] geht. Freilich tut sich der Katholizismus angesichts dieser Herausforderung etwas leichter als der Protestantismus, da für ihn die Frage nach der konkreten Gestalt von Frömmigkeit und geistlichem Leben immer eine legitime, notwendige und auch die theologische Wissenschaft bewegende Frage war. Dagegen haben sich weite Teile des Protestantismus „über Jahrhunderte . . . darin geübt, hier theologische Berührungsängste zu entwickeln“[4]; es wurde die – wenn man ein evangelischerseits etwas ungewöhnliches Wort gebrauchen will – „Aszetik“ von der Dogmatik nahezu erdrückt[5]. Trotz dieser unterschiedlichen Voraussetzungen stellt sich für Katholizismus und Protestantismus das gegenwärtige Problem in ähnlicher Weise: Es geht einerseits darum, Kriterien zu finden für die Beurteilung dessen, was an Angeboten der Meditation auf uns einstürmt, und andererseits darum, selbst konkrete Weisen der Meditation einzuüben und anzubieten. Wir sind der

---

[1] Vgl. etwa die Literaturauswahl bei Boden, Meditation 198–201; Literatur zu ausgesprochen christlicher Meditation bei Meyer zu Uptrup, Zeit mit Gott 290ff.

[2] Vgl. Evang. Spiritualität, bes. S. 9–29.

[3] Severus, Besinnung und Bericht 59.

[4] Heimbrock, Frömmigkeit 18.

[5] Vgl. Seitz, Art. Askese, bes. S. 251f. u. 257f.

Überzeugung, daß dazu, wenn wir nicht von einer aktuellen Welle einfach mitgerissen werden wollen, eine Besinnung auf die Tradition unerläßlich ist.

Als eine solche Suche nach Klärung und Anhalt durch die Tradition inmitten einer aktuellen Herausforderung versteht sich die vorliegende Arbeit zur Meditation bei Luther. Sie möchte die Praxis der Meditation bei einer Schlüsselgestalt der Kirchengeschichte und damit zugleich an einem ihrer Knotenpunkte erhellen.

Es ist an dieser Stelle auf zwei wichtige Begrenzungen des Themas hinzuweisen:

1. Es geht um „Meditation" in einem präzisen Sinn dieses Begriffs, nämlich um Meditation als eine spezifische Weise des individuellen Umgangs mit dem Wort Gottes, nicht etwa um das weite Feld des geistlichen Lebens insgesamt. So ist beispielsweise das Gebet nur insoweit Gegenstand der Untersuchungen, als es auf Meditation hinführt oder aus ihr erwächst. Die Abgrenzungen der Meditation von anderen Bereichen des geistlichen Lebens sind sicherlich fliessend. Sie erweisen sich aber sowohl von der Tradition als auch von Luther selbst her als sinnvoll.

2. Die vorliegende Arbeit will die Meditation bei Luther in erster Linie unter praktischen Gesichtspunkten erfassen. Leitende Frage ist folglich durchgängig: *Wie* hat Luther meditiert? Es geht, möglichst detailliert, um die formale Seite der Meditation, also um die konkreten Gegebenheiten ihres Vollzuges. Daß verschiedene wichtige Themen der Theologie Luthers dabei dennoch angesprochen werden müssen, ist selbstverständlich.

Die Lutherforschung hat sich trotz der erdrückenden Fülle ihrer Publikationen bisher nicht in umfassender, methodisch tragfähiger und zugleich aktuell sachdienlicher Weise des Themas angenommen. Dies soll freilich nicht bedeuten, daß man die Frage nach der Meditation bei Luther völlig unbeachtet gelassen hätte. Es gab immer wieder mehr oder weniger ausführliche Hinweise in diese Richtung[6]. Besonders erwähnt werden muß an dieser Stelle die Studie von E. Sander zum Thema „Geistliche Zucht und Übung bei Luther"[7]. Leider ist diese Arbeit, bedingt durch den frühen Tod des Verfassers, unvollendet geblieben. Zudem kann sie in methodischer Hinsicht nicht befriedigen. Gleichwohl bedeutete die Durchsicht der Papiere Sanders im Blick auf die vorliegende Arbeit Anstoß und Ermutigung, die Frage nach der konkreten Gestalt von Frömmigkeit und geistlichem Leben in einer die mittelalterliche Tradition berücksichtigenden Weise an Luther zu stellen. Ausdrücklich zu nennen sind

[6] Vgl. etwa Stählin, Geistliche Übung 14; Preuß, Christenmensch 205f.; Ebeling, Evangelienauslegung 435–439; Jacob, Übung der Meditation, pass.; Metzger, Gelebter Glaube 120f.; Benz, Meditation 92f.; Ruppert, Meditatio – ruminatio 90f.; Ruhbach, Meditation als Meditation der Heiligen Schrift 104–107; Brecht, Luther 91, 131f. Vgl. auch die Literaturangaben u. S. 152 A.343.

[7] Ein maschinenschriftliches Exemplar der Arbeit befindet sich im Universitätsarchiv Münster (vgl. die Angaben im Literaturverzeichnis). W. Stählin hat seinerzeit auf die im Entstehen begriffene Arbeit hingewiesen: Stählin, Geistliche Übung 14 A.2.

auch die beiden Studien von M. Elze zur Frömmigkeit Luthers[8], weil sie die u.E. einzig richtige Methode befolgen, indem sie den mittelalterlichen Traditionshintergrund durchgängig und kritisch heranziehen. Nur auf diese Weise gewinnen wir Kriterien und Begriffe, die es uns erlauben, Luthers Frömmigkeit in ihrer Verwurzelung in der Frömmigkeit der Jahrhunderte, zugleich aber auch in ihrer unverwechselbaren Eigenheit herauszuarbeiten.

Was unseren eigenen Umgang mit der mittelalterlichen Tradition betrifft, so ist es nicht unsere Absicht, direkte Abhängigkeiten Luthers von Personen oder Strömungen zu beweisen. Die Bezugnahme auf die Tradition erfolgt unter praktischen Gesichtspunkten in der Weise, daß uns die entsprechenden Texte als Hinweis darauf dienen, was in den mittelalterlichen Klöstern insgesamt an Praxis der Meditation möglich war. Dieses Vorgehen empfiehlt sich insbesondere in Anbetracht der Tatsache, daß die Untersuchungen zur Meditation bei den Augustinereremiten, also in Luthers eigenem Orden, keine deutliche Eingrenzung der auf Luther zukommenden Tradition nahelegten[9].

Vielleicht vermag das Thema „Meditation bei Luther", in der beschriebenen Weise eingegrenzt und bearbeitet, für die drängenden Fragen der Gegenwart, zugleich aber auch für die Reformationsforschung[10] einen klärenden, fruchtbaren Beitrag zu leisten.

---

[8] Elze, Züge spätmittelalterlicher Frömmigkeit in Luthers Theologie, und ders., Das Verständnis der Passion Jesu im ausgehenden Mittelalter und bei Luther.

[9] Zu Luthers Bekanntschaft mit der Devotio moderna trotz des auffälligen diesbezüglichen Schweigens in seinem Orden vgl. u. S. 42f.

[10] Vgl. etwa den Hinweis auf ein entsprechendes Desiderat der Reformationsforschung bei Brecht, Beobachtungen 241.

1. Meditation im Mittelalter

1.1. *Strukturen mittelalterlicher Meditation*

Eine kritische Geschichte der Meditation im Mittelalter ist noch nicht geschrieben. Wohl gibt es Abrisse dieser Geschichte, die – wie es sachlich geboten ist – bis auf die Anfänge des Christentums zurückgehen[1]. Auch ist eine stattliche Anzahl von kleineren Untersuchungen zu einzelnen Perioden, zu herausragenden Gestalten und zu einzelnen Begriffen verfügbar[2]. Aber es fehlt bis heute ein Werk, das die bereits erzielten Einsichten im kritischen Rückgang auf die Quellen zusammenfassen und zu Ergebnissen verarbeiten würde, auf denen die weitere Forschung in Zustimmung und Kritik aufbauen könnte.

Ein wichtiger Grund für diese Lücke dürfte die Frage der Quellen sein. Erstens sind viele Quellen bis heute in keiner modernen Ausgabe zugänglich[3]. Wir verweisen hierzu nur auf die überaus wichtige Schrift Rosetum exercitiorum spiritualium des Johannes Mauburnus, die einen Höhepunkt in der Geschichte der abendländischen Meditation vor den Exerzitien des Ignatius von Loyola markiert[4]. Für die Arbeit mit diesem Werk sind wir auf Inkunabeln angewiesen. Zweitens gibt es ein in der Sache liegendes Problem, wobei auch hier nur eine Tendenz, nicht eine für alle Quellen zutreffende Einsicht aufgezeigt werden kann: Die Meditation war im Mittelalter weitgehend eine Angelegenheit, die persönlich tradiert wurde[5]. Der Novizenmeister wies seinen neuen Mitbruder in die Praxis des Meditierens ein, wobei dieser Praxis lediglich durch Brauch und Tradition ein gewisser Rahmen gesetzt war. Wir müssen mit den verschiedensten Spielarten rechnen, die von einer einfachen, von Väterzeiten an im wesentlichen gleichbleibenden Grundform bis zu ausgefeilteren Systemen, wie sie dann im Spätmittelalter greifbar werden, reichen. Im normalen Ablauf des klösterlichen Lebens gab es kaum Anlaß, über die ganz praktische Seite dieses mit großer Selbstverständlichkeit geübten Tuns zu schreiben. Grundlegend problematisiert worden ist das Meditieren im Mittelalter – soweit wir sehen – nie; aber gerade das hätte Anlaß zu schriftlichen Äußerungen geben

---

[1] Goossens, Meditatie 35–54 (1952); Severus/Solignac/Goossens, Art. Méditation (1977).

[2] Vgl. die Literaturangaben bei Severus/Solignac/Goossens, Art. Méditation, pass.; auch Rousse/Sieben, Art. Lectio Divina, pass.

[3] Vgl. zur Quellenproblematik in mittelalterlicher Frömmigkeitsliteratur anhand der Arbeit an der Vita Christi Ludolfs von Sachsen: Baier, VC II, 272f.

[4] Vgl. Debongnie, Art. Dévotion moderne 734f.

[5] Vgl. Vorläufige Einleitung WA 55 I, 1, 30; Schwarz, Bußtheologie 9.

können. So besteht eine Art von Quellen aus zufälligen Bemerkungen, die Rückschlüsse auf die Praxis gestatten. Darüber hinaus gibt es Abhandlungen, die das Meditieren zum Gegenstand systematisierender Überlegungen machen[6]. Aber hier treten die eigentlichen Fragen der Praxis oft stark in den Hintergrund. Zumindest bleibt es bisweilen fraglich, wo sich hinter systematisch geordneten oder auch biblisch gesättigten Gedanken lebendige Praxis verbirgt[7]. Was die Regeln und Konstitutionen der Orden anbetrifft, so fordern viele davon – wie schon die Regel Benedikts[8] – den regelmäßigen meditativen Umgang mit Gottes Wort. Aber sie schweigen zu den Einzelfragen der Praxis. Erst gegen Ende des Mittelalters – vor allem im Bereich der Devotio moderna – entstehen dann verstärkt Traktate, die wir gezielt nach der Praxis der Meditation befragen können.

Ungeachtet dieser und einer Reihe anderer Probleme lassen sich jedoch Aussagen über das Meditieren im Mittelalter treffen. Wir gehen dabei so vor, daß wir uns zuerst um die Grundstrukturen mittelalterlicher Meditation bemühen, wie sie sich als fester Bestand in und unter den geschichtlichen Entwicklungen herauskristallisieren. Sodann sollen die wichtigsten Stationen ihrer Geschichte – soweit sie heute erkennbar sind – genannt werden. Trotz des Fehlens einer Gesamtdarstellung und gesicherter Ergebnisse können so die Umrisse dessen deutlich werden, was wir dann bei Luther als Traditionshintergrund voraussetzen dürfen. Einzelheiten dieser Tradition werden bei der Behandlung Luthers noch ausreichend zur Darstellung kommen.

Als Ausgangspunkt für alle weiteren Überlegungen machen wir den Versuch, das Wesen der mittelalterlichen Meditation zu definieren[9]:

Mittelalterliche Meditation ist eine methodische, Intellekt *und Affekt des Menschen erfassende und im Gesamtzusammenhang einer geistlichen Lebensführung stehende Übung, welche auf erfahrungsmäßige Begegnung mit Gott zielt.*

Zur Verdeutlichung und Erweiterung dieser naturgemäß kurzen Definition sei im folgenden auf verschiedene Gesichtspunkte verwiesen, die für eine Betrachtung mittelalterlicher Meditation unerläßlich erscheinen. Diese Gesichtspunkte können durchaus verschieden ausgebildet sein; es können die einen fast fehlen, andere beherrschend in den Vordergrund treten. Aber wir haben mit ihrer Zusammenstellung eine brauchbare Möglichkeit, das leicht etwas verschwommen anmutende Phänomen der Meditation besser in den Griff zu bekommen:

---

[6] Etwa Bonaventura, De triplici via.

[7] Vgl. Bernard, L'oraison 266.

[8] Regula S. Benedicti c. 8, c. 48, c. 58 (ed. Butler 39,5–8; 86,54f.; 100,10f.).

[9] Ähnliche moderne Versuche zu einer das Phänomen mittelalterlicher Meditation erfassenden Definition konnten wir nicht feststellen. Es muß allerdings gesagt werden, daß eine solche Definition nur ein vorläufiger Versuch sein kann, solange eine umfassende Untersuchung des zu definierenden Phänomens nicht vorliegt.

1. Schon im Wort „Meditation" kommt das Element der *Dauer* zum Ausdruck, wenn man beachtet, daß das lateinische Wort meditari als Iterativform zu medeor aufzufassen ist[10]. Meditation ist also nichts, was flüchtig und einmalig getan werden könnte, sondern eine wiederholte, gründliche Übung[11].

2. Es handelt sich dabei um eine Übung, an der das *Gedächtnis* entscheidend Anteil hat. Wörter, Sätze und ganze Textstücke – vor allem natürlich aus der Bibel – werden memoriert, um dann beim Meditieren nach Bedarf aus dem Gedächtnis hervorgeholt zu werden. Für diesen Aspekt des Meditierens steht in allegorischer Auslegung von Lev 11,3 und Dtn 14,6 das Bild des wiederkäuenden Tieres[12].

3. Grundsätzlich ist am Vorgang des Memorierens die *Stimme* beteiligt. Ebenfalls kann es stimmhaft vor sich gehen, wenn das Memorierte wieder aus dem Gedächtnis hervorgerufen wird. Der Einsatz der Stimme verhilft dazu, daß der Memorierstoff nicht nur den Intellekt, sondern auch tiefere Schichten des Bewußtseins anspricht[13]. Es muß überhaupt damit gerechnet werden, daß der mittelalterliche Mensch beim Umgang mit Texten im Regelfall die Stimme zu Hilfe nahm – und wenn es sich nur noch um ein Murmeln oder gar nur um ein Bewegen der Lippen gehandelt haben sollte. Rein geistiges Lesen, wie wir es gewohnt sind, ist wohl eher Ausnahme gewesen[14]. Das bedeutet für uns, daß wir jeweils im Einzelfall fragen müssen, inwieweit die Meditation vocaliter und inwieweit sie mentaliter vollzogen wird.

4. Meditieren steht immer im Zusammenhang mit einem Zustand der *Ruhe*. Damit ist zunächst an die äußeren Bedingungen des Meditierens gedacht: Ort und Zeitpunkt der Übung müssen es gewährleisten, daß der Mensch zur Ruhe kommt[15]. Sodann ist auch das erstrebte Ziel des Meditierens mit Ruhe verbunden. Es handelt sich dabei um eine von Gott gegebene, den ganzen Menschen erfassende Ruhe[16].

---

[10] Vgl. Ernout-Meillet, Dict. étym. 393.

[11] Vgl. Hugo v. St. Viktor in seiner Definition von Meditation: „Meditatio est cogitatio *frequens* ..." (Eruditionis didascalia, L.III/PL 176,772). Vgl. auch die biblische Fundamentalstelle für das Meditieren: „... in lege eius meditabitur *die ac nocte*" (Ps 1,2 Vulg.).

[12] Vgl. Wilhelm v. St. Thierry: „... de quotidiana lectione aliquid quotidie in ventrem memoriae demittendum est, quod fidelius digeratur et sursum revocatum crebrius ruminetur" (Ep. ad fratres, c.X, PL 184,327/ed. Davy c. 56, S. 105, 14–16). Zum Auswendiglernen von Bibelstellen auch der Laien vgl. für die Zeit der Alten Kirche A. Harnack, Über den privaten Gebrauch 88.

[13] Vgl. Mauburnus, Rosetum, Alph. XIV,U: „... ut homo magis proficiat, alta voce scripturam legere debet, ut scilicet audiat sese ipse legens ... In audiendo namque (Hieronymo teste) imprimitur ipsa veritas intime et intense." Dazu insges. Leclercq, Wissenschaft 23–26, 85f.

[14] Vgl. u. S. 73ff.

[15] Vgl. Bernhard von Clairvaux zur Ruhe des Kreuzgangs, die zur Meditation „zwingt": „Juge quippe silentium, et ab omni strepitu saecularium perpetua quies cogit coelestia meditari" (Ep. 78,4/PL 182, 193).

[16] Johannes von Paltz etwa nennt als Punkt 8 der fructus et modi meditandi passionem domini Jesu Christi die Erreichung der requies salutaris (Coelif. 103, 14–28). Diese Ruhe gliedert sich auf in requies in hac vita und requies in fine huius vitae.

5. Bezeichnend für die jeweilige Meditationsform ist das Verhältnis von *Intellekt* und *Affekt*. Es kann sich um ein angestrebtes Gleichgewicht[17], aber auch um solche Formen handeln, bei denen Affekt oder Intellekt im Übergewicht sind[18].

6. Es entspricht dem Charakter einer wiederholten, gründlichen Übung, daß sich Methoden zu ihrer Durchführung herausbilden. Dazu kann gehören, daß sich die Übungen auf *Stufen* verteilen[19]. Das erleichtert den stetigen Fortschritt im Meditieren. Im Zuge einer solchen Methodisierung kann die Meditation ihren Platz in einem Gesamtsystem geistlicher Übungen bekommen.

7. Die Meditation hat einen *Gegenstand*, d.h. etwas, worauf sich Intellekt und Affekt im Vorgang der Meditation richten können. Dafür kommen beispielsweise in Frage biblische Texte, Bilder oder das eigene Gewissen. Dieser Gegenstand kann im Verlauf des Meditierens zurücktreten, je mehr der Meditierende erfaßt wird von Zuständen mystischer Gotteserfahrung[20].

8. Jede Ausprägung der Meditation hat ein *Ziel*. Dadurch erst bekommt eine gestufte Übung ihren Sinn. Dieses Ziel kann im Bereich christlicher Meditation umschrieben werden als Erfahrung Gottes, wobei Charakter und Intensität dieser Gotteserfahrung durchaus variieren können[21].

1.2. *Stationen der Meditation bis zum späten Mittelalter*

Die Sache der Meditation ist älter als das Christentum. In der griechisch-römischen Antike wird sie vor allem in philosophischen Kreisen geübt[1]. Auch das Judentum hatte Formen der Meditation ausgebildet[2]. Die Bibel selbst gibt dann vielfältig Anlaß, Terminologie und Sache der Meditation zu bedenken[3]. Im christlichen Bereich fand das Meditieren seinen Sitz im Leben und seine

---

[17] Vgl. Gerhard Zerbolt, Sp. asc., c. 45 (ed. Mahieu 228): „Meditatio vero dicitur, qua ea quae legisti vel audisti, studiosa ruminatione in corde tuo diligenter pertractas, et per ea affectum tuum circa aliquod certum inflammas vel illuminas intellectum."

[18] Zur Intellektualisierung des Meditierens bei Hugo v. St. Viktor vgl. Sudbrack, Joh. v. Kastl I,330f. Zum Überwiegen des Affekts vgl. etwa u. A.20, auch u. S. 81ff.

[19] Etwa: lectio – meditatio – oratio – contemplatio (Guigo II d. Kartäuser, Scala claustralium, c.1/PL 184, 475f.).

[20] Vgl. Bonaventura, Itinerarium VII,4 (Opera omnia V,312): „In hoc autem transitu, si sit perfectus, oportet quod relinquantur omnes intellectuales operationes, et apex affectus totus transferatur et transformetur in Deum." Vgl. u. S. 75.

[21] Vgl. als Beispiel ausgesprochen mystischer Gotteserfahrung Bonaventura, De triplici via, c.1, n.18 (Op. omn. VIII,7): „Et hic (= mystische Unio) stare debet omnis meditatio nostra, quia hic est finis omnis cogitationis et operationis, et est sapientia vera, in qua est cognitio per veram experientiam." Zu den verschiedenen Arten der Gotteserfahrung vgl. u. S. 103.

[1] Vgl. Rabbow, Seelenführung, pass.

[2] Vgl. Rousse, Art. Lectio Divina 471f.

[3] Vgl. Severus, Das Wort „meditari" im Sprachgebrauch der Heiligen Schrift, pass.; auch: Severus/Solignac, Art. Méditation, 907f.

charakteristische Ausprägung im Mönchtum. Für den Eremiten und für den in Gemeinschaft lebenden Mönch war der intensive Umgang mit dem Wort Gottes im Gesamtzusammenhang eines asketischen Tageslaufes eine der wichtigsten Tätigkeiten. Die Aufforderung dazu fand sich in der Heiligen Schrift in einfacher und zugleich eindrücklicher Form, wenn in Ps 1,2 die Tätigkeit eines frommen Mannes geschildert wird: In lege Domini voluntas eius et in lege eius meditabitur die ac nocte. Nun war der Psalter das Hauptgebetbuch der Mönche, und gerade dieses nannte ganz zu Anfang das betende Sichmühen um das Wort Gottes meditari. Aus der häufigen Zitierung von Ps 1,2 in mittelalterlichen Schriften zur Meditation[4] geht die Bedeutung dieser Stelle für unsere Sache hervor. Wir dürfen daher vermuten, daß dieses so herausragende Bibelwort ein wichtiger Grund dafür ist, daß meditatio/meditari sich immer mehr zum zentralen Begriff für die Sache der Meditation herausgebildet hat.

Den Grundvorgang des Meditierens könnte man umschreiben als Erinnerung und Wiederholung des Wortes Gottes[5]. Schon vor- und außerchristlich wird – natürlich im Zusammenhang mit anderen Texten – ein solches Tun als ruminatio beschrieben[6]. Dabei ist das „Wiederkäuen“ nicht nur ein Bild, sondern der meditierende Mensch und das wiederkäuende Tier haben tatsächlich etwas gemeinsam: das Bewegen des Mundes. Es handelt sich beim Meditieren der alten Mönche nämlich nicht nur um einen mentalen Vorgang, sondern um ein „vernehmbares Aufsagen von Texten und Formeln, dem sich die Mönche allein oder in Gemeinschaft hingeben, wobei sie die Texte entweder auswendig hersagen oder vor sich hinlesen“[7]. Diese Grundform des Meditierens kann sich nun nach ihrer leiblichen oder nach ihrer geistigen Komponente weiterentwickeln[8]. Die leibliche Komponente der mehr mechanischen Rezitation wurde vornehmlich im Osten weitergebildet und führte dort zu der typischen Form des „Jesus-“ oder „Herzensgebetes“. Die Entwicklung im Westen war gekennzeichnet durch eine Betonung der geistigen Komponente. Dort wird das, was das Herz beim Meditieren tut, zunehmend wichtiger als die Tätigkeit des Mundes, wenngleich letztere stets mitbedacht wird.

In den alten Mönchsregeln bekommt die meditatio vielfach einen Platz. Es geht ihnen meist um die Zeit für die Meditation. Darin unterscheiden sie sich aber auch schon früh: Während die eine Gruppe von Regeln eine ununterbrochene meditatio, die auch während des Arbeitens weitergeführt wird, erkennen läßt, zeigen andere Regeln die Tendenz, den meditativen Übungen bestimmte Zeiten des Tages einzuräumen[9].

---

[4] Vgl. Severus/Solignac, aaO. 907; auch A. Harnack, Über den privaten Gebrauch 81 f.

[5] Vgl. Severus/Solignac, aaO. 908.

[6] Etwa Cicero, Ep. ad Att. 2,12,2. Zur antiken Terminologie des Meditierens vgl. Rabbow, Seelenführung 23 f., 325 f. Vgl. insges.: Ruppert, Meditatio – ruminatio, pass.

[7] Bacht, Mönchsquellen 254.

[8] Vgl. dazu und für das Folgende: Bacht, Mönchsquellen 260–263.

[9] Vgl. Assche, Divinae vacare lectioni, pass.; Leclercq, Wissenschaft 22–26; Vogüé, Règles monastiques 12.

Etwa vom 12. Jahrhundert an begegnet uns, von nun ab immer im Blick auf den Westen, ein so vorher nicht bemerkbares Interesse an einem System der Meditation. Natürlich ist dieses Interesse dem scholastischen Bemühen um Definitionen und Unterscheidungen verwandt[10], und es ist leider nicht immer zu erkennen, inwieweit hinter den nun in Erscheinung tretenden Systemen lebendige Übung steht[11]. Wichtig für die Folgezeit ist das viergliedrige Schema bei Guigo II dem Kartäuser geworden: lectio – meditatio – oratio – contemplatio[12]. Die Unterscheidungen Guigos zeigen, wie nun die verschiedenen Aspekte der Meditation auf verschiedene Stufen verteilt werden. Die meditatio selbst ist dann nur noch eine Stufe unter anderen. War meditatio vormals ein vernehmbares und betendes Rezitieren von Schriftworten, so wurde die vernehmbare Rezitation nun zur lectio, die betende Grundhaltung zur Stufe der oratio. Die meditatio aber wird zu einem vornehmlich mentalen Akt, einer studiosa mentis actio. Die contemplatio als unmittelbare Gotteserfahrung gehört zur Meditation als erstrebtes Ziel. Aber sie ist Gottes Gnade anheimgestellt und damit nicht methodisierbar. Nach Guigo stehen nur die ersten drei Stufen in der Verfügung des Menschen[13]. Im Zusammenhang mit dieser Periode wären vor allem zu nennen Hugo[14] und Richard[15] von St. Viktor sowie Bonaventura[16], deren Systematisierungen, Definitionen und praktische Anweisungen durch die Jahrhunderte weitergewirkt haben.

Der eigentliche Höhepunkt in der Ausformung mittelalterlichen Meditierens wird in der Devotio moderna erreicht. Es sei hier nur auf zwei Namen verwiesen: Gerhard Zerbolt von Zütphen (gest. 1398) und Johannes Mauburnus (gest. 1501). Dabei markiert Mauburnus mit seinem Rosetum exercitiorum spiritualium einen Höhepunkt, bevor dann die ignatianischen Exerzitien die Entwicklung bestimmen. Der Strom meditativer Erfahrung des Mittelalters mündet in dieses Rosetum; wir werden es als Sammlung alles dessen benützen, was am Ausgang des Mittelalters an Meditation überhaupt möglich war. Herzstück des Werkes ist das meditatorium mit seiner scala meditatoria[17]. Diese bietet, auf Wessel Gansfort zurückgehend, ein differenziertes Schema von Meditationsstufen, die grundsätzlich auf jeden beliebigen Stoff anwendbar sind. Die scala meditatoria und andere Erscheinungen in der meditativen Praxis der Devotio moderna legen es nahe, erst hier von einer eigentlichen Methodik der Meditation zu sprechen[18].

---

[10] Vgl. Goossens, Meditatie 47.

[11] S. o. S. 15.

[12] Vgl. Guigo II d. Kartäuser, Scala claustralium, c.1 (PL 184, 476): „Est autem lectio sedula Scripturarum cum animi intentione inspectio. Meditatio est studiosa mentis actio, occultae veritatis notitiam ductu propriae rationis investigans. Oratio est devota cordis intentio in Deum pro malis amovendis et bonis adipiscendis. Contemplatio est mentis in Deum suspensae elevatio, aeternae dulcedinis gaudia degustans."

[13] Vgl. Guigo, aaO., c. 12 (PL 184, 482).

[14] Vgl. Goossens, Meditatie 47f.

[15] Vgl. ebd. 48f.

[16] Vgl. ebd. 52f.

[17] Sorgfältige Beschreibung und Erklärung: Debongnie, Jean Mombaer 203–235.

[18] Vgl. Watrigant, Méditation (Frères) 134f. u.ö.; Goossens, Art. Méditation 918f.

Es konnte in diesem Überblick nicht darum gehen, einen Ersatz zu bieten für eine kritische Geschichte der Meditation, die noch aussteht. Wohl aber dürfte deutlich geworden sein, daß die Geschichte christlichen Meditierens bis zum ausgehenden Mittelalter gekennzeichnet ist von zunehmender Methodisierung. Rein zeitlich gesehen steht Luther auf der Höhe dieser Entwicklung, nämlich zwischen Johannes Mauburnus und Ignatius von Loyola. Damit steht er zugleich an einem Knotenpunkt: Das Rosetum des Mauburnus ist gleichsam die überfeinerte Spätblüte mittelalterlichen Meditierens; die Exercitia spiritualia des Ignatius markieren den Eintritt in eine neue Zeit der kirchlich geordneten und vereinheitlichten Meditation. Die Frage ist, ob diese Entwicklung, auf deren Höhe wir Luther zeitlich einordnen konnten, auch in der Sache ihre Spuren bei ihm hinterlassen hat.

2. Meditation bei den Augustinereremiten

2.1. *Das Problem*

„Das Buch, nach dem Luther meditieren lernte, war das Rosetum des Mauburnus, ein umfassendes Lehrbuch der Meditation, das, in den Kreisen der devotio moderna entstanden, eine erstaunliche Fülle von Meditationsformen umfaßte" – so vermutete Ernst Benz[1], wobei er sich ausdrücklich auf Luthers Zeit als Novize in Erfurt bezog. Wenn diese These haltbar wäre, hätten wir bei den Untersuchungen zur Meditation Luthers relativ leichtes Spiel: Wir könnten Luthers oft recht vereinzelt stehende Bemerkungen zur Meditation sammeln und sie mit einem aus dem Rosetum des Mauburnus erhobenen Grundriß vergleichen. Auf diese Weise wären wir in der Lage, die Mosaiksteine von Luthers Äußerungen zu einem Bild zu fügen und zugleich eigenständige Züge in Luthers Meditieren deutlich zu machen.

Nun liegen die Dinge aber leider nicht so einfach. Aus Luthers Nennung des Rosetum in der 1. Psalmenvorlesung[2] läßt sich keineswegs schon die These ableiten, daß Luther beinahe ein Jahrzehnt zuvor als Novize nach diesem Buch das Meditieren gelernt habe. Freilich ist die These von E. Benz auch nicht von vornherein von der Hand zu weisen. Es bleibt also die Aufgabe, die Frage noch einmal umfassend zu stellen: Welche Formen des Meditierens hat Luther im Kloster kennengelernt?

Zwei Denkrichtungen lassen diese Frage in ihren Konturen deutlicher werden und verschaffen ihr zusätzlich Gewicht. Wir können einerseits dem breiten, ja sich im Spätmittelalter noch verbreiternden Strom mittelalterlicher Meditationspraxis nachgehen. Von hier aus gesehen ist die Frage, ob Luther überhaupt meditieren gelernt hat, schon kaum mehr sinnvoll. Vielmehr fragen wir nach der besonderen Prägung gerade derjenigen Teile des Stromes, die Luther berührt haben müssen. Andererseits kommen wir von Luther selbst her. Aus der Fülle des Materials zur Meditation, das wir bei ihm finden und das in vielfältiger Weise monastische Herkunft erkennen läßt, werden wir zu der Frage geführt, vor dem Hintergrund welcher Tradition wir die Anfänge dieser Lebenspraxis Luthers zu suchen haben.

---

[1] Benz, Meditation 93. Für einen Einfluß der meditativen „Tradition der mittelitalienischen Eremiten-Kongregationen" (Benz, ebd.) auf die sächsische Reformkongregation fanden wir keine Belege.

[2] Vgl. u. S. 42 A.7; vgl. insges. u. S. 42f.

Bei der Verfolgung unserer Fragestellung werden wir sehr schnell auf die Gegebenheiten in Luthers Orden geführt. Innerhalb des Ordens der Augustinereremiten interessiert uns besonders die observante Richtung, zu der das Kloster in Erfurt gehörte. Dementsprechend läßt sich unsere Ausgangsfrage anders und präziser stellen: Was war in der sächsischen Reformkongregation der Augustinereremiten an Meditation geläufig oder zumindest möglich?

Freilich stehen wir damit sofort vor dem Problem, was denn die Inhalte jener Observanzbestrebungen waren. Schon Kolde konnte auf die Frage nach dem Inhalt der Reformen keine befriedigende Antwort geben[3]. Auf Grund der ihm verfügbaren Quellen entwarf er das Bild einer sehr halbherzigen Reform, in der es schließlich nur um „reine Äußerlichkeiten und kleine Verfassungsschwierigkeiten"[4] ging. Verfolgt man die Geschichte der sächsischen Reformkongregation in einem neueren Werk wie etwa dem von A. Kunzelmann[5], so ergibt sich ein ähnlicher Eindruck: Die juristische Zugehörigkeit eines Klosters zur Reformbewegung scheint wichtiger gewesen zu sein als die Qualität tatsächlich erfolgender Reformen. Freilich ist Vorsicht geboten bei einem solchen Urteil. Es zeigt sich nämlich, daß als Grundlage dafür vornehmlich Quellen administrativen Charakters dienen: Urkunden, Briefe, Anordnungen etc. Die geistliche Komponente der Observanzbewegung aber ist noch kaum erforscht[6]. Unsere Analyse von Quellen, die gezielt in diese Richtung gehen soll, wird das Bild reiner Äußerlichkeit zumindest korrigieren.

Es sind vor allem die gleichzeitigen Reformbewegungen in anderen Orden, die die Frage nach einer solchen spirituellen Komponente als sinnvoll erscheinen lassen, da in ihnen das geistliche Leben eine wichtige Rolle spielt. Insbesondere sei hier auf die vom Geist der Devotio moderna geprägte Windesheimer Kongregation verwiesen, mit der eine Reform vornehmlich unter den Augustiner-Chorherren stattfand[7]. Für den Bereich des Benediktinerordens seien genannt die Reformen des Ludovico Barbo in Padua mit ihren Ausstrahlungen nach Deutschland, ferner die Bursfelder Kongregation. Maßgeblich für die Meditationsmethoden in den Exerzitien des Ignatius wird dann um 1500 der Benediktiner García Jiménez de Cisneros auf dem Montserrat mit seinem Ejercitatorio de la vida espiritual[8].

Immer wieder treffen wir bei diesen Reformbestrebungen auf den Einfluß der Devotio moderna[9]. Wo der Geist der Devotio moderna nicht direkt organisato-

---

[3] Vgl. Kolde, Augustiner-Kongregation 128–131.

[4] Kolde, aaO. 130.

[5] Kunzelmann V, 383–507.

[6] Wichtig ist immer noch der Aufsatz von Zumkeller, Lehrer des geistlichen Lebens (1959). Darauf stützt sich weitgehend noch Gutiérrez, Los Agustinos en la edad media (1977), 121ff., 157–165.

[7] Zur Ausstrahlung der Windesheimer Kongregation auch auf andere Orden vgl. Hyma, Christian Renaissance 144f.

[8] Vgl. zu den Reformbewegungen etwa Leturia, Devotio moderna 77–88; Vandenbroucke, Spiritualité 516f., 552–556; Iparraguirre, Nuevas formas 164–167.

[9] Vgl. Debongnie, Art. Dévotion moderne 728f.; Brouette, Art. Devotio moderna 607f.

rische Gestalt gewinnt wie etwa in der Windesheimer Kongregation, sind es zumindest die Schriften aus ihrem Bereich, mit deren Einfluß wir rechnen müssen[10]. Könnte nun, so fragen wir, nicht auch die observante Richtung der Augustinereremiten von diesem Geist der Devotio moderna berührt sein? Oder können wir zumindest, auch abgesehen von der Devotio moderna, einen starken Impetus zur Erneuerung des im engeren Sinne geistlichen Lebens[11] feststellen?

2.2. *Die Quellen*

Der Frage nach den geistlichen Übungen Luthers in seinen ersten Mönchsjahren ist O. Scheel mit Sorgfalt nachgegangen. Er schlug dabei einen doppelten Weg ein. Mit Hilfe der Konstitutionen und anderer Schriften aus dem Orden versuchte er den äußeren Rahmen für die geistlichen Übungen abzustecken[1]. Für die nähere Bestimmung ihres Inhalts ging Scheel vornehmlich aus von Bemerkungen Luthers, die natürlich aus späterer Zeit stammen[2]. So kommt zum Beispiel auf Grund der schon erwähnten Zitierung[3] auch bei Scheel Mauburnus in den Blick[4]. Auf die Problematik dieses Rückschlusses wurde schon hingewiesen[5]. Allerdings sei zugegeben, daß Scheel lediglich die Umrisse von Luthers geistlichen Übungen andeuten wollte. An einer möglichst genauen Erfassung seiner Methoden war ihm nicht gelegen.

Ein weiteres Problem ergibt sich daraus, daß sich die Praktiken des Meditierens in dem fraglichen Zeitraum nicht notwendig oder gar ausschließlich mit einem Namen wie etwa Mauburnus, Gerhard Zerbolt oder Bonaventura verbinden mußten. Von der Hand zu weisen ist das im Einzelfall freilich nicht. Aber wir müssen andererseits auch mit einem Grundbestand monastischer Meditationspraxis rechnen, der noch ohne die Systematisierung und schriftliche Fixierung durch Einzelpersönlichkeiten mit großer Selbstverständlichkeit geübt wird[6]. Durch diese beiden Pole von regelrechten und ausgefeilten „Exerzitien" und klösterlichen Grundübungen der Meditation ist eine weite Skala bezeich-

---

[10] Vgl. Acquoy I, 327; Debongnie, aaO. 729.

[11] Wir drücken uns vorsichtig aus, um nicht von vornherein eine Reform der klösterlichen Lebensgewohnheiten (Kleidung, Verhalten beim Essen usw.) als äußerlich und ungeistlich erscheinen zu lassen.

[1] Scheel II, 27–48 (Rekonstruktion des Tagesablaufes); zu den geistlichen Übungen besonders S. 42f.

[2] Scheel II, 216–227.

[3] S. o. S. 21.

[4] Scheel II, 220.

[5] S. o. S. 21.

[6] Vgl. zur monastischen Frömmigkeit insgesamt: Edel, Erbe 63 A.47. Zu jenem Grundbestand monastischer Meditationspraxis: Leclercq, Wissenschaft 22–26, 85f. Vgl. auch Berlière, L'ascèse bénédictine 169–233.

net, und es stellt sich die Frage, wo wir die Meditationspraxis der Erfurter Augustinereremiten zur Zeit von Luthers ersten Klosterjahren anzusiedeln haben.

Wir wollen dieser Frage nachgehen, indem wir von Luther selbst zunächst ganz absehen. Es geht uns in diesem Abschnitt um den Rahmen dessen, was in seinem Orden an Meditation möglich war. Dazu werden wir Quellen heranziehen, die dem Ort Erfurt und der Zeit der Jahre 1505/1506[7] möglichst nahekommen. Die Eigenart von Luthers Meditieren wird dann aus dem Vergleich mit dem zu ermittelnden Traditionshintergrund deutlicher in den Blick kommen, als wenn man seine eigenen Aussagen sofort zur Erhellung jener ersten Klosterzeit heranzieht.

Es sollen nun die wichtigsten Quellen, die wir nach der Meditation bei den Augustinereremiten befragen wollen, aufgeführt werden.

Als erste Quelle ziehen wir die Konstitutionen des Ordens heran, die unter der Führung Johanns von Staupitz, damals Vikar der sächsischen Reformkongregation, 1504 in Nürnberg verabschiedet worden waren[8]. Wir verwenden den Nürnberger Druck von 1504, auf den auch Kolde und Scheel ihre Aussagen stützten[9].

Als weitere, bis heute nicht ausgewertete Quelle ziehen wir heran den Traktat Liber de monastica vita des Konrad von Zenn aus der ersten Hälfte des 15. Jahrhunderts. Nach Zumkeller ist diese Schrift „das älteste Zeugnis für den monastischen Geist, welcher in der sogenannten sächsischen Kongregation herrschte“[10]. Es wäre lohnend, sie insgesamt nach Zielen und geistigen Fundamenten der Observanz zu befragen. Wir müssen uns aber hier auf die Angaben zur Meditation beschränken.

Konrad von Zenn war Mitglied des Nürnberger Konvents der Augustinereremiten, der im Sinne der sächsischen Reformkongregation reformiert worden war[11]. Er ist dort zwischen 1403 und 1459 wiederholt als Prior des Klosters und

---

[7] Damit soll das Novizenjahr Luthers bezeichnet werden (17. 7. 1505 – Profeß im Spätsommer 1506; vgl. Scheel II, bes. S. 611 ff. A. 19). Die Fixierung auf die Jahre 1505/1506 ist nicht ausschließlich, sondern lediglich als Anhaltspunkt gedacht. Natürlich wird Luther auch später auf dem Feld der Meditation noch hinzugelernt haben. Aber wir gehen davon aus, daß in seinem ersten Mönchsjahr der Grund dazu gelegt wurde und daß in jenen Anfängen die Prägung durch die Spiritualität seines Ordens besonders stark war.

[8] Vgl. Kunzelmann V, 447.

[9] Vgl. Kolde, aaO. 223 f.; Scheel II, XI. Herr Dr. Günter, Tübingen, der die Konstitutionen für die Edition im Rahmen der Werke von Staupitz bearbeitet, hat über das von Kolde und Scheel erwähnte Exemplar in Jena hinaus weitere Drucke gefunden. Es handelt sich aber immer um Exemplare desselben Druckes Nürnberg 1504. Herr Dr. Günter hat uns freundlicherweise Einsicht in seine Unterlagen gewährt. Aus ihnen zitieren wir, soweit nicht anders vermerkt, den Text der Konstitutionen.

[10] Zumkeller, Lehrer 309.

[11] Zur Geschichte des Nürnberger Konvents vgl. Kunzelmann III, 269–279; zu Konrad von Zenn ebd. S. 277 A.1058.

[12] Vgl. Kist, Matrikel 231 (Nr. 3492); Rosenthal-Metzger, Augustinerkloster 94–103.

auch als Lektor bezeugt[12]. Im Jahr 1460 ist er gestorben[13]. Der erwähnte Traktat und vereinzelte Nachrichten über ihn[14] machen Konrads Engagement für die Observanz deutlich. Die Wiener Handschrift bezeichnet ihn als „omnium proprietariorum verus inimicus“[15], und in der Tat ist damit eine wichtige Stoßrichtung seines Traktats und seines Einsatzes für die Observanz getroffen. In einem kurzen Anhang zu seiner Schrift hat er unter dem Titel Nova tractatio de monastica vita noch einmal das Wesen der klösterlichen Observanz herausgestellt. Wir benützen für unsere Untersuchungen die Handschrift, die sich in der Nationalbibliothek Wien befindet. Zum Vergleich wurde das Exemplar der Münchener Staatsbibliothek herangezogen, das allerdings im Durchschnitt wesentlich fehlerhafter ist als das Wiener Exemplar[16]. Abweichungen des Münchener im Vergleich zum Wiener Codex wurden nur in wichtig erscheinenden Fällen angemerkt.

Freilich kann die Schrift Konrads nicht unmittelbar als Hinweis auf die Lebensverhältnisse in einem Kloster seiner Richtung gewertet werden. Die Intention der Schrift ist ebenso zu beachten wie der Kreis der Adressaten. Zu diesen Fragen sei der Beginn des Traktats zitiert:

„Universis in Christo Jesu religiosis . . . et praesertim sub regula beati Augustini militantibus vitam ducere deo gratam, sibi fructuosam, angelis iocundam, daemonibus terribilem, hominibus exemplarem.“[17]

Dem Prolog entnehmen wir, daß Konrad sich zwar besonders den Orden mit der Regel Augustins zuwendet, daß darüber hinaus aber alle Mönche angesprochen sind, die strengeren Grundsätzen klösterlichen Lebens zustimmen. Konrad sieht also mit Recht die Observanzbestrebungen im eigenen Orden als Teil einer breiteren Bewegung[18]. Andererseits wird an verschiedenen Stellen deutlich, daß als Erfahrungshintergrund und als Zielgruppe doch vornehmlich der eigene Orden angesehen werden muß, etwa wenn bezüglich der Profeß als erste die Formel der Augustinereremiten zitiert wird[19] oder wenn es in der Nova tractatio zum regelrechten Lobpreis Augustins und seiner Regel kommt[20]. Mit diesen und ähnlichen Beobachtungen stimmt auch der Einsatz Konrads für die Durchführung der Observanz in seinem eigenen Orden überein. Somit könnte man den Charakter der Abhandlung etwa folgendermaßen zusammenfassen: Konrad beschreibt die Anliegen klösterlicher Observanz unter der Annahme

---

[13] Vgl. Rosenthal-Metzger, aaO. 96 A.2.

[14] Vgl. Rosenthal-Metzger, aaO. 78; Looshorn, Bisthum Bamberg 934.

[15] Konrad von Zenn, W f.3rab (am unteren Rand quer über die Seite geschrieben).

[16] Vgl. die Angaben zu den beiden Codices im Literaturverzeichnis. Beide Codices waren als Mikrofilme verfügbar. Ein drittes Exemplar befindet sich in der Fürstlichen Bibliothek von Schloß Harburg, die in Zukunft zum Bestand der UB Augsburg gehören wird. Zu den Manuskripten insgesamt: Zumkeller, Manuskripte 105 (Nr. 124).

[17] Konrad von Zenn, W f.3va.

[18] Vgl. Moeller, Frömmigkeit 15.

[19] Konrad, W f.240va.

[20] Ebd., W f.275vb–276ra.

eines Grundkonsenses zwischen den vier großen Ordensregeln[21] und auf dem Hintergrund seiner Erfahrungen mit der Observanz im eigenen Orden. Es scheint also gerechtfertigt, trotz der „universalen“ Adresse des Prologs aus dem Traktat Schlüsse zu ziehen auf die Art der Observanz bei den Augustinereremiten um 1450. Wenn auch der zeitliche Abstand zu Luther noch recht groß ist, so haben wir doch keine andere Quelle, die wir in ähnlicher Weise nach der Einstellung der Observanz zum Meditieren befragen könnten.

In größere zeitliche Nähe zu Luther führen die Schriften Johanns von Paltz (gest. 1511) und Johanns von Staupitz (gest. 1524). Beide waren ordenspolitisch und theologisch in der sächsischen Kongregation so einflußreich, daß ihren Aussagen über Meditation besondere Bedeutung zukommt. Bei Paltz interessieren uns seine beiden großen Werke Coelifodina (erstmals gedruckt Erfurt 1502) und Supplementum Coelifodinae (erstmals gedruckt Erfurt 1504)[22], in denen er verschiedentlich auf Meditation zu sprechen kommt. Besonders ausführlich handelt Paltz von der Passionsmeditation. Von Staupitz kennen wir keine längeren Ausführungen über das Meditieren. Jedoch finden sich in nahezu allen seinen Werken immer wieder kurze Bemerkungen, die auf eine selbstverständliche Übung der Meditation schließen lassen. Für den uns interessierenden Zeitraum kommen die Tübinger Predigten von 1498 in Frage[23].

Ergänzend wird Jordan von Sachsen, ein Augustinereremit des 14. Jahrhunderts, herangezogen[24]. Sein Liber Vitasfratrum, eine Abhandlung über Geschichte und Lebensordnungen der Eremiten, und seine Meditationes de passione Christi geben nicht nur Aufschluß über das geistliche Leben in den Klöstern des 14. Jahrhunderts, sondern sie dürften auch in späterer Zeit von Mönchen noch als Ausdruck ihrer Spiritualität angesehen worden sein. Insbesondere die Meditationes wurden zu Luthers Zeit eifrig gelesen[25].

---

[21] Konrad schreibt über sich selbst: „a sanctissimis et gloriosissimis patribus, videlicet Basilio, Augustino, Benedicto atque Francisco, praeceptoribus sanctarum regularum, edoctus“ (W f.278rb).

[22] Zu den Werken von Paltz vgl. neuerdings Hamm, Paltz 93–131.

[23] Zum Schrifttum von Staupitz vgl. neuerdings Dohna/Wetzel, Einführung in die Staupitz-Gesamtausgabe, S. 4–9.

[24] Vgl. zu Jordan insges.: Zumkeller, Lehrer 246ff.

[25] Vgl. etwa die Zitierung bei Paltz, Coelif. 13,3 u.ö. Sodann sind die häufigen Druckausgaben der Meditationes seit 1485 ein Zeichen für ihre Beliebtheit in unserem Zeitraum (vgl. Hümpfner, Introduction XXXV). Schwieriger ist der Sachverhalt beim Liber Vitasfratrum. Scheel (II,220) konnte seine Behauptung, das Werk sei in den Augustinerklöstern gern gelesen worden, nicht belegen. Immerhin spricht die Bedeutung des Buches in bezug auf die Ordensgeschichte für seine Benutzung. In dem observanten Konvent Kulmbach etwa war es in der Bibliothek vorhanden (Mittelalterl. Bibliothekskataloge III,3; S. 405,22f.). Dafür, daß man es in Erfurt kannte, sprechen die besonderen Beziehungen, die Jordan zu diesem Konvent hatte (vgl. Kunzelmann V, 34–41). Seine erste Druckausgabe allerdings erfuhr das Werk erst 1587 (vgl. Hümpfner, aaO. LXVIIIff., LXXIIf.).

2.3. *Umrisse der Meditationspraxis bei den Augustinereremiten*

2.3.1 *Die Zeit*

Für den uns interessierenden Zeitraum, etwa das erste Jahrzehnt des 16. Jahrhunderts, haben wir in den offiziellen Verlautbarungen des Ordens keinen Beleg für eine regelmäßige tägliche Zeit privater geistlicher Übungen[1]. Zwar lassen sich in anderen Orden Schritte in diese Richtung erkennen[2], aber insgesamt kann man sagen, daß offizielle Vorschriften nur zögernd, in den meisten Fällen erst nach dem für uns interessanten Jahrzehnt entstanden. Der Grund dafür ist nicht der, daß die Sache selbst gefehlt hätte. Dagegen sprechen die vielen Bücher des Mittelalters, die Anleitung zu Übungen geben[3]. Eher zutreffend erscheint die Beobachtung Richstaetters, daß man aus Achtung vor der alten mönchischen Forderung, ohne Unterlaß in Gebet und Meditation auf Gott hin ausgerichtet zu sein, eine offizielle und präzise Eingrenzung auf bestimmte Stunden des Tages vermied[4].

Bei den Augustinereremiten nun wird es um die Zeit von Luthers Noviziat eine zeitliche Regelung für die geistlichen Übungen gegeben haben, auch wenn die Konstitutionen von 1504 darüber keine präzisen Angaben machen. Das ergibt sich aus Scheels Versuch, den Tageslauf im Erfurter Kloster zu rekonstruieren[5]. Er kam zu dem Schluß, daß für die Meditation etwas mehr als vier Stunden vom Ende der Konventsmesse bis zum Prandium in Frage kamen. Diese Stunden würden damit in den Zeitraum zwischen 7 und 12 Uhr fallen[6]. Scheel charakterisiert sie folgendermaßen: „In diese verhältnismäßig geschlossenste und freieste Zeit des ganzen Tages mögen die Meditationen und ‚geistigen Gebete', die oratio mentalis, die ‚private' Lektüre und wohl sehr wahrscheinlich auch die Unterweisungen des Novizenmeisters gefallen sein."[7] Zusätzlich zur relativen Geschlossenheit dieser Stunden – die in diesen Zeitraum fallende Terz war kurz[8] – war es ein Vorteil, daß um diese Zeit der Mönch noch nicht gegessen hatte und somit für geistliche Übungen disponiert war[9]. Konrad von Zenn zitiert bezüglich der Beeinträchtigung geistlicher Tätigkeiten des Mönchs durch den Verdauungsvorgang die Collationes des Johannes Cassian. Zwar handelt es sich genaugenommen um die Abendmahlzeit und die nächtlichen Gebete. Entsprechendes dürfte aber sachlich auch für die anderen Tageszeiten gelten[10].

---

[1] D. Gutiérrez verweist darauf, daß Entwicklungen in dieser Richtung erst im Verlauf des 16. und 17. Jahrhunderts greifbar werden (Geschichte II, 148ff.). Vgl. auch ders., Art. Ermites de Saint-Augustin 1007.

[2] Vgl. Bopp, Oratio mentalis 214–218.

[3] Vgl. Wulf, Das innere Gebet 385–388; Rayez/Debongnie, Art. Exercises spirituels, pass.

[4] Vgl. Richstaetter, Christusfrömmigkeit 231f.; auch Berlière, L'ascèse bénédictine 186f.

[5] Scheel II, 27–48. [6] Vgl. ebd. 42.

[7] Ebd. [8] Vgl. ebd. [9] Vgl. ebd. 43.

[10] Konrad von Zenn, W f.260 rb. Konrad bezieht sich auf Cassian, Coll. II,22 u. II,26 (hier: PL 49, 553 u. 557).

Konrad bestätigt nun auch die zeitliche Ansetzung geistlicher Übungen durch O. Scheel. Er tut es, wie üblich, im Rückgriff auf Äußerungen alter, anerkannter Autoritäten. Wir haben aber keinen Anlaß, darin etwa keinen Hinweis auf tatsächliche Praxis in den observanten Klöstern der Augustinereremiten zur Zeit Konrads zu sehen. Und zwar zitiert Konrad aus einem Brief des Pelagius[11], wobei er allerdings in herkömmlicher Weise dieses Zitat Hieronymus zuschreibt[12]. Aus diesem Text geht hervor, daß Konrad die Morgenstunden für geistliche Übungen bestimmt. Scheels Rekonstruktion trifft sich also mit den Angaben Konrads, dies aber genaugenommen nur „usque ad horam tertiam“[13]. Dazu ist zu bedenken, daß Konrad die Konventsmesse mit der Terz verbindet[14]. Scheel dagegen macht für die uns interessierenden Jahre die Zeit unmittelbar nach der Prim als Ort der Konventsmesse wahrscheinlich[15]. Demnach hätte sich die theologisch begründete und zugleich den allgemeinen kirchlichen Bestimmungen entsprechende[16] Ansetzung Konrads bei den Augustinereremiten nicht durchsetzen können. Vielleicht war für den Anschluß der Konventsmesse an die Prim tatsächlich der mehr praktische Grund zutreffend, daß man auf diese Weise die erwähnte relativ geschlossene Zeit für die geistlichen Übungen ermöglichte[17].

Wir halten somit fest: Die geistlichen Übungen werden zum größten Teil auf den Morgen, d. h. ungefähr auf die Zeit von 7 bis 12 Uhr gefallen sein.

2.3.2. *Der Ort*

Bevorzugter Ort klösterlicher Meditation ist die Zelle. Jordan von Sachsen etwa geht es in diesem Zusammenhang um eine sinnvolle Verbindung des einsamen Meditierens in der Zelle mit der Pflicht zur öffentlichen Wirksamkeit[18]. Vorbild ist dabei Jesus selbst, der sich immer wieder in die Einsamkeit zum Gebet zurückzog, um dann erneut in der Öffentlichkeit tätig zu sein[19].

---

[11] Pelagius, Ep. ad Demetriadem, c.23.

[12] Das Zitat findet sich bei Migne im Kontext der unechten Hieronymusbriefe (PL 30,37): „Et quamquam omne vitae tuae tempus divino debeas operi consecrare et nullam prorsus horam a spirituali profectu vacuam esse conveniat, cum tibi ‚in lege Domini die ac nocte meditandum sit‘ (Ps 1,2), debet tamen aliquis esse determinatus et constitutus horarum numerus, quo plenius Deo vaces . . . Optimum est ergo huic operi matutinum deputari tempus, id est meliorem diei partem, et usque ad horam tertiam animam quotidie in coelesti agone certantem hoc velut spiritualis quodam palestrae exerceri gymnasio.“ Bei Konrad findet sich das Zitat W f.247vab.

[13] Die Wendung findet sich im Zitat der voranstehenden Anmerkung.

[14] Vgl. Konrad, W f.249vb: „In spatio vero intermedio debet vir religiosus missam audire convenientem cum officio, quando est propria assignata. Quae missa secundum canones debet celebrari hora tertia eo, quod illa hora dominus Iesus crucifixus est et spiritus sanctus legitur descendisse super apostolos.“

[15] Vgl. Scheel II,41. Zu beachten ist ebd. A.1, wo auf eine die Zeit der Konventsmesse betreffende Sondergenehmigung für die Augustinereremiten verwiesen wird.

[16] Vgl. Scheel II,41 f., bes. S. 42 A.3.

[17] Vgl. Scheel II,42.

Ferner wird deutlich, daß die Abgeschlossenheit und Einsamkeit der Zelle ein Stück eremitischen Mönchtums in dem ansonsten coenobitischen Leben der Augustinereremiten darstellt[20]. Auch für Konrad von Zenn ist die Zelle Ort des Gebetes und der Meditation. Er preist sie als einen Ort des Friedens[21].

Die Konstitutionen von 1504 machen in c. 11 deutlich, daß Beten und Meditieren grundsätzlich an mehreren Orten des Klosters möglich ist. Die Konstitutionen von 1508 erwähnen darüber hinaus ausdrücklich die Zelle: „Fratres in cellis suis . . . aut legant aut orent."[22]

Neben der Zelle war der Kreuzgang ein wichtiger Ort der Meditation. Schon Bernhard meinte, in ihm müsse Stillschweigen bewahrt werden, damit es möglich sei, „himmlische Dinge zu meditieren"[23]. Konrad von Zenn weist dem Kreuzgang sogar eine der Architektur angemessene Meditationsübung zu[24]. Nach seiner Anleitung soll der Mönch beim Wandeln und Meditieren im Kreuzgang, den vier Seiten desselben entsprechend, von der Verachtung seiner selbst über die Verachtung der Welt zur Nächstenliebe und zur Liebe Gottes fortschreiten. – Wir halten fest: Wenn es auch möglich gewesen ist, grundsätzlich an jedem Ort, besonders im Kreuzgang, das Herz betend und meditierend zu Gott zu erheben, so scheint doch die Zelle bevorzugter Ort für die geistlichen Übungen der einzelnen Mönche gewesen zu sein.

---

[18] Vgl. Jordan von Sachsen, Liber Vitasfratrum I,11 (S. 36, 25–30): „Sic enim vicissitudo praedicti utriusque exercitii continuari poterit nunc in Ordine, ut frater quilibet devotus in cella sua vitam ducat eremiticam et, quod ibi Deus sibi oranti vel legenti aut meditanti seu etiam contemplanti dignabitur elargiri, hoc ipse operando et docendo, exemplo scilicet pariter et verbo, studeat aliis impartiri . . ."

[19] Vgl. ebd. (S. 35, 8–11).

[20] Vgl. dazu auch Elm, Neue Beiträge 385.

[21] Konrad von Zenn, W f.267vab: „In ipsa quoque cella, quae omnium bonorum officina est, debet vir religiosus libens et iugiter remanere, quia in ea discit sibi ipsi praeesse, vitam suam ordinare, mores componere, se ipsum iudicare et pacem servare. Iuxta illud metricum pax est in cella, foris non nisi bella. Itaque in cella frater oret, scribat, studeat, dormiat, legat et meditetur (cj.; W/M: meditatur) . . ."

[22] Konstitutionen 1508, c.11 (Zit. nach D. Gutiérrez, Art. Ermites de Saint-Augustin 1007).

[23] Bernhard, Ep. 78 (PL 182, 193): „coelestia meditari". Vgl. das gesamte Zitat o. S. 16 A.15.

[24] Konrad, W f.267vb–268rb: „In ambitu autem, loco quadrangulari, vir religiosus debet esse semper animo attentus aut circa contemptum sui aut contemptum mundi aut amorem proximi aut amorem dei. Sicut (emend. nach M; W: si) enim ex quattuor lateribus ambitus materialis solet fieri, ita in quattuor praedictis animi quadratura ambitus spiritualis potest perfici. Unde ad contemptum sui debet se erigere contra occidentem, quia per amorem sui occidit vita aeterna et splendor solis iustitiae . . . Contemptum vero mundi debet erigere contra aquilonem, a quo panditur (cj.; W/M: pandetur) omne malum . . . Amorem autem proximi ad orientem debet erigere, quia ab illo oritur amor dei . . . Amorem vero dei ad meridiem debet erigere, quia continuo radiis solaribus et ardoribus exponitur, ut ab oriente dilectionis proximi ad meridiem dilectionis divini procedatur (cj.; W/M: precedatur) . . . Quotiens enim ambitum taliter erectum vir religiosus spatiando perambulat, totiens iuxta suorum laterum distinctionem ruminet, ut praedicta quattuor prosequatur in innocentia cordis sui."

2.3.3. *Der Novizenmeister*

Es war üblich, die Neuankömmlinge im Kloster einem Novizenmeister anzuvertrauen[25]. Er hatte ein Jahr lang die Novizen in all das einzuführen, was die äußeren Gebräuche und Regelungen des Klosterlebens sowie die geistlichen Übungen betraf. Den Konstitutionen von 1504 entnehmen wir für unseren Zusammenhang die folgenden Aufgaben des Novizenmeisters:

- die Anleitung zur Beichte, worin die Erforschung des Gewissens eingeschlossen ist[26];
- die Kunst des Betens, wobei an das gemeinsame und an das private Gebet gedacht sein dürfte[27];
- die Kunst der geistlichen (nicht so sehr der wissenschaftlichen) Bibellektüre[28].

Unter dem Gesichtspunkt der Meditation werden damit die Bußmeditation, das Meditieren in der Form des Gebetes und die Schriftmeditation angesprochen.

2.3.4. *Der Stoff der Meditation*

2.3.4.1. *Bußmeditation*

Die Bußmeditation spielt in den Reformgedanken Konrads eine wichtige Rolle. Es geht ihm hier wie in anderen Punkten nicht um Neues, sondern um die Wiedereinführung und genaue Befolgung des Alten. Vorgesehen ist bei ihm besonders die Bußmeditation am Morgen und am Abend. Die morgendliche private Bußmeditation im Anschluß an die Matutin wird inhaltlich ausgeführt[29]. Wir sehen dabei schön, wie die Betrachtung der Güte Gottes und der eigenen Sündhaftigkeit zum aufrichtigen Rufen nach Gottes Erbarmen führen soll.

Konrad bezieht sich in diesem Zusammenhang ausdrücklich auf Hugo von St.

---

[25] Vgl. Scheel II, 1–7.

[26] Konstitutionen 1504, c. 17: „... doceat pure, discrete, frequenter et humiliter confiteri ..." Vgl. Scheel II,4.

[27] Ebd.: „Doceat ..., quod regulariter atque silenter oret ..." Vgl. Scheel II,6.

[28] Ebd.: „Sacram scipturam avide legat, devote audiat et ardenter addiscat." Vgl. Scheel II,3f., bes. S. 3 A. 3.

[29] Konrad, W f.246vab: „... debet vir religiosus post laudes matutinales ad conscientiam redire et in solitudine cordis colloqui cum deo suo gratuita dona dei recogitando et de his gratias agendo, proprias abusiones de bonis collatis nec non et divinorum mandatorum transgressiones recogitando, inhabilitates ad bonum et pronitates ad malum meditando (cj.; W/M: mediante), peccatorum multitudinem et (cj.; W/M: ut) boni paucitatem ad memoriam revocando, et sic de multis aliis ... De his (scil. de bonis dei) debet cogitare paenitendo et dolendo et desiderando facere beneplacitum divinae voluntatis et a deo veniam postulando et divinam gratiam ad paenitendum petendo (emend. nach M; W: paenitendo) et dicendum corde et ore: Miserere mei deus."

Viktor[30]. Wenn wir dem Verweis nachgehen, so finden wir deutlich das Schema, dem Konrad folgt. Hugo von St. Viktor meint in De modo orandi, daß dem Gebet eine ausführliche Meditation vorangehen müsse. Diese Meditation besteht aus zwei Teilen: der Betrachtung des eigenen Elends und der Betrachtung der göttlichen Barmherzigkeit. Wir stoßen hier erstmals auf die enge Verbindung von miseria nostra und misericordia Dei im Rahmen meditativer Praxis, die uns später bei Luther noch beschäftigen wird[31]. Erst nach dieser doppelten Betrachtung kann es zu einem guten, vollkommenen Gebet kommen.

Ausführlicher spricht Konrad auch über die Bußmeditation am Abend nach der Komplet. Er nennt sie ein capitulum speciale super se[32]. Ferner kann auch die schon erwähnte Übung im Kreuzgang als Bußmeditation angesehen werden[33].

Von Johann von Paltz wird im Supplementum Coelifodinae die häufige Gewissensprüfung als die erste von sieben Himmelspforten bezeichnet[34]. Er gibt dafür eine Anleitung, wobei er sich auf Paulus beruft und entsprechend der Glossierung von 1.Kor 11,28 einen Dreischritt vorschlägt: examinare – purgare – ignoscere[35]. Dabei sind die ersten beiden Schritte eigentliche Bußmeditation, während der dritte Schritt die Auswirkung im konkreten Verhalten gegenüber den Mitmenschen meint. Interessant ist die Bemerkung von Paltz, er halte sich an die äußerst kurze Anleitung des Paulus, obwohl es viele Bücher speziell für diese Art der Meditation gebe[36]. Wir könnten bei solchen Bußtraktaten etwa an die verbreitete Schrift De spiritualibus ascensionibus des Gerhard Zerbolt denken, die ausführliche Anleitung zur Bußmeditation bietet. Für die Ablehnung solcher Schriften durch Paltz mag es vor allem zwei Gründe geben. Erstens sind seine Adressaten vornehmlich „sacerdotes simplices, Welt- und Ordensgeistliche“[37], denen er für ihre eigene Frömmigkeitspraxis und für die alltäglichen seelsorgerlichen Aufgaben Hilfen geben will[38]. Dementsprechend ist die einfachste Meditationsmethode die beste. Zweitens ist Paltz skeptisch gegen die „verinnerlichenden, zur Sakralinstitution in Spannung tretenden Tendenzen“[39], die mystisch beeinflußten Werken zu eigen ist. In diese Richtung gehen aber viele der gebräuchlichen Traktate.

[30] Hugo v. St. Viktor, De modo orandi, c.1 (PL 176, 977ff.). Das Zitat findet sich bei Konrad, W f. 246vb.

[31] Vgl. u. S. 102–105, 112ff., 126 u.ö.

[32] Konrad, W f.261vab: „His vero deo decantatis laudibus vacandum est diversis orationibus ... Imprimis ergo debet redire ad cor suum religiosus tenendo capitulum speciale super se, in quo capitulo ratio iusta debet stare loco praesidentis et conscientia recta et inerrata loco accusatoris et affectiones et cogitationes ordinatae et regulatae loco testium et fervens zelus vel constans timor loco exactoris exsequentis mandatum iustae rationis (emend. nach M; W: orationis) decernentis reum puniri ...“

[33] Vgl. o. S. 29.

[34] Paltz, Suppl. Coelif., f.f5r.

[35] Ebd. f.g3v; ausführliche Behandlung des Dreischritts: f.g3v – f.g5r.

[36] Ebd., f.g3v: „De isto autem modo intrandi cor suum et recolligendi se ipsum, quamvis multi sint libri atque tractatus conscripti a devotis, tamen sanctus Paulus brevissime docet eum ...“

[37] Hamm, Paltz 122.

[38] Vgl. ebd.

[39] Ebd. 260.

In seiner Coelifodina bietet Paltz auch einen Abschnitt über die meditatio mortis[40]. Wir nennen sie an dieser Stelle, weil sie vornehmlich der Selbsterkenntnis und der Vermeidung von Sünden dient und weil sie damit der Bußmeditation zuzurechnen ist. Leider spricht Paltz mehr vom Nutzen als von den Methoden dieser Meditationsart.

2.3.4.2. *Passionsmeditation*

Auf diesem zentralen Gebiet mittelalterlicher Frömmigkeit haben die Augustinereremiten selbst wichtige Werke hervorgebracht. Es seien hier zwei solcher Werke aus dem 14. Jahrhundert genannt, die insbesondere nach Erfindung des Buchdruckes weite Verbreitung gefunden haben: Simon Fidati von Cascia, De gestis Salvatoris, und Jordan von Sachsen, Meditationes de Passione Christi[41]. Die Kenntnis beider Werke im Erfurter Konvent zu der uns interessierenden Zeit dürfte gesichert sein durch die ausführliche und namentliche Zitierung in der Coelifodina des Johann von Paltz[42]. Dabei ist für den praktischen Vollzug der Meditation Jordans Werk wichtiger als dasjenige Simons[43]; letzteres ist „doch mehr Kommentar mit fast keinen Anwendungen auf die aszetische Praxis"[44]. Paltz zitiert darüber hinaus noch andere Bücher der Passionsmeditation, darunter auch die Vita Christi des Kartäusers Ludolf von Sachsen[45]. Zugleich ist Paltz selbst ein wichtiger Hinweis auf die Praxis der Passionsmeditation bei den Augustinereremiten am Anfang des 16. Jahrhunderts[46]. Der gesamte erste Teil der Coelifodina handelt von der Passion Christi und von den Methoden, sie zu meditieren[47]. Im Supplementum Coelifodinae verweist er auf diese früheren Ausführungen[48].

An der Tatsache der Passionsmeditation bei den Augustinereremiten in Erfurt ist also nicht zu zweifeln[49]. Aber es gibt keinen Hinweis darauf, daß man einer bestimmten Methode folgte in der Weise, daß man etwa eines der erwähn-

---

[40] Paltz, Coelif. 194,20–204,13.

[41] Neuerdings wurde auch das Passionsbuch des Augustinereremiten Michael von Massa (gest. 1337) eingehend gewürdigt: Baier, VC II, 339–361. Hingewiesen sei auch auf die Explanatio passionis dominicae Heinrichs von Friemar d. Ä. (gest. 1340; vgl. dazu Baier, VC II,295 ff.) und auf die Passio Domini nostri Jesu Christi Reinhards von Laudenburg (gest. 1503; vgl. dazu Zumkeller, Lehrer 323 f.).

[42] Paltz, Coelif. 12 f. u. ö.

[43] Vgl. Baier, VC II,310.

[44] Ebd. 340 A. 11.

[45] Paltz, Coelif. 12 f.

[46] Es sei darauf hingewiesen, daß natürlich auch Staupitz von der Passionsmeditation spricht, etwa mit dem schönen Satz: „Medetur . . . suam passionem, vulnus suum per carnem Christi, qui innocentem duriora sustinuisse meditatur" (TüPr., Sermo 32, S. 243, 8 f.).

[47] Paltz, Coelif. 7–137.

[48] Paltz, Suppl. Coelif., f.n6r.

[49] Angesichts der Bedeutung der meditatio passionis für das gesamte Mittelalter (vgl. etwa Vernet, Spiritualité 77–85) und auch für die Augustinereremiten kann das Schweigen Konrads zu diesem Punkt nur so erklärt werden, daß die Rede über Selbstverständliches sich erübrigt. Man mag auch daran denken, daß das Meditieren der Heiligen Schrift, von dem Konrad ausführlich handelt, an Leben und Passion Christi nicht vorübergehen konnte.

ten Bücher als Handbuch der Passionsmeditation bevorzugt hätte. Wir können nur vermuten, daß man den Angehörigen des eigenen Ordens, v. a. Jordan von Sachsen, eine gewisse Vorrangstellung eingeräumt hat[50]. Vielleicht war auch das Verfahren von Paltz verbreitet, das unter Aufnahme verschiedener Traditionen auf die Entwicklung einer eigenen, einfachen Methode abzielte[51].

2.3.4.3. *Meditation der Heiligen Schrift*

Offenbar gehörte die regelmäßige Lektüre der Heiligen Schrift zu den besonderen Anliegen Konrads von Zenn und damit auch zu denen der Observanzbewegung. Er widmet diesem Thema mehrere umfangreiche Kapitel, wovon das erste, c. 134, grundsätzlich von der Notwendigkeit der Schriftlektüre spricht. Konrad begründet hier die Forderung nach regelmäßiger Lektüre durch Ps 1,2[52] und damit durch die zentrale biblische Belegstelle für das unablässige Meditieren des Mönchs[53]. Es werden dann ausführlich Beispiele von Menschen aus Bibel und Kirchengeschichte angeführt, in deren Leben die beständige Betrachtung der Heiligen Schrift eine herausragende Rolle gespielt hat. Schon in c. 134 wird auf Mönche verwiesen, die solches Tun sträflich vernachlässigen. Von derartigen Störungen klösterlicher Observanz ist ausführlich die Rede in c. 136. Es werden dort verschiedene Übel aufgezählt. Sehr anschaulich ist der Mißstand geschildert, daß es Mönche gibt, die den künstlerischen Darstellungen in Kirche und Kloster mehr Aufmerksamkeit schenken als dem geistlichen Schrifttum[54]. C. 138 gibt in 13 Punkten praktische Hinweise für das Schriftstudium und ordnet dieses zugleich ein in den umfassenden Zusammenhang einer geistlichen Lebensführung[55].

---

[50] Vgl. Stahleder, Handschriften 32: Die vornehmlich homiletischen Zwecken dienende Bibliothek der Augustinereremiten zu Windsheim enthielt in auffallender Weise Predigtsammlungen von Angehörigen des eigenen Ordens. „Trotz der offensichtlich starken Verbindung zur Außenwelt wird im Konvent die Augustiner-Ordenskultur gepflegt . . ." (ebd.).

[51] Vgl. o. S. 31.

[52] Konrad, W f.181ra: „Praelatus frequenter debet legere litteras sacrae scripturae. Psalmus: In lege domini meditabitur die ac nocte."

[53] Vgl. o. S. 18.

[54] Konrad, W f.184vb: „. . . apparet ubique varietas, ut magis libeat legere in marmoribus quam in codicibus totumque diem occupare ista singula mirando quam legem dei meditando." Konrad zitiert damit Bernhard, Apologia ad Guilelmum, c.12 (PL 182,916).

[55] Konrad, W f.185vb–187ra (ohne die jeweils zum Beweis herangezogenen Stellen aus Schrift und Tradition): „Qui vult scientiam sacram addiscere, *primo* debet esse desiderio anxius . . . *Secundo* debet esse timore dei repletus . . . *Tertio* in meditando et memoria retinendo debet esse sollicitus . . . *Quarto* in studendo debet esse ordinatus, ut sensus per varia inordinate non discurrat, sed contra intellectum figat . . . *Quinto* in audiendo humilis et mansuetus . . . *Sexto* in disputando et conferendo mansuetus, ut veritati cognitae non contradicat, sed acquiescat . . . *Septimo* in perscrutando maturus . . . Hoc est contra eos, qui scripturas superficialiter transcurrunt, cum tamen studiosus lector plus debet laborare ad intelligendum quam ad transcurrendum. *Octavo* in legendo assiduus . . . *Nono* requiritur, quod habeat libros correctos . . . *Decimo* requiritur, quod sit vita perfecta (M: in vita perfectus) . . . *Undecimo* requiritur oratio devota. Cum enim sapientia

Auffällig ist insgesamt, daß das, was man als mystische Zielsetzung der Meditation bezeichnen könnte, bei Konrad nur sehr am Rande ins Blickfeld tritt. Das Ziel der Schriftmeditation ist für ihn vornehmlich ein moralisches[56]. Von hier führt sachlich eine Linie zu Johann von Paltz. Auch bei ihm soll die Schriftlektüre vornehmlich zur Erkenntnis der Laster und Tugenden führen[57]. Ob nun aber die Schriftmeditation vornehmlich unter moralischen Gesichtspunkten oder mehr mit der Zielsetzung affektiver Gotteserfahrung geschieht[58]: Es ist jedenfalls bei beiden Verwendungsweisen der Schrift vorausgesetzt, daß man sie genau kennt und daß sie eine Vorrangstellung im geistlichen Leben des Mönchs einnimmt. Das schreiben auch die Konstitutionen ausdrücklich vor: „Sacram scripturam avide legat, devote audiat et ardenter addiscat."[59]

2.3.5. *Methode und Eigenart*

2.3.5.1. *Die Augustinereremiten und die Meditationsmethoden der Devotio moderna*

Wir sind ausgegangen von der sehr pointierten Behauptung von E. Benz, Luther habe nach dem Rosetum des Mauburnus meditieren gelernt[60]. Nachdem wir nunmehr die Spuren verfolgt haben, die sich für die Meditationspraxis der Augustinereremiten festmachen ließen, ist noch einmal präzis zu fragen: Gibt es Hinweise dafür, daß die zu starker Methodisierung tendierende Meditationspraxis der Devotio moderna[61] bei den Augustinereremiten der sächsischen Reformkongregation Eingang gefunden hat?

Zunächst muß gesagt werden, daß sich – immer abgesehen von Luther – in unseren Quellen ein positiver Hinweis auf eine der wichtigen Schriften aus dem Bereich der Devotio moderna nicht gefunden hat. Weder bei Konrad von Zenn, noch bei Paltz oder Staupitz ließ sich eine eindeutige Bezugnahme auf die Werke etwa eines Gerhard Zerbolt oder – für die spätere Zeit – auch Mauburnus

---

domini dei sit, non debet aliquis temptare rapere ipsam a deo per studii violentiam ... *Duodecimo* requiritur discretio provida, ut plus sententias amet quam verba ... *Tredecimo* (nach M; W: XIII°) requiritur sobrietas discreta, ut non sit nimis curiosus circa subtilia et ea, quae non sunt utilia ..."

[56] Vgl. Konrad, W f.181va: „Praelatus libenter debet sacras scripturas legere, quia sunt quasi speculum, in quo cognoscit quis semetipsum (emend. nach M; W: seipsum met). Et ideo, sicut dominae magnae cottidie semetipsas respiciunt in speculo, sic praelati in scripturis." Vgl. etwa auch W f.195va: „Docent (scil. scripturae sacrae) enim virtutes, quibus in vita nihil est utilius hominibus."

[57] Vgl. Hamm, Paltz 167.

[58] Die beiden Zielsetzungen der Meditation sind nicht als strenge Gegensätze zu sehen; es geht nur um eine Frage der Akzentuierung. Vgl. dazu und speziell zur Handhabung der Heiligen Schrift als speculum: Leclercq, Wissenschaft 94; vgl. auch u. S. 103.

[59] Konst. 1504, c. 17; vgl. o. S. 30.

[60] Vgl. o. S. 21.

[61] Vgl. Watrigant, La méditation méthodique et l'école des Frères de la vie commune; ders., La méditation méthodique et Jean Mauburnus.

feststellen. Auch die Durchsicht von erhaltenen Bibliothekskatalogen der Augustinereremiten verlief in dieser Hinsicht negativ[62]. Dieser Befund ist merkwürdig, wenn man an den Einfluß denkt, den die Devotio moderna, zumal in der Windesheimer Kongregation und durch sie darüber hinaus, auf die klösterlichen Reformbewegungen des 14. und 15. Jahrhunderts ausgeübt hat. Zudem wirkte die Devotio moderna auf die Spiritualität des späten Mittelalters nicht nur institutionell und organisatorisch, sondern in hohem Maße gerade durch die Schriften aus ihrem Bereich[63].

Nun ergeben sich aber mit dem Hinweis auf die Windesheimer Kongregation auch Gesichtspunkte, die für unseren negativen Befund eine Erklärung bieten könnten. Wir gehen davon aus, daß die Windesheimer Kongregation zunächst eine Reform unter den Augustiner-Chorherren bedeutete. Diese wurden damit von der Spiritualität der Devotio moderna erfaßt und geprägt. Nun beriefen sich die Augustiner-Chorherren wie die Augustiner-Eremiten bezüglich ihrer Ursprünge auf Augustinus und seine Regel. Aus dieser Tatsache jedoch entstanden keine verwandtschaftlichen Gefühle, sondern eine starke Rivalität. So behaupteten sie jeweils von sich selbst die Einsetzung durch Augustinus und bestritten sie beim Gegner[64]. Aufgrund dieser prinzipiellen Rivalität flammten dann im Laufe der Zeit immer wieder Streitigkeiten auf. So kam es im 14. Jahrhundert zu den Vorgängen um die Basilika S. Pietro in Ciel d'Oro in Pavia, in der die Gebeine des Ordensheiligen Augustinus lagen. Bis 1327 hatten dort die Chorherren die Wacht am Grabe inne. Sie mußten diese aber in jenem Jahr abgeben, weil dann mit Billigung des Papstes die Eremiten an ihre Stelle traten[65].

Unmittelbar wichtig für unseren Zeitraum wird der Streit um die Augustinus-Statue im Dom zu Mailand, der um 1480 ausbrach und zwei Jahrzehnte später noch lebendig war[66]. Es ging zunächst darum, welches Gewand die Statue tragen sollte: das der Chorherren oder das der Eremiten. Der Streit kam bis vor den Papst und weitete sich dann aus zu einem literarischen Streit um Ursprung und Dignität der beiden Orden. Auf der Seite der Chorherren äußerte sich unter anderen Johannes Mauburnus mit mehreren Schriften[67]. Auch im Rosetum kommt er auf das Problem der Ursprünge seines Ordens zu sprechen. Er nennt zwar Augustinus nicht, äußert sich jedoch in der Sache eindeutig. Wir dürfen annehmen, daß seine Ansichten einem Eremiten nicht angenehm in den Ohren

[62] Vgl. Mittelalterl. Bibliothekskataloge I, 34–37 (Esslingen); III,3,403–415 (Kulmbach); IV,1,496–503 (Schönthal). IV,1,463–470 (St. Salvator, Regensburg) trifft für unseren Zeitraum nicht zu. Vgl. auch Stahleder, Handschriften (Windsheim); D. Gutiérrez, De antiquis bibliothecis.

[63] Vgl. o. S. 22f.

[64] Beispiel aus dem 14. Jahrhundert: Jordan von Sachsen, Liber Vitasfratrum II, 14 (S. 167, 62–69).

[65] Zu den Ereignissen in Pavia vgl. Elm, Neue Beiträge 379f.

[66] Schilderung der Vorgänge in Mailand mit ihren Folgen: Debongnie, Jean Mombaer 45–52; Palmieri, Art. Ambroise de Cora 1117.

[67] Vgl. Debongnie, aaO. 48–51.

geklungen haben[68]. Trotz der umschreibenden Worte ist es auf dem Hintergrund der erwähnten Auseinandersetzungen deutlich, daß Augustinus als Kanoniker und nicht als erster Eremit gesehen wird. Seiner formenden und organisierenden Rolle in der Anfangszeit der Chorherren steht nach den Worten des Mauburnus nichts entgegen. Es kommt hinzu, daß Mauburnus in dem zitierten Text und an anderer Stelle im Rosetum frühere, in besagter Sache deutlichere Werke von seiner Hand anspricht[69].

Ein Schlag gegen die Eremiten war auch die Schrift De integritate des Humanisten Jakob Wimpfeling, die 1505 in Straßburg erschien. Unter anderem behauptete der Verfasser, Augustinus sei gar kein Mönch und damit auch nicht der Stifter des Eremitenordens gewesen. Wir wissen, daß die Ansichten Wimpfelings nicht zuletzt im Erfurter Konvent der Eremiten große Empörung hervorgerufen haben. Luther selbst hat sich in dieser Sache heftig gegen Wimpfeling engagiert[70]. Verwiesen sei hier auch auf die Äußerungen des Johannes Schiphower OESA in seinem Chronicon Archicomitum Oldenburgensium (1503–1505). Darin geht der Verfasser in wenig schmeichelhafter und historisch nicht zutreffender Weise auf die Devotio moderna und die Windesheimer Kongregation ein. Deren Rückführung auf Augustinus wird energisch bestritten[71].

Auf dem Hintergrund dieser langen und erbitterten Auseinandersetzungen ist es unwahrscheinlich, daß die Augustiner-Eremiten sich in den Strom derselben Spiritualität der Devotio moderna stellten, die von den Chorherren in der Windesheimer Kongregation auf so breiter Basis aufgenommen worden war. Unter dieser Voraussetzung aber ist es ebenfalls kaum anzunehmen, daß die Eremiten ihre Novizen ausgerechnet nach dem Rosetum des Johannes Maubur-

---

[68] Mauburnus, Rosetum, Alph. VIII,X: „Converti me deinde ad perscrutandas lapsus singulorum ordinum causas singulares. Et primo omnium contemplationis oculis occurrit celeberrimus ille olim ordo canonicus, non infima portio ecclesiae sacrae, quippe qui (ut pace dixerim ordinum reliquorum) ordinibus omnibus et tempore et dignitate prior, ex initiis nascentis ecclesiae desub sanctis apostolis institutus, adeo effloruit, ut videretur quasi paradisus dei. Sed defloruit post, decidit et exaruit et post plurimas reformationes iterum iterumque est crebro dilapsus, ut hoc in investigatorio nostro plenius deductum." Mit „in investigatorio nostro" verweist Mauburnus auf seine Schrift Venatorium sanctorum ordinis canonicorum regularium (vgl. Debongnie, Jean Mombaer 50 A. 2).

[69] Vgl. Debongnie, aaO. 49 A. 1; 50 A. 2.

[70] Zu Wimpfelings Schrift im Rahmen der Auseinandersetzungen zwischen Chorherren und Eremiten vgl. Debongnie, aaO. 47; zu der Schrift selbst und zu den Reaktionen Luthers und anderer Eremiten vgl. Burgdorf, Erfurter Humanisten 67–79; Scheel II, 410–413.

[71] Joh. Schiphower, Chronicon 165: „Temporibus illius Archicomitis anno Domini MCCCC. fuit in Daventria quidam Magister, Gerhardus Grote nuncupatus, domus Fratrum Lullerdorum primatum gerens. Hic divino instinctu admonitus et edoctus oraculo primum monasterium regularium in Alemania dictum Windenheim instituit eliminatis alterius factitiae religionis monachis introducensque canonicos, qui paulatim per incrementa temporum dilatati personarum et monasteriorum adaucti numero, alienum ab aliis religionibus habitum et constitutiones novas eis condidit. Observandum, haec novella plantatio circa annum Domini, ut supra coepit, non video quomodo traditum sibi ab Augustino habitum per legitimas successiones servaverit, cum alius aliorum et alius suus sit habitus. Quomodo ergo credendum sit eos ab Augustino institutos fuisse, non video."

nus, der ein so eifriger und erfolgreicher Verfechter der Windesheimer Reformen war, im Meditieren schulten.

2.3.5.2. *Der konservative Charakter des Meditierens*

Wenn man fragt, was denn eigentlich die „Modernität" der Devotio moderna ausmacht, so muß man vor allem auf die eindringlichen Bemühungen um die Innenseite des geistlichen Lebens hinweisen. Dazu gehört auch die Suche nach praktikablen und kontrollierbaren Methoden der Meditation[72]. Dieses Mühen um Methode beim Meditieren wird für uns unter drei Gesichtspunkten greifbar:

- Die verschiedenen Arten der Meditation werden zu einem *Gesamtsystem geistlicher Übungen* verbunden, etwa bei Gerhard Zerbolt als Stufen eines Aufstieges[73].
- Bei Wessel Gansfort[74] und Mauburnus[75] kommt das Streben nach einem *Schema der Meditation,* das auf jeden beliebigen Stoff angewendet werden kann, zu einem gewissen Abschluß. Hierin liegt der wichtigste Fortschritt in der Methode des Meditierens[76].
- Auffallend ist der Sinn für die *praktischen Umstände* des Meditierens. Mehr als je zuvor stand den Seelenführern der Devotio moderna der konkrete Mensch vor Augen, der meditieren will, damit aber seine Schwierigkeiten hat. So werden die Fragen nach Ort, Zeit, Gebärden etc. etwa bei Mauburnus breit verhandelt. Ebenso sucht dieser in Anbetracht der Schwächen des menschlichen Gedächtnisses nach konkreten Hilfen bei der Memorisation[77].

Wir fragen nun, ob von diesen drei „modernen" Akzenten des Meditierens im Bereich der Devotio moderna bei den Augustinereremiten etwas zu finden ist. Es könnte ja sein, daß man trotz der vermuteten Ablehnung der Devotio moderna als ganzer von den ihr innewohnenden Tendenzen etwas angenommen hat.

Bei Konrad von Zenn haben wir diesbezüglich keine Hinweise, die über den Rahmen des traditionell Üblichen hinausgehen. Was die eigentliche Methode des Meditierens anbetrifft, so zitiert er die Epistola ad fratres de Monte Dei des Wilhelm von St. Thierry, die damals als Werk Bernhards galt[78]. Konrad beschreibt damit den Grundvorgang des Meditierens, wie es seit Väterzeiten geübt

---

[72] Vgl. Debongnie, Art. Dévotion moderne 743.

[73] Vgl. den Titel der Schrift De spiritualibus ascensionibus.

[74] Vgl. Goossens, Art. Méditation 917; Watrigant, La méditation méthodique et l'école des Frères de la vie commune, 148–151.

[75] Vgl. Goossens, aaO. 917f.; Debongnie, Jean Mombaer 206–216.

[76] Vgl. Goossens, aaO. 917f.

[77] Zu den Merkversen und anderen Gedächtnishilfen vgl. Debongnie, Jean Mombaer 25–34. Zu der „Psalmenhand" als Mittel der Konzentration beim Psalmodieren vgl. ebd. 172–184.

[78] Konrad (W f.186ra) zitiert Wilhelm v. St. Thierry, Epistola ad fratres, ed. Davy c. 56 (S. 105, 14–18): „... de cotidiana lectione aliquid cotidie in ventrem memoriae demittendum est, quod fidelius digeratur, et sursum revocatum crebrius ruminetur; quod proposito conveniat, quod

wird, indem er das Bild des Wiederkäuens verwendet. Ein besonderes Mühen um Methode wird nicht sichtbar. Auffällig ist die Sorge Konrads um Schwächen des Gedächtnisses und um Ablenkungen des Mönchs. Aber nur mit kurzen, nicht sehr konkreten Ratschlägen geht er darauf ein[79].

An anderer Stelle spricht Konrad von vier Übungen (exercitia), in denen der Mönch ständig verweilen soll. Davon entsprechen die ersten beiden Übungen dem, was wir insgesamt mit „Meditation" umschreiben könnten[80]. Obwohl man das bei „exercitia" erwarten könnte, läßt sich in dieser Aufzählung kein System erkennen, das die einzelnen Elemente sinnvoll zueinander ordnen würde.

Bei Paltz sieht die Sache auf den ersten Blick etwas anders aus. Wenn wir seine Ausführungen über Passionsmeditation herausgreifen, so ist hier tatsächlich das Bemühen um Methoden festzustellen: Paltz will ausdrücklich „modi meditandi passionem" bieten[81]. Aber diese Methoden bleiben blaß und unhandlich. Man fragt sich etwa in dem Abschnitt De modo legendi et meditandi quinque vulnera[82], wo denn der modus sei. Das einzig Methodische sind die nach einem bestimmten Schema aufgebauten Gebete. Dieser Befund ist merkwürdig, wenn man bedenkt, daß Paltz im eigenen Orden schon brauchbare Ansätze für eine wesentlich methodischere Meditation der Wunden Christi hatte. Wir denken dabei an Jordan von Sachsen, der die Wunden einzeln nach einem festen, für die 65 Artikel der gesamten Passion immer gleichbleibenden Schema durchmeditieren läßt[83]. Oder nehmen wir den langen Abschnitt De modo legendi librum vitae interius[84]. Er gleicht eher einer dogmatischen Abhandlung als einer Meditation. Konkreter im Sinn von echter Meditation wird Paltz, wenn er etwa empfiehlt, die Passion Christi im Vollzug des Tageslaufes zu bedenken[85] oder wenn er über bildliche Darstellungen des Gekreuzigten spricht[86].

Obwohl wir also bei Paltz hier und an anderen Stellen[87] durchaus ein Mühen um modi meditandi feststellen konnten, so sind doch letztlich auch bei ihm die

---

intentioni proficiat, quod detineat animum ut aliena cogitare non libeat." Vgl. das Zitat in PL 184, 327f.

Konrad (W f.262vb–263rb) zitiert Wilhelm v. St. Thierry auch dort, wo es um das unbewußte Meditieren beim Schlafen geht: Wilhelm v. St. Thierry, Epistola ad fratres, ed. Davy c. 60 (S. 108, 23–27; 109, 4–6.8–11.11f.). Vgl. die Zitate auch in PL 184, 329f.

[79] Konrad, W f.186rab: „Qui vero non habet bonam memoriam in scripturis, redigere debet. Et ad receptionem in memoria quattuor requiruntur: sicca complexio, longa exercitatio, rei cognitae delectatio et circa pauca occupatio. (Quarto) in studendo debet esse ordinatus, ut sensus per varia inordinate non discurrat, sed contra intellectum figat."

[80] Konrad, W f.219ra: „(Monachus) . . . *aut* deo intendit orando, psallendo, meditando, devotioni studendo, *aut* de deo tractat legendo, studendo, conferendo . . ."

[81] Paltz, Coelif. 98, 19. [82] Ebd. 109, 9–112,15.

[83] Vgl. Jordan von Sachsen, Meditationes, art. 48–51 u. 63; dazu Elze, Passion Jesu 133.

[84] Paltz, Coelif. 120,1–137,13. Mit liber vitae ist der Christus in cruce pendens gemeint (Coelif. 108,28).

[85] Paltz, Coelif. 114,12–119,29. [86] Ebd. 113,32–39.

[87] Vgl. die Ausführungen zur Bußmeditation bei Paltz o. S. 31f.

Akzente, die im Bereich der Devotio moderna so deutlich gesetzt wurden, nur andeutungsweise oder gar nicht auszumachen: Streben nach einem Gesamtsystem geistlicher Übungen, Entwicklung eines vom jeweiligen Stoff unabhängigen Meditationsschemas, Einfühlungsvermögen in die praktischen Gegebenheiten des Meditierens.

Weil sich von diesen „modernen" Entwicklungen bei den Augustinereremiten der sächsischen Reformkongregation keine deutlichen Spuren finden, können wir vom konservativen Charakter ihres Meditierens sprechen. Dieser Begriff deutet auf das Fehlen bestimmter Merkmale; er meint aber darüber hinaus, daß die Augustinereremiten mit Ernst und Regelmäßigkeit meditiert haben, wie es ihnen aus den Jahrhunderten christlichen Meditierens zugekommen war.

2.3.5.3. *Mystische Elemente der Meditation*

In einer Tischrede erinnert sich Luther, daß er Bonaventura gelesen habe. Dabei sei er „schir toll" geworden, weil er die Einigung seiner Seele mit Gott spüren wollte[88]. Aus diesem und aus anderen Hinweisen schließt O. Scheel auf ein intensives Bemühen des Mönches Luther um mystische Erfüllung des Meditierens etwa im Sinne Bonaventuras[89]. Wir stellen nun an unsere Texte die Frage, ob solche mystische unio als Ziel des Meditierens bei den Augustinereremiten angenommen werden kann. Als Indiz dafür könnte es gewertet werden, wenn wir innerhalb von Ausführungen über Meditation Bilder aus dem Bereich der Brautmystik, typisch mystische Begriffe wie raptus, extasis, excessus etc. und, im Zusammenhang damit, eine starke Betonung des Affekts gegenüber dem Intellekt finden würden[90].

Bei Konrad von Zenn konnten wir diesbezüglich so gut wie nichts feststellen. Das Ziel des Meditierens ist für ihn vorwiegend ein moralisches[91]; die Übung der Meditation steht insgesamt im Dienst eines geordneten, der Regel und den Konstitutionen entsprechenden Ordenslebens.

Der Befund bei Paltz ist nicht viel anders. In seinen Ausführungen zur Meditation stießen wir auf keine deutlich ausgeprägten mystischen Elemente. Ihm war die Mystik grundsätzlich durch ihre „verinnerlichenden, zur Sakralinstitution in Spannung tretenden Tendenzen"[92] verdächtig. So blieb bei ihm von dem gestuften mystischen Weg purgatio – illuminatio – unio im Grunde nur die via purgativa übrig[93].

Auch Staupitz ist, freilich in einem anderen theologischen Gesamtrahmen als Paltz, skeptisch gegenüber einer ausgesprochen mystischen Zielsetzung des

---

[88] WA TR 1, Nr. 644 (hier: S. 302,30–33): „Speculativa scientia theologorum est simpliciter vana. Bonaventuram ea de re legi, aber er hett mich schir toll gemacht, quod cupiebam sentire unionem Dei cum anima mea (de qua nugatur) unione intellectus et voluntatis."

[89] Scheel II, 220–227.

[90] Vgl. dazu etwa Bonaventura, Itinerarium VII (Opera omnia V, 312f.); auch u. S. 81ff.

[91] Vgl. o. S. 34.

[92] Hamm, Paltz 260.

[93] Vgl. ebd. 160f.

Meditierens. Wenn er auch ekstatische Zustände als Ausnahmefälle nicht ausschloß, so scheint doch seine Konzeption geistlicher Übungen nicht unmittelbar darauf ausgerichtet gewesen zu sein[94].

Allerdings können wir auch nicht ausschließen, daß beim Meditieren der Augustinereremiten mystische Elemente eine Rolle spielten, ja daß man „nach der Anleitung Bonaventuras um die Vereinigung seiner Seele mit Gott sich gemüht" hat[95]. Immerhin dürfte es im Orden so etwas wie eine Tradition mystischen Meditierens gegeben haben, wenngleich ihre Spuren auf Grund der Quellenlage schwach sind. Ihren Anfang sah man wohl bei Augustinus selbst. Jordan von Sachsen stellt den Mönchen gerade in bezug auf Gebet und Meditation den Ordenspatron als „omnis nostrae actionis exemplar et regula"[96] vor Augen. Nun war aber Augustinus durch Erlebnisse mystischer Art den Mönchen Beispiel eines durch entrückte Gottesschau begnadeten Menschen[97]. Diese Erinnerung dürfte besonders in dem Orden seines Namens wachgeblieben sein und eine mehr mystisch geprägte Meditation angeregt, im Zweifelsfalle auch gerechtfertigt haben. Zu erwähnen ist an dieser Stelle auch, daß es im Orden immer wieder Theologen gegeben hat, die sich mit mystischen Fragen befaßten[98]. Freilich bleibt das Maß einer damit verbundenen aszetischen Praxis weitgehend im dunkeln.

Mit beiden Linien der Meditation, einer unmystischen und einer mystischen, müssen wir also in Luthers ersten Mönchsjahren rechnen. Wir wollen das in dieser Hinsicht unklare Bild dahingehend werten, daß bei allem Bemühen um regelmäßige Meditation die Art ihrer Durchführung und ihre spezielle Prägung nicht reglementiert waren.

2.4. *Luthers Einübung in das Meditieren*

Ungeachtet mancher Unschärfen, mit denen das Bild von der Meditation bei den Augustinereremiten behaftet bleibt, dürfte doch die Tatsache deutlich geworden sein, daß Luther als Novize im Erfurter Konvent von dem breiten Strom mittelalterlichen Meditierens erfaßt wurde.

Wer es war, der Luther in die Praxis des Meditierens einführte, läßt sich sagen: Es war sein Novizenmeister Johann Greffenstein. Leider wissen wir nicht viel über diesen Mann, die Tatsache ausgenommen, daß Luther auch

---

[94] Vgl. Wolf, Staupitz und Luther 96ff. (Anm.); Steinmetz, Religious Ecstasy 27–31 (beide vornehmlich mit Bezugnahme auf spätere Werke von Staupitz).

[95] Scheel II, 220.

[96] Jordan von Sachsen, Liber Vitasfratrum I,11 (S. 35,33).

[97] Vgl. ebd. II,17 (S. 194,81–195,130). Das Beispiel Augustins steht im Gesamtzusammenhang, den die Überschrift von Kap. II,17 angibt: „Qualiter quis ad orationem debeat se praeparare" (191,1). Zwischen Augustinus und der Praxis der Mönche ist also deutlich eine enge Verbindung hergestellt.

[98] Vgl. etwa Zumkeller, Lehrer 257–263.

später noch sehr anerkennend von ihm spricht, ohne dabei allerdings die Meditation eigens zu erwähnen[1]. Bedeutsam für Luthers Meditieren war später wohl auch Johann von Staupitz. In zwei Richtungen vermuten wir Einflüsse: Erstens dürfte seine positive Bewertung der Anfechtungen[2] für Luther einer der Anstöße gewesen sein zur Umpolung des mystischen Exerzitiums[3]; zweitens ist sein seelsorgerlicher Hinweis auf die Wunden Christi[4] kaum ohne eine entsprechende Berücksichtigung der Praxis der Passionsmeditation denkbar[5].

Was den Charakter von Luthers anfänglichem Meditieren betrifft, so ist zunächst all das zu bedenken, was wir zur Meditation bei den Augustinereremiten erhoben haben. Man könnte das Ergebnis der Untersuchungen in folgende Punkte zusammenfassen:

- Die Augustinereremiten der sächsischen Reformkongregation legten großen Wert darauf, daß meditiert wurde. Man kann sagen, daß die Meditation als regelmäßige und ernsthaft betriebene Übung zu den Reformbestrebungen der Observanz gehörte.
- Gleichwohl hat man für die Meditation keine offiziellen Bestimmungen getroffen. So trug man zwar Sorge dafür, daß im klösterlichen Tageslauf genügend Zeit für geistliche Übungen blieb. Aber man hat dies, soweit wir sehen können, in keiner Satzung festgeschrieben.
- Was die Eigenart des Meditierens betrifft, so hat man sich nicht an der Spiritualität der Devotio moderna orientiert. Weder verschaffte man den Hauptwerken ihrer Meister in den Klöstern Geltung, noch übernahm man die besonderen Merkmale ihres Meditierens.
- Die Art der Meditation scheint vielmehr konservativ gewesen zu sein in dem Sinne, daß man sich in das eingefügt hat, was seit Väterzeiten in den Klöstern mit großer Selbstverständlichkeit geübt worden ist. Um modi meditandi machte man sich wie seit Jahrhunderten Gedanken. Jedoch mühte man sich beispielsweise nicht um die Entwicklung eines vom jeweiligen Stoff unabhängigen Meditationsschemas. Man darf auch annehmen, daß die jeweiligen modi meditandi, den Umständen entsprechend, in großer Freiheit verändert werden konnten.
- Was die mystische Prägung des Meditierens betrifft, so dürfte es zwei Linien gegeben haben: Eine Linie, die dem mystischen Anliegen der unio Raum gab, und eine andere Linie, die diesem Anliegen eher skeptisch gegenüberstand. Jedoch scheint auch in dieser Hinsicht bei den Augustinereremiten grundsätzlich Freiheit geherrscht zu haben.

Freilich ist sofort zu fragen, ob sich für Luther nicht besondere Akzente

[1] Zu Johann Greffenstein vgl. Scheel II,25; Brecht, Luther 65 u. 68. Es muß in diesem Zusammenhang besonders auf Weijenborg, Luther 840f. u. 856f., hingewiesen werden.

[2] Vgl. Wolf, Staupitz und Luther, bes. S. 162–165.

[3] Vgl. die Trias von 1539: oratio – meditatio – tentatio; dazu u. S. 91–96.

[4] Vgl. Wolf, aaO., bes. S. 195–198; auch Rost, Gleichförmigkeit, bes. S. 4f.

[5] Vgl. Oberman, Werden und Wertung 111f.

erheben lassen. Zwar haben wir aus der betreffenden Zeit keine diesbezüglichen Äußerungen Luthers. Wir können aber versuchen, aus späteren Aussagen Schlüsse zu ziehen.

Bezüglich des Zieles der Meditation dürfen wir davon ausgehen, daß Luther das mystische Anliegen der ekstatischen Erhebung zu Gott teilte, und daß er, die höchste Form der mystischen unio ausgenommen, auch Erfahrungen in dieser Richtung machte. Wenn auch die entsprechenden Zeugnisse aus seinem Orden dies nicht zwingend nahelegen, so lassen doch viele rückblickende Äußerungen Luthers daran keinen Zweifel[6].

Sodann ist, diesmal von Luther her, noch einmal die Frage des Einflusses der Devotio moderna aufzuwerfen. Ausgangspunkt ist die Tatsache, daß Luther in den Jahren zwischen 1513 und 1518 zwei ihrer gerade für die Meditation wichtigen Vertreter, Gerhard Zerbolt und Johannes Mauburnus, ausdrücklich erwähnt[7]. Nun haben unsere Nachforschungen zur Meditationspraxis bei den Augustinereremiten aber ergeben, daß eine „Schulung" der Novizen nach Handbüchern der Devotio moderna eher unwahrscheinlich ist; mit einiger Sicherheit war das Rosetum des Mauburnus nicht „das Buch, nach dem Luther meditieren lernte"[8]. Zwar wurde auf Grund der Tatsache, daß Luther das Rosetum an einer Stelle wider seine Gewohnheit mit Nennung der Blattzahl anführt[9], mit Recht darauf hingewiesen, daß er dieses Buch „nachschlagebereit zur Hand hatte"[10]. Wir halten diese Beobachtung jedoch nicht für ein eindeutiges Argument zugunsten der These vom Rosetum als Luthers Elementarbuch der Meditation. Mauburnus will nämlich den Mönch gerade dazu führen, daß er anhand auswendig gelernter Schemata selbständig mit den jeweiligen Meditationsstoffen umgehen kann. Das Rosetum hätte sich somit für Luther nach einer Zeit gründlicher Einübung in die darin beschriebenen Methoden selbst überflüssig gemacht. Die Annahme aber, daß Luther erst 1513 bis 1515, zur Zeit des seitenmäßigen Zitates in der ersten Psalmenvorlesung, seine Meditationsmethoden umfassend an Mauburnus orientiert hätte, scheint in Anbetracht mangelnder Spuren eines solchen Vorgangs wenig sinnvoll. Es ist zu bedenken, daß bei Luthers Verweisen auf Gerhard Zerbolt und Johannes Mauburnus nur in einem Fall deutlich von Meditation die Rede ist[11], wobei auch dies nicht im Blick auf

---

[6] Vgl. Scheel II,216–227 (mit Verweis auf die entsprechenden Stellen bei Luther); neuerdings Brecht, Luther 101 f.

[7] Gerhard Zerbolt, De spiritualibus ascensionibus: WA 3,648,25f.; WA 56,313,13–16 (hier Verwechslung mit Gerhard Groote; vgl. Denifle, Luther I,2,371). Mauburnus, Rosetum: WA 3,380,32; 381,15; WA 1,341,35f. Zum Einfluß von Mauburnus auf Luther vgl. auch Sanders Erwägung, Luther habe bei der Formulierung seines Morgensegens auf das Rosetum zurückgegriffen (Sander, Miszellen 596–601).

[8] Benz, Meditation 93; vgl. o. S. 21.

[9] WA 3,380,32. Es handelt sich um das Rosetum der Ausgabe Basel 1504 (vgl. Elze, Züge 396 A.53).

[10] Elze, Züge 384.

[11] WA 1,341,35f. Zur Datierung des Passionssermons vgl. u. S. 118 A.112.

modi, sondern im Blick auf fructus meditandi geschieht. In den anderen Fällen handelt es sich um theologische Fragen verschiedener Art. Offenbar hat Luther beide Bücher als theologische Traktate benutzt oder zumindest benutzen können.

Trotz aller Einwände ist Luthers Kenntnis von zwei wichtigen Meditationsbüchern aus dem Bereich der Devotio moderna eine nicht zu bestreitende Tatsache. Im Zusammenhang damit muß auch auf seine lebenslange Sympathie für die Devotio moderna verwiesen werden[12], die wahrscheinlich in seinem Magdeburger Schuljahr[13] ihren Ursprung hat und die sich später etwa in seiner Einstellung zum Fraterhaus in Herford mit großer Deutlichkeit zeigt[14]. So werden wir insgesamt sagen dürfen, daß sich Luther entgegen der herrschenden Tendenz in seinem Orden, angeregt vielleicht durch seine frühen Erfahrungen als Schüler in Magdeburg, mit Werken aus dem Bereich der Devotio moderna befaßt hat und daß seine Meditationsfrömmigkeit aus dieser Richtung in einer nicht genauer zu bezeichnenden Weise Einflüsse empfangen haben könnte.

Wir stehen damit am Ende unserer Untersuchungen zur Meditation bei den Augustinereremiten. Es ist einzugestehen, daß die Ausgangsfrage, in welcher spezifischen Prägung der Strom mittelalterlichen Meditierens Luther erreicht habe[15], nicht voll befriedigend beantwortet werden konnte. Offenbar herrschte bei den Augustinereremiten, immer unter der Voraussetzung der prinzipiellen Notwendigkeit des Meditierens, eine große Freiheit in seiner jeweiligen Ausformung. Dies bedeutet, wenn wir uns jetzt dem werdenden Reformator und dem Reformator Luther zuwenden, für den Vergleich mit der Tradition, daß wir so gut wie alle Quellen heranziehen können, die Hinweise geben auf die Praxis der Meditation in den mittelalterlichen Klöstern, wobei freilich eine gewisse Wahrscheinlichkeit, daß Luther mit diesen Quellen direkt oder indirekt in Berührung gekommen war, in der Regel beachtet bleibt[16]. Wir lassen uns leiten von den sachlichen Fragen der Meditationspraxis, nicht von der Frage direkter Abhängigkeit Luthers von bestimmten Strängen der Tradition.

---

[12] Vgl. neuerdings Mokrosch, Art. Devotio moderna 614ff. (dort auch Lit. zur Frage Luther und die Devotio moderna).

[13] Vgl. Brecht, Luther 27f.

[14] Vgl. dazu Stupperich, Luther und das Fraterhaus in Herford; ders., Devotio moderna und reformatorische Frömmigkeit.

[15] S.o. S. 21f.

[16] Zum Exercitatorium des García de Cisneros als einem Sammelwerk mittelalterlicher Tradition vgl. etwa Böhmer, Loyola 15f. Weil es uns auf den Nachweis direkter Abhängigkeit nicht ankommt, verwenden wir das Rosetum des Mauburnus in der für uns leichter zugänglichen Druckfassung von 1510, obwohl Luther nachweislich ein Exemplar des Druckes von 1504 benutzt hat (vgl. o. A.9).

3. Meditation bei Luther

3.1. *Das Wesen der Meditation nach Luthers eigenen Definitionen*

3.1.1. *Grundlegende Äußerungen bei der Auslegung von Ps 1,2*

3.1.1.1. *Dictata super Psalterium. Druckbearbeitung vom Herbst 1516*

3.1.1.1.1. *Vorbemerkungen*

Wenn bei Luther Meditation in den Blick kommt, dann haben wir es meist mit vereinzelt stehenden Bemerkungen zu tun, die wir erst in ein Gesamtbild fügen müssen. Oder aber Luther beschreibt – wie etwa in der Meditationsanleitung für Meister Peter[1] – eine feste Praxis des Meditierens, wobei grundsätzliche Aussagen über das Wesen dieser Tätigkeit im Hintergrund bleiben. Jedoch gibt es einige Stellen, an denen Luther ausführlich und zusammenfassend über Wort und Wesen der meditatio spricht. Als formale Gemeinsamkeit eignet diesen Äußerungen ein Schema etwa der folgenden Art: meditatio/meditari est ... Das berechtigt uns, von Definitionen zu sprechen.

Es ist sicher kein Zufall, daß gerade Ps 1,2 (Vulg.) zum auslösenden Moment für Luthers Äußerungen wird, wurde doch dieser Psalmvers als wichtigste biblische Aufforderung zur regelmäßigen Meditation angesehen[2]. Zweimal innerhalb weniger Jahre spricht Luther, ausgehend von diesem meditari in lege Domini die ac nocte, über Wort und Wesen der meditatio, nämlich jeweils in der ersten und in der zweiten Psalmenvorlesung.

Der betreffende Text aus der ersten Psalmenvorlesung gehört, wie Böhmer einleuchtend gezeigt hat[3], nicht den eigentlichen Scholien für die Vorlesung an, sondern er ist ein Teil einer späteren Bearbeitung für den Druck, wobei dieser allerdings nie zustande gekommen ist[4]. Diese Tatsache bedeutet für unsere Wertung des Textes zweierlei: Erstens handelt es sich um einen ausgefeilten Text und nicht nur um Notizen für die Vorlesung; zweitens können die betreffenden Ausführungen zu Ps 1,2 als Schluß- und Kulminationspunkt all der Gedanken betrachtet werden, die Luther sich immer wieder im Laufe seiner mehrjährigen Vorlesung über das Wesen der Meditation gemacht hat.

---

[1] WA 38,358–375; vgl. u.S. 150–167 u.ö.

[2] Vgl. o. S. 18; auch Ruhbach, Meditation als Meditation der Heiligen Schrift 106.

[3] Böhmer, Vorlesung 34–41.

[4] Vgl. Vogelsang, in Cl.V, S. 40.

Wir gehen nun so vor, daß wir die Kernstücke der Aussagen Luthers jeweils vor der Interpretation nach WA 55 II,1 zitieren. Dabei müssen aus Gründen der sachlichen Zusammengehörigkeit auch Ausführungen zu Ps 1,3 herangezogen werden. Die Interpretation selbst gliedert sich nach „Schlagzeilen", die aus Luthers Formulierungen genommen wurden.

3.1.1.1.2. *Das Wesen des Meditierens*

„‚Meditari' proprie est hominum tantum, Quia et bestie videntur imaginari et cogitare. Vis ergo meditatiua est rationalis. Differunt autem Meditari et cogitare, Quia meditari est morose, profunde, diligenter cogitare, Et proprie est ruminare in corde. Vnde meditari quasi in medio agitare vel ipso medio et intimo moueri est; qui ergo intime et diligenter cogitat, querit, discutit etc., hic meditatur. Sed ‚in lege Domini' hoc non facit, nisi cuius primum voluntas in ea fixa fuerit. Nam que volumus et amamus, intime et diligenter ruminamus. Que autem odimus vel vilipendimus, leuiter transimus et non profunde, diligenter aut diu volumus. Igitur radix primum mittatur in corde ‚voluntas', et sua sponte veniet ‚meditatio'."[5]

– *Vis meditativa est rationalis*

Diese Bestimmung will das Meditieren als eine dem Menschen eigentümliche Tätigkeit von dem cogitare abheben, welches auch den Tieren zugänglich ist. Luther fußt mit seinen definierenden Sätzen auf Tradition, die ihrerseits auf Richard von St. Viktor zurückgeführt werden kann[6]. Innerhalb dieser Tradition wird die meditatio als Tätigkeit der ratio im Menschen beschrieben. Sie zeichnet sich damit gegenüber der niedriger stehenden, der imaginatio entspringenden[7] cogitatio aus durch Beharrlichkeit und Zielgerichtetheit[8]. Allerdings verwendet Luther bei der näheren Bestimmung des Unterschiedes zwischen meditari und cogitare Formulierungen, die sich in der genannten Tradition nicht finden: „meditari est morose, profunde, diligenter cogitare."

– *Meditari est quasi in medio agitare*

Der traditionell vorgegebene Unterschied zwischen meditari und cogitare tritt nun in den Hintergrund, wenn Luther sich bemüht, das Wesen der Meditation möglichst treffend zu erfassen. Es ist sein Anliegen, die Meditation als eine Tätigkeit zu schildern, die vom Innersten des Menschen ausgeht. Dem dient die etymologische Erklärung, die meditari mit medium = Mitte in Verbindung

---

[5] WA 55 II,1,11,26–12,10.

[6] Richard v. St. Viktor, Beni.maior, L.1, c.3 u. 4 (PL 196,66ff.) und Beni.minor,c.16 (PL 196,11). Vgl. App. zu WA 55 II,1,11,26ff.

[7] Richard v. St. Viktor, Beni.maior, L.1, c.3: „ex imaginatione cogitatio, ex ratione meditatio" (PL 196,67).

[8] Ebd. L.1, c.4: „meditatio . . . est studiosa mentis intentio circa aliquid investigandum diligenter insistens . . .; cogitatio autem est improvidus animi respectus ad evagationem pronus" (PL 196,67).

bringt[9]. An unserer Stelle dürfte damit das Innere des Meditierenden gemeint sein. Darauf deutet auch die Bestimmung „meditari . . . proprie est ruminare in corde". Auf das Bild des Wiederkäuens werden wir noch ausführlicher zu sprechen kommen[10]. Hier deutet der Zusatz in corde darauf hin, daß der Akzent auf dem Wiederkäuen als einer Tätigkeit des inneren Menschen liegt[11]. Allerdings muß schon hier festgestellt werden, daß es eine strenge Alternative zwischen dem Inneren des Meditierenden und der Innenseite dessen, was meditiert wird, nicht gibt[12]. Gerade die Tatsache, daß der Mensch sich von innen heraus seinem Gegenstand zuwendet, macht es möglich, daß die Meditation diesen Gegenstand nicht äußerlich, sondern in seinem Kern erfaßt. Theologisch gesprochen heißt dies, daß nur der vom Geist Gottes bewegte Ausleger denselben Geist erkennen kann, wie er sich in dem Buchstaben der Heiligen Schrift verbirgt[13].

– *Voluntas est radix meditationis*

An Luthers Umgang mit dem Begriff voluntas kann man sehr schön sehen, wie die Ergebnisse philologisch genauer Beobachtungen zunehmend traditionelle philosophische Definitionen von Begriffen verdrängen. Schon in den Scholienteilen zu Ps 1 aus der Anfangszeit seiner ersten Psalmenvorlesung wendet sich Luther gegen die philosophische Bestimmung der voluntas als einer Region der Seele, die sich gegen andere Regionen abgrenzen läßt[14]. Er bestimmt voluntas mit treffenden philologischen Beobachtungen als Inbegriff des ganzen Menschen, des Menschen mit Leib und Seele[15]. Es ist die freie[16] und nicht durch Furcht bewirkte, es ist die aus innerstem Antrieb[17] stammende Zuwendung zu Gott und seinem Wort. Diese Ausrichtung der voluntas kann nur durch die Liebe Christi bewirkt werden[18]. Unser Abschnitt sagt, daß dieser voluntas die

---

[9] Nach heutigen etymologischen Erkenntnissen, denen zufolge meditor als Iterativform zu medeor aufzufassen ist, muß Luthers Erklärung natürlich als falsch bezeichnet werden. Vgl. Ernout-Meillet, Dict. étym. 392f., und Walde-Hofmann II,55ff., beide a. v. meditor.

[10] S. u. S. 55–60.

[11] Vgl. WA 3,222,18f.: „Calescit autem cor intra seu in medio nostri, quando inflammatur in spiritualibus bonis. Et hoc idem est Meditatio, id est in medio cordis cogitatio."

[12] Vgl. u. S. 171f. (zur Konformität der Affekte).

[13] Vgl. Holl, Auslegungskunst 547f.; vgl. etwa auch AWA 2,43,25f., wo Luther sagt, daß schon die voluntas als unabdingbare Voraussetzung der meditatio (ebd. 44,18f.) eine Einheit zwischen dem Ausleger und seinem Gegenstand herstellt: „. . . per hanc voluntatem iam unum cum verbo dei factus (siquidem amor unit amantem et amatum) . . ."

[14] WA 55 II,1,35,3–29. Dieses Verständnis von voluntas wird in der Druckbearbeitung von 1516 aufgenommen: WA 55 II,1,21,21–22,6. Vgl. Raeder, Das Hebräische 67ff.

[15] WA 55 II,1,35,6f.: „omnes vires, omnia membra".

[16] Ebd. 6,1: „hylari et libera voluntate".

[17] Ebd. 9,4ff.: „Christus . . . vult . . . voluntate et ex animo et affectu sibi seruiri." Vgl. „volumus et amamus" (ebd. 12,6); „radicatus est voluntate et ex animo spontaneo in lege Domini" (ebd. 13,7).

[18] Vgl. ebd. 7,5f.: „Hoc enim fit solum vinculis Charitatis, quam non lex, Sed Christus in spiritu suo dedit." Vgl. auch WA 3,649,15–30.

meditatio von selbst (sua sponte) folgt. Die grundsätzliche liebende Ausrichtung auf Gott und sein Wort ist somit der Meditation vorgängig; sie kann durch Meditation nicht bewirkt werden.

3.1.1.1.3. *Meditation als Schriftauslegung*

„Sunt autem et hic quidam peruersi (sicut in prima versiculi parte), Qui similiter inuertunt et peruertunt hanc vocem spiritussancti. Quorum non est meditatio in lege Domini, Sed potius econtra lex Domini (quod horrendum est!) est in eorum meditatione. hii sunt, Qui Scripturam ad suum sensum torquent et sua propria statuta meditatione cogunt Scripturam in eam intrare et concordare, cum debuerit fieri ediuerso. Sic ergo lex Domini in meditatione eorum et non meditatio in lege Domini ... Vide, quantum sit eruditionis in isto versiculo vnico! Vehementer ergo timendum est, Ne cito sensui nostro credamus, et cum omni humilitate et reuerentia Scriptura exponenda."[19]

– *Meditatio in lege Domini – lex Domini in meditatione*

Lex Domini meint an unserer Stelle die Heilige Schrift. Das geht daraus hervor, daß Luther von scriptura spricht, wo er sich nicht ausdrücklich auf die Formulierung von Ps 1,2 bezieht. Dementsprechend sieht Luther sich durch seinen Text zu hermeneutischen Überlegungen grundsätzlicher Art herausgefordert. Er findet in der Formulierung des Psalms „meditabitur *in* lege Domini" den hermeneutischen Grundsatz zum Ausdruck gebracht, daß der Ausleger in den Text einzudringen habe, ohne sein eigenes Verständnis einzutragen und es lediglich durch den Text bestätigt zu finden. Die Schrift ist Stimme des Heiligen Geistes. Das aber bedeutet, daß die Haltung des Auslegers ihr gegenüber nur die der Demut und Ehrfurcht sein kann.

Luthers hermeneutische Überlegungen sind zunächst durchaus traditionell[20]. Die Art und Weise aber, in der Luther den alten hermeneutischen Grundsatz anwendet, kann zu neuen und ungewöhnlichen Einsichten führen. Wir denken etwa an seine Ausführungen zum Begriff der voluntas[21]. Auch wenn er sein Vorgehen dort nicht ausdrücklich als meditatio bezeichnet, so handelt es sich doch sachlich genau darum. In diesem Fall nämlich bedeutete rechter Umgang mit der Heiligen Schrift, daß man das philosophisch-dogmatische Vorverständnis eines Begriffes hintanstellt und sorgfältig darauf achtet, wie die Heilige Schrift selbst mit diesem Begriff umgeht[22]. Philologische Methoden werden in diesem Zusammenhang Ausdruck des Respekts vor dem Sprachgebrauch der Heiligen Schrift, d.h. vor der Stimme des Heiligen Geistes[23].

---

[19] WA 55 II,1,13,13–20 u. 14,9–12.

[20] Vgl. die Aufnahme der Stelle aus Hilarius (ebd. 13,24–27), in welcher der besagte hermeneutische Grundsatz klar ausgesprochen ist: Hilarius, De trin., L.1, c.18 (PL 10,38).

[21] S.o. S. 46f.

[22] Vgl. WA 55 II,1,21,21f.: „Sequitur tandem ex predictis, Quod Scriptura sancta aptius et melius vtitur verbis quam Curiosi disputatores in suis studiis."

[23] Wir können diese Linie in die zweite Psalmenvorlesung hinein verfolgen. Dort stehen im

3.1.1.1.4. *Erfahrung beim Meditieren*

„Recte quoque premisit: ‚qui meditatur in lege eius', et nunc prosequitur: ‚secus decursus aquarum'[24]. Nam iis, qui in lege meditantur, scaturit ipsa petra Scripture abundantes riuos et ‚decursus aquarum' Scientie et Sapientie, insuper et gratie et suauitatis. Sic enim promittit: ‚Querite, et inuenietis; pulsate, et aperietur vobis'[25]. Igitur ‚meditari' est pulsare cum Mose hanc petram, ‚decurrere' autem ‚aquas' est erumpere multos sensus et copiam intelligentie . . . Dicit autem ‚decursus', Quia ‚sermo eius velociter currit'[26]; ‚nescit enim tarda molimina spiritussancti gratia'[27]. Et ‚fluminis impetus letificat ciuitatem Dei'[28]. Et ‚lingua mea calamus scribe velociter scribentis'[29]. Expertus nouit, Quod qui in lege Domini meditatur, breuiter et subito plurima docetur ac velut diluuium inundet intelligentiarum ‚in voce cataractarum'[30] eius, ita vt sit vere cursus, vbi humanum studium vix est repere ac claudicare ad eandem veritatis copiam. Igitur Qui cupit abunde erudiri ac velut inundari cursibus aquarum scientie, tradat se ad meditationem in lege Domini die ac nocte, et experientia docebitur verum dixisse prophetam in hoc versu."[31]

– *Meditari est pulsare cum Mose hanc petram*

Diese Definition von Meditation ist sehr anschaulich[32]. Luther bezieht sich damit auf das Handeln des Mose, der durch das Schlagen auf einen Felsen dem Volk Wasser verschaffte[33]. Die Deutung des Felsens auf Christus ist alt; sie geht schon auf das Neue Testament zurück. Das Mittelalter hat sie selbstverständlich übernommen[34]. In unserem Text ist mit dem Felsen die Heilige Schrift gemeint[35], die ihrerseits Stimme des Heiligen Geistes und damit Christi ist[36]. Es fällt auf, daß Luther das lateinische Wort für „schlagen" nicht dem Alten Testament entnimmt, denn dort wird das Tun des Mose an beiden Stellen mit percutere bezeichnet. Luther dagegen schreibt pulsare. Er bezieht sich damit und durch Zitierung von Mt 7,7 ausdrücklich auf die Worte Jesu über das Beten.

Rahmen der Auslegung von Ps 1,2 gerade die Wortuntersuchungen – etwa zu voluntas und meditari – unter dem Stichwort einer „grammatica theologica" (AWA 2,38,19). Vgl. dazu Raeder, Grammatica 34–46.

[24] Ps 1,3a: „Et erit tamquam lignum, quod plantatum est secus decursus aquarum, quod fructum suum dabit in tempore suo."

[25] Mt 7,7. [26] Ps 146 (147),15.

[27] Ambrosius, In ev. Lc. 1,39; L.2, n.19 (PL 15,1640).

[28] Ps 45 (46),5. [29] Ps 44 (45),2. [30] Ps 41 (42),8.

[31] WA 55 II,1,15,5–12 und 15,20–16,8.

[32] Vgl. die ganz ähnlichen Bestimmungen WA 3,539,19–24. Zur Verbindung von meditatio und dem Bild vom Felsen s. auch WA 4,182,18–27. Vgl. dazu insges. Oberman, Iustitia 422. Vgl. u. S. 49.

[33] Vgl. Ex 17,6; Num 20,11.

[34] Vgl. 1.Kor 10,4. Zur mittelalterlichen Auslegung vgl. etwa Glossa ordinaria zu Ex 17,6 (PL 113,242).

[35] Vgl. WA 55 II,1,15,7: „ipsa petra Scripture".

[36] An anderer Stelle kann Luther sagen, daß er den Text auf den Felsen, d.h. Christus, schlägt: „. . . quandocunque habeo aliquem textum Nuceum, cuius cortex mihi durus est, allido eum mox ad petram et inuenio nucleum suauissimum" (WA 55 I,1,6,32ff.).

Auf diese Weise wird das Meditieren – wie es der gesamten Tradition entspricht[37] – als ein betendes Sichmühen um das rechte Verständnis des Textes beschrieben. Christliche Meditation ist kein rein intellektueller Akt, sondern sie geschieht immer in der betenden Hinwendung zu Gott. Bei solchem Umgang mit dem Text werden aus dem Felsen die Wasser der Einsicht und des Verstehens hervorbrechen. Daß auch dies kein rein intellektueller Vorgang, sondern eine umfassende Erfahrung ist, geht aus der Kennzeichnung durch das Substantiv suavitas hervor[38]. In diese Richtung deutet auch das Begriffspaar scientia et sapientia, denn sapientia meint nach der Tradition saporosa scientia, ein Wissen also, welches den ganzen Menschen mit Intellekt und Affekt in seinen Bann zieht[39]. Das vom Psalmtext vorgegebene Verbum decurrere umschreibt Luther mit erumpere, was die meditative Erkenntnis als einen Vorgang schnell und plötzlich sich ereignender Erfahrung akzentuiert.

– *Expertus novit, quod, qui in lege Domini meditatur, breviter et subito plurima docetur*

Die eben erwähnte Plötzlichkeit des Vorgangs wird im folgenden noch mehrmals hervorgehoben, ja sie wird unter Berufung auf Schriftstellen geradezu als Kennzeichen einer Tätigkeit des Heiligen Geistes gesehen. Diese Berufung auf die Heilige Schrift hat Anhalt auch in der Erfahrung dessen, der meditiert: Der in dieser Sache Erfahrene (expertus[40]) weiß, daß solche Erleuchtungen breviter et subito geschehen[41]. Mit seinem Hinweis auf die experientia meint Luther die Praxis des Meditierens. Er interpretiert den Text aus dieser Praxis heraus und gibt dem Hörer seiner Vorlesung bzw. dem Leser den Rat, sich dieser Praxis zu widmen, um die Wahrheit des Textes zu erkennen.

Ebenso deutlich werden wir auf die Praxis geistlicher Übung verwiesen, wenn wir Luthers Bild vom auf den Fels schlagenden Mose bei Johann von Paltz wiederfinden. In seiner Coelifodina steht dieses Bild nicht wie bei Luther in exegetischen Zusammenhängen, sondern im Rahmen von Ausführungen über die Früchte der Passionsmeditation[42].

---

[37] Vgl. u. S. 64f.

[38] Zur „Süße“ bei Bernhard vgl. Köpf, Religiöse Erfahrung 156ff. Vgl. auch Hamm, Paltz 157.

[39] Altenstaig, f.226va,s.v.sapientia, zitiert Gerson, De monte contemplationis c. 5 (ed. Dupin III,547): „Sapientia valet tantum sicut saporosa scientia, qui sapor respicit affectum, desiderium, appetitum et voluntatem personae istius, cui inest.“ Vgl. bei Luther etwa auch WA 5,410,37f.; 411,7.

[40] Vgl. „experientia docebitur“ (WA 55 II,1,16,7f.).

[41] Vgl. Oberman, Iustitia Christi 423 A.15, zur plötzlichen Erkenntnis in der Tradition. Vgl. bei Luther besonders WA 3,539,23f.: „Meditatio enim est summa, efficacissima et brevissima eruditio.“

[42] Paltz, Coelif. 104,8f.: „Moyses percussit petram et fluxerunt aquae. Sic debemus percutere petram, id est Christum passum, per devotam meditationem et fluet aqua devotionis.“ Vgl. o. S. 48.

Exkurs: Die Zuweisung der meditatio an ein anthropologisches Schema

Wir kehren noch einmal zum Anfang von Luthers Bestimmungen des Meditierens zurück, wo das meditari der ratio im Menschen zugeordnet wurde[43]. Wenn wir einen Vergleich mit der dahinterstehenden Tradition durchführen, fällt auf, daß Luther aus einem umfangreichen System von Bestimmungen nur sehr wenig herausgegriffen hat. Schon Richard v. St. Viktor vergleicht nicht nur cogitatio und meditatio, sondern er nimmt durchgängig die contemplatio hinzu. Diese drei Tätigkeiten werden den drei Bereichen der menschlichen Seele – imaginatio, ratio und intelligentia – zugeordnet[44]. Wir finden dieses System in erweiterter Form wieder bei Johannes Gerson[45]. Er ordnet die Bestimmungen Richards in ein umfassendes System der menschlichen Seelenvermögen ein[46]. Bei Gerson ergibt sich dabei – wie schon in der von ihm aufgegriffenen Tradition – eine Stufung der verschiedenen geistlichen Tätigkeiten in Entsprechung zu dem gestuften Aufbau der Seele. Auf dieser Entsprechung aber beruht die Möglichkeit von systematischen geistlichen Übungen, denn auf dem Stufenweg cogitatio – meditatio – contemplatio werden gleichzeitig die entsprechenden Seelenvermögen gepflegt und geläutert[47].

Damit haben wir den Grundgedanken im Blick, von dem zumal im späten Mittelalter Systeme geistlicher Übungen ihren Ausgang nehmen: Die Seele, die durch die Sünde aus ihrer ursprünglichen Gottesbeziehung gefallen ist, kann und muß durch geistliche Übungen, die den Menschen mit Intellekt und Affekt in Anspruch nehmen, zum Bild Gottes zurückgestaltet werden[48].

Wir wenden uns nun wieder Gerson zu, dessen anthropologisches Schema Luther gekannt haben dürfte, als er mit der Druckbearbeitung zu Ps 1 beschäftigt war[49]. Zweierlei fällt auf, wenn wir Luthers Bestimmungen der Meditation mit Gersons Schema vergleichen. Erstens fehlt, obwohl Luther über cogitatio und meditatio handelt, jeder Hinweis auf die contemplatio und damit auf den Höhepunkt geistlicher Übungen. Und zweitens fehlt der Versuch, die meditatio konsequent als eine Stufe unter anderen einem anthropologischen System zuzuordnen, obwohl das durchaus in der Linie der von ihm angesprochenen Tradition gelegen hätte[50].

---

43 WA 55 II,1,11,26–12,1; s.o. S. 45.

44 Vgl. Richard v. St. Viktor, Beni. maior L.1, c.3 u. 4 (PL 196,66ff.).

45 Gerson, Myst. theol. spec., v.a. cons. 21 (ed. Combes 52f.).

46 Vgl. die schematischen Darstellungen bei Dreß, Theologie Gersons 73, und bei Joest, Ontologie 160. Die Schemata beruhen auf Gerson, Myst. theol. spec., cons. 9, 21 u. 27 (ed. Combes 22–25, 51–54, 67–70).

47 Zu den geistlichen Übungen bei Gerson vgl. Dreß, Theologie Gersons 114–121.

48 Vgl. Mauburnus, Rosetum, Alph. III,L.M.: „Tres etenim sunt interioris hominis partes: memoria scilicet, intelligentia et voluntas, tres quoque praecipui illarum partium actus: meditatio videlicet, iudicium et affectus ... Quaecumque igitur primum interioris hominis fundamentum, meditationem videlicet, subruunt, pariter et omnem interioris hominis reformationem subvertunt, quoniam in imaginis reformatione a meditatione exordiri oportet tamquam a primario primae partis imaginis actu." Vgl. auch Gerhard Zerbolt, Sp. asc., c. 3 (ed. Mahieu 22): „(Iesus Christus) ... in pristinum statum rectitudinis nequaquam nos restituit; nec vires animae reformavit, sed ad nostrum exercitium et meritum eas nobis reliquit per sancta exercitia reformandas."

49 In den Randbemerkungen zu Tauler, also wohl 1516, verweist Luther ausdrücklich auf dieses Schema in Gersons Mystica theologia (WA 9,99,37–100,3). Vgl. Joest, Ontologie 175–178.

50 Zum Vergleich der Psychologie Gersons mit der Luthers: Metzger, Gelebter Glaube 75–80, und Dreß, Theologie Gersons 80–91.

An einer anderen Stelle können wir ähnliches beobachten. In seinen Ausführungen zu Ps 76(77) kommt Luther auf die augustinische Dreiteilung der Seele in memoria, intellectus und voluntas zu sprechen[51]. Dabei ist dem intellectus das meditari zugeordnet, der voluntas die im Gebet erfolgende liebende Hinwendung zu Gott[52]. Aber auch hier wird der Ansatz zu einer geordneten Stufung der geistlichen Tätigkeiten nicht weitergeführt, und zwar unter anderem deshalb, weil das augustinische anthropologische Schema in bezeichnender Weise aufgebrochen ist. Die memoria wird nämlich ausdrücklich nicht mehr als Teil der Seele verstanden, sondern als das Beharrungsvermögen eines jeden Seelenteiles im Lobe Gottes[53]. Damit hat Luther offenbar die Konsequenz aus dem biblischen Gebrauch von memoria/meminisse gezogen und begonnen, den traditionellen spekulativen Bestimmungen der Seele den Boden zu entziehen[54]. Das bedeutet aber zugleich, daß auch für eine Stufung geistlicher Übungen der spekulative Hintergrund entfällt.

Nun sind die angedeuteten Entwicklungen in den Dictata freilich noch zu keinem Abschluß gekommen. Jedoch ist die Tendenz Luthers deutlich zu erkennen, „den biblischen Befund zu berücksichtigen, wo es um Klärung anthropologischer Begriffe geht"[55], und dementsprechend sich dagegen zu wenden, „daß man anthropologische Begriffe isoliert, d.h. in der Reflexion herausbricht aus der Totalität menschlichen Lebensvollzuges"[56].

3.1.1.2. *Operationes in Psalmos. Vorlesung 1518–1521*

3.1.1.2.1. *Vorbemerkungen*

Auch in seiner zweiten Psalmenvorlesung nimmt Luther das Stichwort meditabitur von Ps 1,2 zum Anlaß, sich über Wort und Wesen der Meditation ausführlich zu äußern[57]. Wieder haben wir es mit einem Text zu tun, der, aus einer Vorlesung erwachsen, von Luther selbst für den Druck bestimmt worden war[58].

Es legt sich nahe, Luthers Äußerungen in den Dictata und in den Operationes miteinander zu vergleichen. Dabei zeigt es sich, daß wir uns auf die Herausarbeitung charakteristischer Neuakzentuierungen beschränken können, da die

---

[51] WA 3,531,8–27.

[52] „Sic enim Intellectus memor est, quando assidue meditatur in illis (= in operibus Dei), Voluntas memor, quando iugiter amat et orat ..." (WA 3,531,13f.).

[53] WA 3,531,8–11: „... hic non debet accipi memoria ut in philosophia pro parte anime distincta. Sed amplissima significatione pro cuiuslibet potentie perseverantia ... in dei laude." In den Adnotationes zu Faber Stapulensis beruft sich Luther ausdrücklich auf diese seine Ausführungen und erklärt den Vorgang des figere in memoriam durch ruminare: „Vide Collect. ps. 76. Qui enim non figit fixe in memoriam ruminando opera Domini, nec intellectum nec affectum potest haurire" (WA 4,515,16f.). Vgl. Metzger, Gelebter Glaube 81ff., und Schwarz, Fides 116f.

[54] Vgl. Raeder, Das Hebräische 270.

[55] Metzger, Gelebter Glaube 88.

[56] Ebd. 90.

[57] AWA 2,41,16–45,14.

[58] Vgl. E. Thiele, WA 5,1–7, in seiner Einleitung zu den Operationes.

beiden Texte im grundsätzlichen übereinstimmen. Gleichgeblieben ist die Bestimmung der Meditation als einer Weise des Umgangs mit der Heiligen Schrift. Und ebenfalls verleiht Luther der Vorordnung der voluntas vor die meditatio, d.h. der vorgängigen liebenden Hinwendung zu Gott als Wurzel alles Meditierens, großes Gewicht[59]. Was zurücktritt, ist das Moment der Erfahrung beim Meditieren, auf das wir in dem Dictata-Text gestoßen waren. Nun setzt Luther aber in den Operationes zwei gewichtige Akzente, denen wir im folgenden nachgehen wollen: Er müht sich philologisch um das Wort meditari und er gibt Einblick in die Art und Weise, wie solches Meditieren praktisch vonstatten gehen kann.

3.1.1.2.2. *Philologische Bestimmungen zu meditari*

Hat Luther in den Dictata zur Definition der Meditation – wenn auch selektiv und in biblischem Kontext – aszetische und philosophische Tradition herangezogen, so verwendet er in den Operationes in auffallender Weise die Mittel der Philologie. Diesmal geht er unter Zuziehung von Reuchlins De rudimentis hebraicis auf den hebräischen Urtext zurück[60]. Er kommt dabei zu dem Schluß, daß meditari in der Bibel immer ein „worthaftes Nachsinnen"[61] bedeute. Auf dem Meditieren als einem worthaften Vorgang insistiert Luther nun nicht nur deswegen, weil die Sprache „das Bindeglied zwischen Gott und Mensch"[62] ist und weil sich durch sie der Mensch vom Tier unterscheidet[63], sondern weil er sich dessen bewußt ist, daß vom Hebräischen her Meditieren etwas mit gesprochener, klingender Sprache zu tun hat[64]. Diese Bedeutungskomponente der hebräischen Äquivalente zu meditari betont Luther an unserer Stelle. Er tut das, indem er auf Augustins Übersetzung mit garrire als eine „pulchra sane metaphora"[65] verweist und indem er ein Zitat aus Vergil heranzieht: „Silvestrem tenui meditaris arundine musam."[66] Diese Stelle aus Vergil weist eindeutig auf den nicht nur sprachlichen, sondern sogar melodiösen Charakter des Meditierens[67]. Auch könnte die Betonung des Gehörsinnes in Luthers Ausführungen auf die lautliche Komponente weisen[68]. Es wird noch zu prüfen sein, ob dafür die

[59] Vgl. AWA 2,40,3–41,15; 43,21–45,6.

[60] Vgl. Raeder, Grammatica 262–265.

[61] Raeder, aaO. 263. Luther: "Meditari dicunt id esse, quod ‚disserere', ‚disputare' et omnino ‚verbis exercere' . . ." (AWA 2,41,16–42,1).

[62] Raeder, aaO. 264.

[63] Vgl. ebd.

[64] Vgl. Severus, Meditari, pass.; ders., Silvestrem 26f.

[65] AWA 2,42,2.

[66] AWA 2,42,5. Es handelt sich um ein Mischzitat. Vgl. dazu AWA 2,42 A. 31 und Severus, Silvestrem 31, wo die Übersetzung von Th. Haecker zitiert ist: Du „sinnest und übest auf weicher Flöte ländliche Lieder" (Haecker, Vergil 11).

[67] Vgl. die Verwendung des Zitates in Werken, die zur Zeit Luthers vorlagen: AWA 2,42 A. 31.

[68] Vgl. AWA 2,44,21–45,4: „Hoc bene nota: Mos est et natura omnibus amantibus de suis

Beteiligung der Stimme am Meditationsvorgang eine Rolle spielt[69]. An unserer Stelle jedenfalls verdichten sich alle diese Hinweise für Luther zu der Erkenntnis, daß aus der meditatio die Predigt hervorgehen muß[70]. Diese zunächst durch philologische Erörterungen eingeführte These wird andererseits gestützt durch die weitere Exegese von Ps 1, bei der folium (Ps 1,3) als doctrina gedeutet wird[71].

Zuletzt sei noch bemerkt, daß Luther das Meditieren als exercitium bezeichnet[72], d.h. es handelt sich um eine ausdauernde, intensive Beschäftigung mit derselben Sache[73].

3.1.1.2.3. *Eine Meditationsregel und ihre Anwendung*

Es widerspräche der Sache der Meditation, würde man sich lediglich in theoretischen Bestimmungen über sie ergehen. Zum Wesen der Meditation gehört untrennbar die Art und Weise, in der sie praktiziert wird. Luther gibt an unserer Stelle eine klare Regel, mit deren Hilfe Texte der Heiligen Schrift meditiert werden können, wobei der Satz, mit dem er diese Regel einführt, darauf schließen läßt, wie bedeutsam die Meditation in dieser Form für Luther selbst gewesen ist[74].

Die Regel besteht aus zwei Schritten[75]:
- aufmerksame Betrachtung der einzelnen Wörter des Textes;
- wechselseitiges Vergleichen verschiedener Schriftstellen.

Aber auch dieser Hinweis auf die Praxis ist Luther noch nicht praktisch genug. Deshalb führt er diese Regel am Beispiel des 5. Gebotes auch materialiter durch[76].

„Du sollst nicht töten!" – für eine oberflächliche Betrachtung wird hier

---

amoribus libenter garrire, cantare, fingere, componere, ludere, item libenter eadem *audire*. Ideoque et huic amatori, beato viro, suus amor, lex domini, semper in ore, semper in corde, semper – si potest – in *aure* est."

[69] S. u. S. 76–81.

[70] AWA 2,43,2f.: „Ex iis enim (gemeint sind die beiden Schritte der Meditation, s.u. A.75) procedet tandem eruditus in lege domini ad populum sermo."

[71] S.u. S. 54.

[72] AWA 2,42,3f. Überhaupt sind meditatio und exercitium bzw. die entsprechenden Verben Begriffe, die sich sehr nahestehen. Sie finden sich bei Luther oft parallel, wobei sie sich gegenseitig erklären und ergänzen. Vgl. etwa „meditatione et exercitio crucis et passionis Christi" (WA 3,410,36), auch „fixa et exercitata meditatio in libris sanctis" (WA 4,182,18f.). Vgl. Ernout-Meillet, Dict. étym. 393, s.v. meditor (Einfluß des griechischen Äquivalents μελετᾶν auf die Bedeutung von meditari); Severus, Silvestrem 28f. (Einfluß der römischen Militärsprache; meditari – exerceri bei Ambrosius).

[73] Vgl. AWA 2,45,2: „libenter *eadem* audire".

[74] Vgl. die folgende Anmerkung.

[75] „Non possum satis digne huius verbi (scil. meditari) vim et gratiam commendare; consistit enim haec meditatio primum in observatione intenta verborum legis, deinde in collatione mutua diversarum scripturarum . . ." (AWA 2,42,6ff.).

[76] AWA 2,43,4–17.

lediglich vom Verbot des Mordes gesprochen. Dem Meditierenden aber, der tiefer in den Text eindringen will, fällt auf, daß mit „du" der ganze Mensch mit Leib und Seele angesprochen ist. „Du sollst nicht töten!" – damit sind dann nicht nur physische, sondern auch, im übertragenen Sinne, psychische Akte des Tötens gemeint. Sodann sagt das Gebot nicht nur, was man *nicht* tun darf, sondern es intendiert unter den Worten des Verbots auch das gesamte Spektrum positiver Hinwendung zum Mitmenschen. Über ein solches Verhalten aber spricht die Bibel an vielen Stellen. Diese können und sollen zur Meditation des 5. Gebotes herangezogen werden. Somit ist aus einem kurzen, klaren Verbot durch regelgemäßes Meditieren ein Anlaß geworden, das reiche Geflecht mitmenschlicher Beziehungen im Lichte von Gottes Willen am geistigen Auge vorüberziehen zu lassen.

Auf eine prinzipielle Voraussetzung für die besprochene Meditationsmethode müssen wir an dieser Stelle noch hinweisen, nämlich darauf, daß diese Meditationsregel nur auf dem Fundament einer profunden Bibelkenntnis sinnvoll ist. Der mittelalterliche Mensch, der Mönch zumal, kannte die Bibel in einem für uns kaum vorstellbaren Maß auswendig. Darauf beruht das Phänomen der Wiedererinnerung, das J. Leclercq treffend beschrieben hat: „Damit soll gesagt sein, daß der Mönch sich spontan und ohne jede Anstrengung an Zitate und Anspielungen, die sich gegenseitig hervorrufen, erinnert, einzig und allein durch die Ähnlichkeit der Worte. Jedes Wort ist gleichsam ein Haken. An ihm hängen ein oder mehrere Worte, die sich miteinander verknüpfen und so das Gewebe der Darstellung bilden."[77] Auf einem solchen Gebrauch von Bibelstellen beruht auch die besprochene Meditationsregel Luthers[78].

Im weiteren Verlauf seiner Ausführungen bezeichnet Luther die meditatio als zweite Stufe einer viergliedrigen Reihe: voluntas – meditatio – opus – doctrina aliorum[79]. Es handelt sich dabei aber nicht um eine aus aszetischer Praxis stammende Stufung, sondern um das Ergebnis exegetischer Bemühung um Ps 1: Voluntas und meditatio entstammen Ps 1,2, opus ist die Deutung von fructus in Ps 1,3[80], während doctrina die Interpretation von folium (ebenfalls Ps 1,3) darstellt[81]. Bemerkenswert ist, daß Luther sich nicht mit Erklärungen zu den einzelnen Begriffen begnügt, sondern daß er sie ausdrücklich zueinander in Beziehung setzt und die sich daraus ergebende Reihe als Weise eines rechten Umgangs mit Gottes Wort darstellt. Dadurch erscheinen der innerliche Vorgang des Meditierens und die öffentliche Predigt bzw. Lehre als Ausdruck ein und derselben Sache.

---

[77] Leclercq, Wissenschaft 86.

[78] Vgl. bes. den Vorgang einer „wechselseitigen" Beeinflussung von Bibelstellen: „collatio mutua diversarum scripturarum" (AWA 2,42,8).

[79] AWA 2,44,16f.: „Pii incipiunt ab intra, a sancta hac voluntate, tum sequitur meditatio, tandem et opus extra, post haec doctrina aliorum, ut videbimus."

[80] AWA 2,48,13f.

[81] AWA 2,50,20f.

3.1.2. *Meditatio als ruminatio*

3.1.2.1. *Ruminatio in der Tradition*

Schon in der griechisch-römischen Antike dienten Wörter aus dem Bereich der Nahrungsaufnahme zur Beschreibung für den intensiven Umgang mit geistigen Dingen[82]. Im jüdisch-christlichen Bereich verdichten sich solche Vorstellungen in allegorischer Auslegung von Lev 11,3 und Dtn 14,6 zum Bild des wiederkäuenden Tieres[83]. Dabei ist es keineswegs so, daß dieses Bild etwa nur beiläufig herangezogen wurde, sondern man stellte sich den Vorgang des Wiederkäuens in allen Einzelheiten vor Augen und übertrug diese auf den Umgang mit geistigen Inhalten. Auf diese Weise fanden nicht nur ruminatio/ruminare, sondern auch Begriffe wie masticare, venter, gustus etc. Eingang in die Terminologie der Meditation. Im Zusammenhang damit gehört es auch zum Vorstellungsbereich der ruminatio, daß größere Texteinheiten im Vollzug des Wiederkäuens zerkleinert und gut verdaut werden. Daß das Wiederkäuen als *wiederholtes* Meditieren derselben Textstücke zu denken ist, versteht sich aus dem Bild von selbst[84].

Dieses „Wiederkäuen" dient oft zur Verdeutlichung und Veranschaulichung dessen, was mit meditatio gemeint ist. Vielfach werden beide Begriffe sogar gleichbedeutend verwendet[85]. Dennoch lassen sich für die ruminatio eigene Akzente gegenüber der meditatio aufweisen.

So betont der Begriff der ruminatio die körperliche Komponente beim Meditieren, während die meditatio zunehmend mit dem Intellekt in Verbindung gebracht wurde[86]. Ruminatio meint, daß beim Meditieren der ganze Mensch mit Leib und Seele in Anspruch genommen ist. Schon an der Aufnahme des

---

[82] Vgl. Rabbow, Seelenführung 325.

[83] Vgl. dazu und zur Geschichte des Begriffs der ruminatio insgesamt: Ruppert, Meditatio-ruminatio, pass.

[84] Vgl. die ausführliche Schilderung des Mauburnus, der sich an dieser Stelle über die ruminatio als unverzichtbares Element geistiger Arbeit überhaupt verbreitet: „Repetat. Hoc est postquam iam quantum satis est legit librum, reverenter claudens reponeat . . . Postquam ergo ita legit, repetere debet et in mente ruminare, quae legit. Seneca dicit, quod alimenta, quamdiu sunt integra et quamdiu in qualitate sua perdurant solida, innatant stomacho et oneri sunt. Cum vero mutata sunt, tunc demum in vires et in sanguinem eunt. Sic quaecumque hausimus legendo, non patiamur integra permanere, sed decoquamus ea ruminando et in ingenium ibunt . . . Ruminatio autem fit in eo, quod animal habet duos ventres. Accipit cibum ad os et totum ruminat et dein protractum proiicit in ventrem ulteriorem. Igitur moderate studere et bene masticare magis reficit animam quam inconsiderate multa absque masticatione. Sequitur ergo, quod anima, quae dei verba non repetit nec ruminat, mortua est et in se tabescit. Et sterilis est omnis homo, quando non sequitur ruminatio. Ut igitur proficiat lectio lecta (ut Hieronymus monet), relegenda et repetenda est in mente" (Rosetum, Alph. XIV,X).

[85] Vgl. Ruppert, aaO. 84 u. 92; Goossens, Meditatie 91. Goossens, Meditatie 88–92, handelt über die Begriffe ruminatio und memoria in der Frühzeit der Devotio moderna und geht dabei auch kurz auf die Vorgeschichte der ruminatio ein.

[86] Vgl. Ruppert, aaO. 92.

Meditationsgegenstandes sind die körperlichen Sinne des Gehörs und des Sehvermögens beteiligt. Sodann kann das Meditieren unter Beteiligung der Stimme und unter Bewegen des Mundes vonstatten gehen[87]. Auch das Ziel der Meditation kann im Bereich des Körperlichen liegen, wenn nämlich „das Wort schließlich in Fleisch und Blut übergeht und so von innen her im konkreten Leben zum Tragen kommt"[88]. Freilich sind die Übergänge zu einer vergeistigten Auffassung auch der ruminatio fließend. Wenn etwa Augustinus in diesem Zusammenhang vom „Gaumen des Herzens" (palatum cordis) spricht, so ist nicht sicher, wie stark die körperliche Komponente noch mitschwingt[89].

Ebenfalls auf den körperlichen Bereich verweist die Tatsache, daß im Zusammenhang mit ruminatio sich Begriffe des Geschmacks häufen. So wird etwa vom Schmecken des Wortes Gottes und von der dabei zu verspürenden Süßigkeit gesprochen[90]. Dementsprechend hat die ruminatio in der scala meditatoria des Johannes Mauburnus ihren Platz genau an der Nahtstelle von den mehr intellektuellen zu den mehr affektiven Stufen des Meditierens; es ist ihre Funktion innerhalb der Skala, den Meditationsgegenstand „schmackhaft" zu machen[91]. In dem Wechselspiel von Intellekt und Affekt beim Meditieren ist die ruminatio also wesentlich stärker dem Affekt als dem Intellekt zugeordnet.

Sodann ist im Rahmen der ruminatio das Gedächtnis deutlicher im Blick als bei der meditatio. Die schon erwähnte Stelle bei Wilhelm v. St. Thierry vergleicht das Gedächtnis mit dem Magen, aus dem der Stoff zum Wiederkäuen hervorgeholt wird[92]. Für Florentius Radewijns bemerkt Goossens, daß die ruminatio im Gegensatz zur meditatio nicht direkt an die lectio anschließt, sondern einen Memorisationsvorgang voraussetzt[93].

---

[87] Vgl. o. S. 16 und u. S. 73ff.

[88] Ruppert, aaO. 85, mit Bezug auf ein Apophthegma des Antonius. Vgl. Mauburnus, Rosetum, Alph. XIII,S: „Diu ergo et mature masticetur et ruminetur dei verbum et vertatur in opus."

[89] Augustinus, Sermo 149, c.3 (PL 38,801); vgl. dazu Ruppert, aaO. 86f.

[90] Vgl. Ruppert, aaO. 87f.; Wolter, Meditation bei Bernhard 215f.; Köpf, Religiöse Erfahrung 152–156.

[91] Mauburnus, Rosetum, Alph. XXVII,C: „Ruminatio. Post iam considerationem et diiudicationem affectio mox sequeretur. Verum quia non aequis passibus intellectus et affectus currunt, ideo, ut vehementer affectio surgat et gustus dulcior afficiat, ruminationem praeire oportet, quae est morosa superiorum (= Resultate vorangehender Meditationsschritte) cum commemoratione tractatio, donec ad gustum attingatur, ut scilicet cum Maria matre dei considerata et diiudicata conservemus, in corde conferamus (Bezug auf Lk 2,19) et instar animalium iuxta legem mundorum (Lev 11,3; Dtn 14,6) ruminemus, donec dulcescant in corde." Vgl. Debongnie, Jean Mombaer 208–212.

[92] S.o. S. 37 A.78. Vgl. Hugo v. St. Viktor: „Debemus ergo in omni doctrina breve aliquid et certum colligere, quod in arcana memoriae recondatur, unde postmodum cum res exigit aliqua deriventur. Hoc etiam saepe replicare et de ventre memoriae ad palatum revocare necesse est, ne longa intermissione obsolescat" (Erudit. Didasc. L.3, c.12 / PL 176,773).

[93] Goossens, Meditatie 89: „De ruminatio sluit echter niet direct op de lezing aan, zoals meditatie dat doet. Zij veronderstelt dat enige punten uit de lezing genoteerd en bewaard worden, om later opnieuw voorwerp van overweging (ruminatio) te zijn."

3.1.2.2. *Ruminatio bei Luther*

Luther gebraucht ruminatio/ruminare häufig zur Charakterisierung des Meditationsvorganges. Wir sahen bereits, daß er in einer umfassenden Beschreibung des Wesens der Meditation meditari mit ruminare in corde umschreiben konnte[94]. Wie in der Tradition meinen beide Begriffe dieselbe Sache, setzen aber unterschiedliche Akzente.

Wir gehen aus von einer Definition aus dem Jahre 1525, die Luther im Rahmen einer Vorlesung über das Deuteronomium gibt:

„Ruminare vero est cum affectu verbum suscipere et meditari summa diligentia, ita ut non sinat (iuxta Proverbium) una aure illabi et altera elabi sed pertinaciter retineat in corde et deglutiat ac traiiciat in viscera."[95]

In diesem Text zeigen die Betonung des Affekts[96], die Gründlichkeit des Umgangs und die geradezu körperliche Verbundenheit mit dem Wort[97] deutlich, daß Luther mit dieser Definition im Strom der Überlieferung steht[98].

Auf die Bedeutung des Gedächtnisses im Zusammenhang mit der ruminatio weisen die Ausführungen zum Stichwort „annos eternos in mente habui" aus Ps 76(77),6 im Rahmen der ersten Psalmenvorlesung. Hier fällt der Satz, daß die notwendigen Affekte nicht entstehen können, wenn ein biblisches Wort nicht über den Klang der Worte hinaus im Gedächtnis haften bleibt[99]. Daß mit dem Gedächtnis nicht nur die Fähigkeit gemeint ist, einen Text auswendig zu behalten, sondern daß damit gleichsam eine tiefere Schicht des Bewußtseins ange-

---

[94] S. o. S. 46.

[95] WA 14,650,26ff. (zu Dtn 14,3). Die Textgestalt bestimmt sich nach dem Urdruck, der auf Luthers eigenhändigem Druckmanuskript beruht (G. Koffmane in den editorischen Vorbemerkungen: WA 14,489–496; bes. S. 490, 492, 495).

[96] Vgl. WA 3,539,38–540,2: „Meditandum in illa (= in biblia) est, quia non tantum fissam ungulam habere (Lev 11,3), sed etiam ruminare oportet: tunc enim senties affectum."

[97] Vgl. auch die Bezeichnung der memoria als venter (WA 3, 164,15f. u. 35ff.; 170,7). Dazu Schwarz, Fides 99f., bes. A. 73.

[98] Wie die Sache der ruminatio auch in deutschen Stücken aufgenommen werden kann, mag ein Text von 1517/18 (Bearbeitung Agricolas) belegen. Es heißt dort in bezug auf die Passion Christi: „... dardurch er gereitzt moge werden, und gee also in seyn hertz, *kawe* das selbst, auff das es bey im erwarmme und krafft und sussikeit dem menschen eyngebe" (WA 9,146,34ff.).

[99] WA 3,538,27–31: „Quia nisi fixe et morose quid ruminetur, non afficit. Si autem fixerit mentem, videbit et stupebit et terrebitur. Nullus enim est, quin cogitet idem, quando loquitur: ‚Ecce moriuntur et damnantur impii ineternum'. Sed quia non diutius mente retinent, quam verbum sonuit, ideo non afficiuntur." Vgl. WA 3,539,19–24; auch WA 4,515,16f.: „Qui enim non figit fixe in memoriam ruminando opera Domini, nec intellectum nec affectum potest haurire." An letzterer Stelle wird der Vorgang der Memorisation durch ruminare erläutert. Luther bezieht sich dabei ausdrücklich auf seine Ausführungen zu meminisse im Zusammenhang mit der Auslegung von Ps 76 (77), 12.13 (WA 3,531, bes. Z. 19–25). Dort wird memor esse/meminisse als ein umfassender Lebensvollzug (mit den Komponenten Dank – affektives Gottesverhältnis – Auswirkung im täglichen Leben) gedeutet. Memorisation beschränkt sich also auch hier keineswegs auf den Vorgang des Auswendiglernens (vgl. Metzger, Gelebter Glaube 81f.). Zur Bedeutung des Gedächtnisses für die meditatio vgl. etwa auch WA 20,405,10f.; WA 44,431,3f.

sprochen ist, zeigt der Rat Luthers, man solle beim Einschlafen ein biblisches Wort im Herzen „wiederkäuen“, um es dann am Morgen als Hinterlassenschaft des Abends wieder aufzunehmen[100]. Die Begründung Luthers für diese Praxis ist – an anderer Stelle – die, daß Jesus selbst ein Beispiel dafür gebe, wie die Meditationen (Ps.-) Bonaventuras zeigen[101]. Es gehörte wohl allgemein zum meditativen Erfahrungsschatz des Mittelalters, daß die letzten Gedanken vor dem Schlaf aus den Tiefenschichten des Bewußtseins heraus die Qualität des Schlafes und insbesondere der Träume bestimmen können[102]. Wir dürfen als sicher annehmen, daß Luther diese Praxis, die er wohl zeitlebens beibehalten hat[103], schon in seiner Klosterzeit geübt hat[104].

Zur Praxis der ruminatio gehört es, wie wir sahen[105], daß *kleine* und kleinste Texteinheiten *immer wieder* vorgenommen und meditiert werden. Dies ist auch bei Luther der Fall. Zwar ist der explizite, terminologische Zusammenhang mit ruminatio/ruminari bei ihm wie auch in der Tradition nicht immer gegeben, aber von der Sache her legt es sich nahe, an dieser Stelle darauf einzugehen.

Das Moment der Wiederholung gehört selbstverständlich zur Meditation. Darauf weist nicht nur das Bild an sich vom wiederkäuenden, also eine Speise wieder-holenden Tier, sondern Luther betont diese Grundtatsache des Meditierens ausdrücklich[106]. Auch die aszetische Regel, daß die zu meditierenden Textstücke möglichst klein sein sollen, gehört zum unverzichtbaren Bestand von Luthers Meditationspraxis. So weist er in einer Anleitung zur ruminatio des Vaterunsers[107] aus dem Jahre 1516 darauf hin, daß man sich jedes Wort einzeln vornehmen und jeweils fragen solle, warum gerade dieses Wort und kein

---

[100] WA BR 1, Nr. 175 (S. 396,15–397,2): „Vespere omnino aliquid ex sacris literis tecum in corde feras ad lectum, quo velut mundum animal ruminans suaviter obdormias; non sit autem multum, sed potius modicum et bene cogitatum atque intellectum, quod mane surgens velut reliquias serotinas reperias.“

[101] WA 3,358,31–35: „Optima eruditio, ut homo in memoria Dei obdormiat et resurgat, utroque tempore recollectus ad Dominum. Ut sic Deus sit ultimum, quod in fine diei, et primum, quod in principio diei agimus . . . Et credendum est Dominum ita foecisse, ut Bonaventura in suis meditationibus habet.“ Luther scheint sich auf (Ps.-) Bonaventura, Meditationes c.36 (S. 360), zu beziehen, wo von Jesu nächtlichem Beten in der Einsamkeit die Rede ist. Vgl. auch WA 3,362,5–18, wo Luther sagt, daß bei solcher Praxis das Meditieren während des Schlafes fortdauere.

[102] Florentius Radewijns gibt denselben Rat wie Luther und bemerkt darüber hinaus: „. . . et in talibus se exerceat, ut talibus se occupans puriora habeat sompnia“ (Tractatulus XIV/ed. Goossens 224,4ff.).

[103] Vgl. etwa AWA 2,43,20; WA 39 I,163,17ff.; vgl. auch die Ausführungen zu Luthers Meditationszeiten u. S. 68–72.

[104] Konrad von Zenn übernimmt W f.262va–263rb entsprechende Anweisungen aus der Epistola ad fratres de Monte Dei des Wilhelm von St. Thierry: Vgl. o. S. 37 A.78. Vgl. auch Konrad selbst, W f.262vb: „Et sic dormienti erit somnus delectabilis, quia aliquando fiunt somnia secundum qualitatem eorum, de quibus cogitavit somnians.“

[105] Vgl. o. S. 55.

[106] Vgl. AWA 2,45,2: „libenter *eadem* audire“ (Def. in den Operationes); WA 50,659,24: „lesen und *wider*lesen“ (Def. Vorrede 1539); vgl. auch etwa WA 3,531,1: „bona sunt *re*memoranda“.

[107] Der Terminus ruminatio begegnet WA 1,93,6.

anderes steht[108]. In diesem Sinn dürfte es auch zu verstehen sein, wenn Luther im Zusammenhang mit der Katechismusmeditation immer wieder betont, er spreche diese Texte täglich von Wort zu Wort[109]. Was die Psalmen betrifft, so hält Luther es für nützlich, einen einzigen Psalmvers einen Tag oder gar eine Woche lang zu meditieren[110].

Wie in diesen Beispielen die Meditation auf einen Satz oder gar ein Wort gerichtet war, so gehört es ganz allgemein zu dem gründlichen, tiefschürfenden Vorgehen von meditatio bzw. ruminatio, daß der Stoff klar begrenzt und sozusagen griffig ist. Luther verwendet dafür in den Dictata das Beispiel vom Handwerker, der festes Material vor sich haben muß, wenn er mit seiner Arbeit etwas erreichen will. Im Bereich des Meditierens ist solche „Fixierung" des Stoffes nur mit höchster Konzentration auf die Sache zu erreichen[111].

Nun beläßt es Luther beim „Wiederkäuen" ebensowenig wie bei der meditatio bei einem Hinweis auf das Wesen dieser Tätigkeit[112]. Für ihn gehört es zur ruminatio, daß sie nach bestimmten Regeln und Mustern praktiziert wird und daß folglich dementsprechende Ratschläge gegeben werden[113]. Drei Texte aus der Zeit von 1515 bis 1521 sollen dies belegen.

In einem Abschnitt der Römerbriefvorlesung[114] geht es um die rechte rumi-

---

108 WA 1,90,17ff.: „Dicimus itaque: Pater noster, qui es in coelis, Hic ne . . . semper homo sterilem vocis superficiem verset in ore, sensum debet in corde quaerere et proposito singulo verbo dicere ‚quare sic voluit dici?'" Vgl. auch WA 4,603,32ff.; WA TR 1, Nr. 122 (S. 49,13ff.). Wir verweisen auch auf das ausgeführte Beispiel der Meditation des einzigen Wortes ‚misericordia' in Ps 68 (69),17 (WA 3,428,25–434,6; s. dazu u. S. 106–109.

109 Vgl. WA 30 I,126,17; WA 50,470,27.

110 AWA 2,63,12–18: „Nec te ad impossibilia cogi existimes; fac periculum, et gaudebis ac gratus eris, scio. Primum uno psalmo, immo uno versiculo psalmi exercere. Sat profecisti, si unum versiculum per diem vel etiam hebdomadam didiceris affectibus vivum et spirantem facere. Facto hoc initio omnia sequentur, et veniet tibi thesaurus cumulatissimus intelligentiarum et affectionum; tantum vide, ne taedio ac desperatione absterrearis inchoare." Vgl. dazu Holl, Auslegungskunst 556. Ähnliches betont Luther in bezug auf die 7 Bitten des Vaterunsers. Für die Meditation einer einzelnen Bitte würde auch ein ganzes Leben nicht ausreichen (WA 30 I,46,28f.).

111 Vgl. WA 3,539,25–34: „Hoc est quod dixi, quia meditatio non potest habere locum, nisi quis prius in mente fixum habeat, in quod operetur. Exemplum sume: faber aut dolator quando vult operari, primum materiam figit, in quam operetur. In fugitivam enim, vagam et mobilem, operari non potest. Instrumenta enim fabri sunt actus intellectus et affectus, qui figi nequeunt, nisi fixam habeant ante se. Et ut clarior detur similitudo: Ecce faber intus in corde non potest disponere formam domus faciende, nisi figatur in eam. Inde illi qui sunt lubrici cordis, una hora loquuntur infinita semper alia et alia: sicut phrenetici vel capite lesi: quia talia loquuntur, que nec ordinem nec consonantiam habent aut compendentiam." Eine entsprechende Konzentration ist – im Einklang mit den Worten des Psalms – am besten in der Nacht zu erreichen (ebd., Z. 35).

112 Vgl. o. S. 53.

113 Vgl. die Aufforderung „fac periculum . . ." („Probiere es aus!") im Zusammenhang mit Aussagen über Meditation (AWA 2,63,13; WA 5,626,13).

114 WA 56,483,10–484,8: „Ideo istud preceptum arduissimum est, si recte ruminetur . . . Quare licet hoc preceptum superficie et in genere conspectum exiguum videatur, Si tamen ad particularia applicatur, infinitas doctrinas saluberrime effundit Et in omnibus dirigit fidelissime . . . Qui autem vult ruminare et applicare hoc preceptum, Non debet niti in actus suos elicitos ab intra, Sed omnia

natio von Röm 13,10 „Plenitudo legis est dilectio". Dieses Gebot mag bei oberflächlicher Betrachtung unbedeutend erscheinen; es eröffnet jedoch eine Fülle heilsamer Einsichten, wenn es auf konkrete Fälle des eigenen Lebens angewandt wird. Die Einbeziehung der – nach Luther – sachlich in Röm 13,10 enthaltenen Goldenen Regel Mt 7,12 erhöht dabei die Möglichkeiten dieser „applicatio ad particularia".

In seiner Schrift über die 10 Gebote von 1518 verbindet Luther die ruminatio mit den zwei Grundbestandteilen der Bußmeditation, nämlich der Meditation der Wohltaten Gottes und – als Kontrast – unserer Sünden. Daraus entstehen die Affekte der Gottesliebe und der Selbstverachtung[115].

Zur sinnvollen ruminatio von Ps 22, der zunächst als Gebet Christi verstanden wird, gibt Luther in seinen Operationes in psalmos den Rat, man solle den Psalmtext „wiederkäuen" in der Weise, daß man sich in die Person Christi möglichst konkret hineinversetzt[116]. Er bezieht sich dabei auf Ps 22,10f.: „Du hast mich aus meiner Mutter Leibe gezogen; du ließest mich geborgen sein an der Brust meiner Mutter. Auf dich bin ich geworfen von Mutterleib an, du bist mein Gott von meiner Mutter Schoß an." Mit dieser Art von ruminatio betreten wir den Bereich der Meditation der Vita Christi.

3.1.3. *Weitere Definitionen von meditatio*

3.1.3.1. *Definitionen bis 1521*

– *Meditation als Schwangergehen mit dem Wort*

In den Scholien der Dictata zu Ps 118(119) findet sich ein schönes Bild für das Meditieren, das aus dem Bereich der Brautmystik genommen ist[117]: Meditieren heißt, den in der Seele empfangenen Samen des Wortes austragen und ihn als gutes Werk zur Welt bringen[118].

---

opera, dicta, cogitata totius vite sue ad illud preceptum Velut mensuram suam conferre Et semper dicere sibi de proximo suo: Quid velles tu ab illo tibi fieri?"

[115] WA 1,447,7–10: „Sine iis duobus non accenditur mens et cor: corde autem non succenso omnia alia frigide, vane et noxie fiunt, quia sine fructu. Et haec duo debent ex Euangelio audiri auditaque ruminari. Sunt enim haec duo, scilicet dei bona et nostra mala, Scala ipsa in deum, in qua descendimus in nos et ascendimus in deum . . ." Für die ruminatio der Wohltaten Gottes gibt Luther eine genaue Reihenfolge an, die dem Aufbau des Credo entspricht: 1. Schöpfungsmäßige Wohltaten in meinem eigenen Leben, 2. Sendung des Sohnes, 3. Verheißungen ewiger Güter (WA 1,446,14–20).

[116] WA 5,625,29–33: „Valde enim consolantur haec opera dei, intento studio ruminata, ut si diceres in Christi persona: adeo mei fuisti sollicitus deus, ut in ventre matris me formares, deinde mox, ut haberem, unde formatus viverem et alerer, lacte replevisti ubera matris et gremio sinuque eius me fovisti."

[117] Ruhland, Brautmystik 14ff., behandelt unsere Stelle, geht aber leider nicht auf den Vorgang des Meditierens ein.

[118] WA 4,376,27ff.: „. . . ‚Ut meditarer eloquia tua' (Ps 118 (119), 148), id est ut conciperem semen tuum in utero anime mee et ibidem illud alerem ac foverem usque in foetum boni operis, quod fovere est ipsum meditari."

– *Die Heilige Schrift als unendliches Feld der Meditation*

Grundsätzlich öffnen sich hinter jedem Schriftwort unendliche Räume der Erkenntnis[119]. Die Meditation ist die rechte Weise, in der man, dem Geist folgend, in jene Räume vorstößt. Sie darf sich dementsprechend nicht selbst Grenzen setzen und meinen, das Ziel sei schon erreicht[120]. Dieses Entdecken neuer, weiter Räume geistlicher Erkenntnis gilt auch für die Meditation der Wohltaten Gottes. Auch hier erkennt die Meditation mehr hinter den Dingen, als diese bei oberflächlicher Betrachtung vermuten lassen[121].

– *Meditatio als Predigt und Lehre*

In den Operationes greift Luther bei der Auslegung von Ps 9,17 auf seine früheren philologischen Bemühungen zu meditari zurück, indem er deren Ergebnis noch einmal zusammenfassend aufnimmt[122]: Meditatio meint, kurzgesagt, eine Beschäftigung unter Wort oder Gesang[123]. Von da aus kommt Luther zu der Auffassung, meditatio sei als das Amt des Wortes zu verstehen[124]. Mit Verweis auf diese Ausführungen bezeichnet er an anderer Stelle derselben Vorlesung die Meditation als Übung im Wort, die auf Lehre abzielt[125]. Diese enge Verbindung, ja Gleichsetzung von Meditation mit Lehre bzw. Predigt scheint eine am biblischen Sprachgebrauch gewonnene Einsicht zu sein[126]. In der Tradition der meditativen Praxis findet sich dafür, soweit wir sehen, kein Anhalt.

– *Meditation als freie Hingabe an den Gegenstand*

Eine weitere auf philologischem Wege gewonnene Bedeutungsschattierung von meditari bietet Luther 1521 in Überlegungen zu Ps 118(119),16.24. Anhand

---

[119] Vgl. WA 4,318,40–319,1: „Sed omnis locus Scripture est infinite intelligentie . . ."

[120] WA 4,319,27–30: „. . . meditari est intime cogitare et interiora rimari et semper spiritum introrsum sequi et non sibi parietem facere et limitem statuere, quasi iam adeptus sis finem intelligendi aut agendi."

[121] WA 3,528,31–34: „Stulti enim neque memorantur nec meditantur in operibus Domini, sed tantum carnaliter vident ea et transeunt. Meditatio enim intellectualem notat consyderationem et spiritualem. Nam qui etiam in anima non plus de rebus cogitat quam videntur, similis est equo et mulo, qui et ipsi tantundem vident."

[122] Vgl. o. S. 52f.

[123] AWA 2,558,4ff.: „Significat (scil. meditatio) enim loqui, dissertare, garrire et omnino negotium verbi aut cantus – sic tamen, ut meditate fiat, unde frequenter cum corde coniungitur . . ." Vgl. Raeder, Grammatica 266ff.

[124] AWA 2,558,15: „verbi ministerium".

[125] WA 5,568,24f.: „‚Meditationem' ps. 1. et 9. abunde vidimus. Est enim exercitatio verbi ad docendum parata . . ." Vgl. WA 5,567,36f.: „Eloquia autem et meditatio cordis . . . mihi . . . de verbo doctrinae intelliguntur."

[126] Vgl. die aus Ps 1 erhobene Reihe voluntas – *meditatio* – opus – *doctrina* (s.o. S. 54). Zu weiteren Belegen in Dictata und Operationes vgl. AWA 2,43 A.34. Vgl. auch Luthers Ausführungen zur deutschen Wiedergabe von meditari: „Item das wortleyn meditabar, das hie beschawen ist geteutscht, heyst offt yn der schrifft predigen ader reden, als psal. 36 (= Ps 36 (37),30) der mund des gerechtfertigen wirt bedencken (das ist, bedechtig und weyßlich predigen) die weyßheit" (WA 1,215,15–18).

eines hebräischen Stammes, der nur in diesem Psalm von der Vulgata mit meditari wiedergegeben wird[127], kommt Luther zu dem Schluß, meditatio meine hier die freie und von Herzen kommende Hingabe an den Gegenstand der Meditation[128]. Diese philologische Erkenntnis trifft sich sachlich mit den Einsichten, die er bezüglich des Verhältnisses voluntas – meditatio in Ps 1,2 gewann[129].

3.1.3.2. *Definition von 1539*

An exponierter Stelle, nämlich in seiner Vorrede zum 1. Band der Wittenberger Ausgabe seiner deutschen Schriften, spricht Luther über die rechte Weise des Umgangs mit dem biblischen Wort. Er konzentriert seine Überlegungen um die Trias „Oratio, Meditatio, Tentatio"[130], über die wir an anderer Stelle noch ausführlich handeln müssen[131]. In unserem Zusammenhang geht es uns lediglich um die Beschreibung der zweiten Stufe der Auslegung, der meditatio:

„Zum andern soltu meditirn, das ist: Nicht allein im hertzen, sondern auch eusserlich die mündliche rede und buchstabische wort im Buch jmer treiben und reiben, lesen und widerlesen, mit vleissigem aufmercken und nachdencken, was der heilige Geist damit meinet."[132]

Einerseits macht diese Definition deutlich, wie sehr auch der späte Luther noch in der Tradition mittelalterlicher meditatio steht. Sie tut das in folgenden Punkten:

- Bei der Einführung der Trias benutzt Luther innerhalb eines deutschen Textes die geprägten lateinischen Termini[133].
- Meditation bleibt eine Tätigkeit, an welcher der innere Mensch in starkem Maß beteiligt ist[134].
- Meditation meint den gründlichen, wiederholenden Umgang mit einem biblischen Text[135]. Die Wiederholung war insbesondere ein Element dessen, was Luther und die Tradition mit ruminatio bezeichnen[136].

---

127 Zu den philologischen Fragen vgl. Severus, Meditari 373f.

128 WA 8,86,26ff.: „Sic ‚testimonia tua meditatio mea est' (Ps 118 (119),24), dum caeteris contemptis ad ipsa me verto. Breviter, omnem illam varietatem (= Bedeutungsvielfalt des bei meditatio/meditari zugrundeliegenden hebräischen Stammes) colligo in hoc, quod verto, applico, apto me gratuito et ex animo ad illa."

129 Vgl. o. S. 46f., 52.

130 WA 50,659,4.

131 S. u. S. 91–96 u. ö.

132 WA 50,659,22–25.

133 WA 50,659,4. Vgl. u. S. 91.

134 Die Meditation soll zwar nicht nur, aber doch auch „im hertzen" geschehen.

135 Vgl. in der zitierten Definition: „jmer treiben und reiben, lesen und widerlesen". Zu dem Verbum „reiben" vgl. Mauburnus, Rosetum, Alph. XVI,Z, wo es um die rechte Verbindung von Stimme und Herz beim Psalmengesang geht: „. . . ut scilicet psallatur sapienter, id est intelligenter, ut, quod cibus in ore, hoc psalmus sapiat in corde, *tritus* intelligentiae dentibus."

136 Vgl. die Beschreibung der ruminatio durch Mauburnus (s. o. S. 55 A.84). Insbesondere sei auf die sich auf Hieronymus berufende Bestimmung hingewiesen: „. . . lectio lecta . . . relegenda et repetenda est in mente." Vgl. zu Luther o. S. 58.

Nun hat aber diese späte Definition noch eine Aussagerichtung, die sich in der Tradition und beim frühen Luther so nicht fand, nämlich den Verweis auf die Bedeutung der Predigt und des geschriebenen Wortes[137].

Daß auch die Predigt bzw. Lehre zur Meditation gehört, war zwar schon beim Luther der Operationes eine auf philologisch-exegetischem Weg gewonnene, mehr beiläufig geäußerte Ansicht[138]. Jetzt dagegen scheinen Predigt und Lehre das Wesen der Meditation mitzukonstituieren. Jedoch wird man sagen müssen, daß in der Praxis das einsame, innerliche Nachdenken über den Text und die daraus sich ergebende öffentliche Rede getrennte Tätigkeiten sind und bleiben, was freilich nicht daran hindert, sie als sachlich zusammengehörig zu betrachten.

Die Betonung des geschriebenen Wortes geht zurück auf Luthers Neugewichtung des wörtlichen Sinnes der Heiligen Schrift[139]. In der spezifischen Meditationsliteratur des Mittelalters spielte dieser als Gegengewicht gegen allzu unkontrollierte geistliche Höhenflüge keine erkennbare Rolle.

Insgesamt ergibt sich der Eindruck, Luther habe an unserer Stelle die Gefahr reiner Innerlichkeit und subjektiver Vereinnahmung des Wortes Gottes sozusagen per definitionem ausschließen wollen. Er formuliert dabei jedoch in einer Weise, welche die Konturen der Meditation als einer spezifischen Form geistlicher Übung undeutlich werden läßt.

3.1.4. *Abschließende Wertung der Definitionen*

Die Äußerungen Luthers, die wir aufgrund ihrer formalen Struktur als „Definitionen" bezeichnen konnten, haben uns geholfen, das Feld der Meditation in vorläufiger Weise abzustecken. Dabei ist deutlich geworden, daß Meditation als spezifische Weise des Umgangs mit dem Wort Gottes für Luther eine unverzichtbare Tätigkeit darstellt. Daß er selbst die Meditation regelmäßig und nach Regeln übte, steht außer Frage. Darauf deutet insbesondere die Tatsache, daß seine Definitionen immer wieder unmittelbar in konkrete Ratschläge für die Praxis übergingen.

Die Formulierungen und Erkenntnisse Luthers bezüglich der Meditation stammen aus verschiedenen Richtungen. Als Faktoren, die in oft kaum entwirrbarer Weise zusammenwirken, sind im einzelnen zu nennen:
- aszetische Tradition
- philosophische Tradition
- philologische Erkenntnisse
- exegetische Erkenntnisse.

---

[137] Vgl. WA 50,659,32–35: „... Gott wil dir seinen Geist nicht geben on das eusserliche wort, da richt dich nach, Denn er hats nicht vergeblich befolhen, eusserlich zu schreiben, predigen, lesen, hören, singen, sagen etc."

[138] Vgl. o. S. 53, 54, 61.

[139] Vgl. etwa Hahn, Auslegungsgrundsätze, bes. S. 204f., 207f.

Es ist nicht immer einfach, unter den aus mehreren Faktoren sich zusammensetzenden Formulierungen das Maß an Erfahrung, das aus persönlicher Praxis stammt, herauszufinden. So konnten wir bei der Betrachtung der späten Definition von 1539 den Eindruck gewinnen, daß eine in ihren wesentlichen Stücken gleichgebliebene Praxis gleichwohl eine Definition erfährt, die mit dem herkömmlichen Begriff der meditatio nicht mehr in voller Übereinstimmung steht.

Es bleibt nun in Anbetracht mancher Unschärfen der Wesensbestimmungen von meditatio die Aufgabe, die Praxis der Meditation bei Luther unmittelbarer in den Blick zu bekommen.

3.2. *Grundelemente von Luthers Meditationspraxis*

3.2.1. *Meditatio als oratio*

Die mittelalterliche geistliche Übung besteht im Kern aus der „für das ganze Mittelalter kanonisch gewordenen Reihenfolge“[1] lectio – meditatio – oratio – contemplatio[2], deren einzelne Stufen untrennbar miteinander verknüpft sind[3]. Uns interessiert an dieser Stelle das Verhältnis von meditatio und oratio. Goossens, der dieses Problem in der frühen Devotio moderna untersucht und dabei volle Übereinstimmung mit der Tradition festgestellt hat[4], kommt zu folgendem Schluß: „Zusammenfassend kann man sagen, daß meditatio und oratio unterschieden, aber nicht geschieden sind ... Zwischen Meditation und Gebet kommt die affectio zu stehen, die ein Wesensmerkmal des Gebets ist. Die affectio ist in der Regel die direkte Folge der Meditation; aus der Affektion entsteht, wo sie nicht selbst schon Gebet ist, spontan das Gebet.“[5]

Hiermit ist das Verhältnis von Meditation und Gebet zutreffend, aber doch notgedrungen schematisch beschrieben. In der Praxis kann es die verschiedenartigsten Ausformungen finden: Von einer tatsächlich sorgfältig gestuften Übung bis hin zu einem Umgang mit biblischen Texten, bei dem Gebet und Meditation letztlich dasselbe sind, nämlich betendes Meditieren[6]. Letzteres ist am augenfälligsten natürlich bei biblischen Texten, die von sich aus schon Gebetsform haben, also etwa bei den Psalmen oder beim Vaterunser.

Auf die geradezu klassische Ausformung des Verhältnisses von Bußmeditation und Gebet bei Hugo von St. Viktor haben wir schon verwiesen[7]. Hier geben wir nun ein Beispiel, wie sich Gebet und die spezielle Form der Textmeditation zueinander verhalten können. Wilhelm von St. Thierry schreibt, daß aus den bei der Lesung entstehenden Affekten Gebete zu formen sind, welche die

---

[1] Wulf, Das innere Gebet 385.

[2] Vgl. o. S. 19. [3] Vgl. Wulf, aaO. 385.

[4] Goossens, Meditatie 118. Vgl. ebd. 106–120.

[5] Goossens, aaO. 118 (Übers. M. Nicol).

[6] Vgl. Leclercq, Wissenschaft 26,85f.; auch Rousse/Sieben, Art. Lectio divina, pass.

[7] S. o. S. 30f.; vgl. auch u. S. 112.

Lesung unterbrechen, sie dabei jedoch nicht stören, sondern fördern. Im Grunde ergibt sich die Ausrichtung auf Gott und damit auch das Gebet mit einer gewissen Selbstverständlichkeit, wenn Gott selbst das Ziel der Lektüre ist[8]. Zwar gebraucht Wilhelm in dem angeführten Text lectio statt meditatio, sachlich aber ist zweifellos an Textmeditation gedacht. An anderer Stelle kommt er ausdrücklich auf die Reihe lectio – meditatio – oratio zu sprechen, läßt aber in demselben Kapitel erkennen, wie sehr die drei Begriffe ineinander übergehen[9]. Nach Wilhelm muß man sich den Vorgang also so vorstellen, daß eine tiefinnerliche, vom Herzen bestimmte Textmeditation immer wieder in direkte, die Form des Gebets tragende Hinwendung zu Gott übergeht[10].

Auch bei Luther ist jener enge Zusammenhang von meditatio und oratio gegeben. Beides ist sachlich oft so eng miteinander verflochten, daß auch terminologisch keine Unterscheidungen getroffen werden. Diesen im folgenden immer vorauszusetzenden Zusammenhang wollen wir in vier Punkten aufweisen:

- Schon in unserer Betrachtung der frühesten ausführlichen Definition von meditatio/meditari, nämlich derjenigen vom Herbst 1516, haben wir aus der Verwendung von Mt 7,7 ersehen, daß Meditieren für Luther immer zugleich ein betendes Meditieren ist[11].
- Es gibt jedoch auch terminologisch klarere Aussagen. In der Auslegung von Ps 142(143),5f. im Rahmen der Dictata findet Luther jenen oben beschriebenen Weg meditatio – (affectus) – oratio[12] in den Worten des Psalmisten nachgezeichnet[13].

  In einer Predigt des Jahres 1536 weist Luther ausdrücklich darauf hin, daß Meditation ohne Gebet nicht sein kann und daß beide Formen der Frömmigkeit die Säulen sind, die uns in allen Bedrängnissen aufrechthalten[14]. Ein Text

[8] Wilhelm von St. Thierry, Epistola ad fratres, ed. Davy c.56 (S. 105,18–22)/PL 184,328: „Hauriendus est de lectionis serie affectus, et formanda oratio, quae lectionem interrumpat nec tam impediat interrumpendo, quam puriorem continuo animum ad intelligentiam lectionis restituat. Intentioni enim servit lectio. Si vero in lectione Deum querit qui legit, omnia quae legit cooperantur ei in hoc ipsum, et captivat sensus legentis et in servitutem redigit omnem lectionis intellectum in obsequium Christi."

[9] Wilhelm v. St. Thierry, aaO., ed. Davy c.72, S. 120f. (PL 184,335): „proponuntur legenda et meditanda Redemptoris nostri exteriora" (S. 121,2f.); „in tempore orationis vel spiritualis meditationis" (S. 121,12); „lectionis quippe modum similis meditatio sequi solet" (S. 121,13f.).

[10] Sehr schön kann man diesen unmittelbaren Übergang von affektiver Meditation in Gebet beobachten etwa in c.16 des Exercitatorium von García de Cisneros, wo Christi Leiden und Beten im Garten Gethsemane Gegenstand der Betrachtung ist (Obras II,172–177/Übers. Schlichtner 71–74).

[11] Vgl. o. S. 48f. (zu WA 55 II,1,15,9f.).

[12] S. o. S. 64.

[13] WA 4,444,6–13. Vgl. insges. die Verwendung von meditari und orare in WA 5,458,37ff.; WA 20,720,9f.; WA 40 II,520,20f.; WA 42,511,28f.; WA 43,444,3f. u. 578,13ff.

[14] WA 41,738,32ff.: „Accedat lectioni ac meditationi oratio. Sunt enim haec duo, verbum et oratio ceu duae columnae ac bases, quibus niti omnes adflicti in adversitatibus quibuslibet possunt."

aus der Genesisvorlesung zeigt, daß die Meditation von Psalmen und anderen Bibelstellen die Funktion hat, den Menschen ruhig und so zum Gebet fähig zu machen[15].

- Die regelmäßige Katechismusmeditation, die für uns die am deutlichsten einsehbare geistliche Übung Luthers ist, weist in ihren Hauptstücken die Form des Gebets auf[16]. Das hindert Luther nicht daran, sie als Erfüllung von Ps 1,2 zu bezeichnen, womit sie zu einer Form jenes meditari die ac nocte in lege Domini wird[17]. Aus diesem mehr formalen Grund, aber auch wegen des inneren Aufbaus jener Übung[18] ist es berechtigt, wenn wir für die Bestimmung von Einzelheiten in Luthers Meditationspraxis gerade die Aussagen zur Katechismusmeditation in starkem Maße heranziehen.
- Im Bereich der Schriftauslegung bekommt das Gebet eine zusätzliche Funktion. Hier gilt nicht nur, daß – wie wir sahen – Meditation und Gebet unmittelbar ineinander übergehen können, sondern darüber hinaus steht alles Schriftstudium schon unter dem Vorzeichen eines vorgängigen Betens um Erleuchtung durch den Heiligen Geist. Mit dieser Praxis steht Luther selbstverständlich in monastischer Tradition[19]; er hat von ihr sein Leben lang nicht abgelassen, ja er hat sie in der Vorrede zur Wittenberger Ausgabe seiner Schriften im Rahmen der Trias „Oratio, Meditatio, Tentatio“[20] zu grundsätzlicher hermeneutischer Bedeutung erhoben.

Diese Hinweise mögen vorläufig genügen. Sie zeigen, daß es sinnvoll ist, zur Bestimmung von Luthers Meditationspraxis auch Texte heranzuziehen, die strenggenommen vom Gebet sprechen, vorausgesetzt, es handelt sich um Gebetsübungen von längerer Dauer und nicht nur um kurze Gebete oder gar nur Gebetsrufe[21].

---

[15] WA 43,377,16–20: „Vitent igitur adolescentes vagas libidines, et, ut possint tueri pudicitiam, confirment animos lectione et meditatione Psalmorum et verbi Dei contra carnis furorem. Si sentis flammam, accipe Psalmum, aut unum atque alterum caput ex Bibliis, et lege: quando flamma sedata est, tum ora.“

[16] Vgl. u. S. 76f.

[17] Vgl. WA 30 I,127,8ff. (Vorrede zum Gr. Kat.); nicht ganz so deutlich WA 38,359,26–29 (Meister Peter). Vgl. auch WA TR 5, Nr. 5517 (S. 209,21–24), wo Luther in bezug auf das Katechismusgebet sagt: „in illorum *meditatione* schlaff ich also ein“.

[18] Vgl. bes. u. S. 156, 162.

[19] Vgl. Mauburnus, Rosetum, Alph. XIII,R: „Postremo discat esse studiosus in legendo, meditando, inquirendo. Nihil est, quod studium pertinax non docet; sine quo etiam proficitur nihil. Pete, id est, quia positas conditiones ex te habere non poteris, pete, ut te ad eas coaptet deus. Ante enim lectionem semper oratio praeire debet . . .“

[20] WA 50,659,4; vgl. u. S. 92. Wir verweisen auch auf die frühere Äußerung von 1519 in WA BR 1, Nr. 175 (S. 397,19–25): „In omni studio sacrarum literarum omnino de ingenio et labore desperes et cum timore et humilitate a Deo intellectum tibi petas. Idcirco cum accedis codicem, vel oculos vel cor primum in coelum leves ad Christum brevi suspirio eius gratiam implorando, quod idem faciendum est inter legendum, scilicet ut dicas vel cogites: Da, Domine, ut hoc et recte intelligam, magis, ut faciam.“ Vgl. Ebeling, Evangelienauslegung 436.

[21] Vgl. dazu etwa WA 20,720,9; WA 26,86,13–18.

3.2.2. *Ort*

Nicht erst für den Menschen der Gegenwart ist die innere und äußere Sammlung, ohne die Meditation nicht möglich ist, ein Problem geworden. Auch dem mittelalterlichen Menschen bereitete es Schwierigkeiten, das Getriebe der alltäglichen Geschäfte für eine bestimmte Zeit hinter sich zu lassen und sich in Ruhe und Einsamkeit der Meditation zu widmen[22]. Nun ist es freilich nicht so, daß erst eine vollkommene Sammlung Voraussetzung für das Gelingen der Meditation sein könnte. Alles Bemühen um eine systematische Meditation dient ja nicht zuletzt dazu, dem Menschen erst zu dieser Sammlung zu verhelfen. Für Luther können meditatio und recollectio sogar parallele Begriffe sein, die sich gegenseitig ergänzen und erklären [23]. In seiner Schrift für Meister Peter spricht er ausdrücklich davon, daß durch die Meditation der Zehn Gebote nach dem vierfachen Kränzlein[24] das „hertz zu sich selbs komen" soll und „warm werden zum gebet"[25]; das Herz wird auf diese Weise „mit Gottes wort gereimet und geledigt ... von frembden geschefften und gedancken"[26]. Meditation wäre demnach ganz im Sinne der Tradition die Vorstufe zum Gebet, durch welche die notwendige Sammlung bewirkt wird.

Gleichwohl ist auch eine anfängliche Sammlung und Ausrichtung auf die Meditation unerläßlich. Zwei Faktoren sind dabei für Luther und die gesamte Tradition[27] zu bedenken: Ort und Zeit.

Es ist eine alte Einsicht, daß der Ort für die Konzentration von großer Bedeutung ist[28]. Für den Mönch Luther wird vornehmlich die Klosterzelle der

---

[22] Vgl. Mauburnus, Rosetum, Alph. V, U, wo in Anlehnung an Gerson (Myst. theol. pract., cons. 11/ed. Combes 198,18–24) von den Schwierigkeiten der Konzentration gesprochen wird: „... pie subquaerulantes, quia scilicet neque meditari sciant, cum voluerint, neque secum consistere secumque meditando morari possunt. Evolat, inquiunt, continuo spiritus nunc huc nunc illuc, dum meditari intendimus ..." Vgl. auch Luther, WA 46,78,22–25: „... Das wir nicht können also beten, wie wir auch selbs gerne wolten, und ob wir gleich etwo anfahen, doch balde davon fladdern mit frembden, unnützen gedancken und darüber das Gebet verlieren."

[23] Vgl. WA 3,362,5f.: „... plurimum iuvat ad matutinam puritatem serotina meditatio et recollectio." Vgl. auch WA 3, 537,16f., wo orare und recolligere parallel gebraucht werden, und WA 25,55,14: „(scriptura sancta) ... recolligit hominem".

[24] S. u. S. 160–166.

[25] WA 38,372,28.

[26] WA 38,373,2f. Vgl. WA 4,624,13, wo die „animi collectio" als eine der fünf „conditiones" des Gebetes angeführt wird.

[27] Vgl. etwa Gerson, Mons contempl., c.43 (ed. Dupin III,576): „Verumtamen est, quod volens ... seipsum exercere, oportet ad hoc habere ipsum magnum temporis spatium, rejecto etiam omni onere aliarum occupationum ..., seque arcere ad permanendum in uno loco fixum longo tempore, sive consolatio subsequatur aliqua, sive nulla ..." Zur Bedeutung von Ort und Zeit bei Gerson vgl. Stelzenberger, Mystik 95f.

[28] Vgl. Wilhelm v. St. Thierry, Epistola c.48 (ed. Davy 98,1ff./PL 184,324): „Impossibile enim est hominem fideliter figere in uno animum suum, qui non prius alicui loco perseveranter affixerit corpus suum."

Ort seines Meditierens gewesen sein[29]. Aber auch später wußte Luther die Einsamkeit eines Ortes für Gebet und Meditation zu schätzen[30]. Dem Meister Peter teilt er mit, daß er selbst „jnn die kamer“[31] gehe, um sich dort derjenigen geistlichen Übung zu widmen, die dann in der Schrift dargestellt wird. Freilich findet sich in demselben Atemzug noch eine andere Ortsbestimmung: „... oder, so es der tag und zeit ist, jnn die kirchen zum hauffen ...“[32] Dies darf jedoch nicht so verstanden werden, als ob dieselbe Übung in der Kammer oder im Gottesdienst in gleicher Weise vollzogen werden könnte. Die von Luther an Meister Peter weitergegebene Meditationsübung ist von ihrer Art her nur allein und in Abgeschiedenheit durchzuführen. Seine Bemerkung, daß auch die Kirche als Ort in Frage komme, ist deshalb so aufzufassen, daß der Gemeindegottesdienst bei Gelegenheit durchaus an die Stelle der privaten Übung treten kann. Sachlich legt sich das nahe, da die Stücke der privaten Übung – Dekalog, Credo, Bibelsprüche, Psalmen und vor allem das Vaterunser[33] – auch im Gottesdienst ihren Platz haben oder zumindest haben können. Das Gebet in der Gemeinschaft mit anderen Christen[34] kann den einzelnen vor manchen Anfechtungen und Einflüsterungen des Teufels bewahren[35]. Zudem liegt auf dem gemeinschaftlichen Gebet die besondere Verheißung Christi[36]. Aber das meditative Durchgehen der einzelnen Stücke, wie Luther es Meister Peter empfiehlt, ist im Rahmen der Liturgie nicht möglich. So werden wir davon ausgehen können, daß Luther sich in der Regel zur Meditation alleine in einen Raum zurückzog, wobei allerdings auch dieses einsame Beten und Meditieren noch in unsichtbarer Gemeinschaft mit der ganzen Christenheit geschieht[37].

3.2.3. *Zeit*

Was die Zeit für die Meditation betrifft[38], so können wir mit Sicherheit sagen, daß Luther auch nach Aufgabe des Klosterlebens Zeiten des Tages für Gebet und Meditation bestimmt hat. Er selbst zieht die Linie von der Praxis des Stundengebetes zu einer neuen Ordnung, die an dessen Stelle treten soll, wobei

---

[29] Vgl. o. S. 28f.

[30] Vgl. WA 44,91,23–28 (Zit. u. S. 77 A.105). Vgl. insgesamt zur Frage des Ortes: Preuß, Christenmensch 221f.

[31] WA 38,358,8. [32] WA 38,358,8 u. 359,1. [33] Vgl. WA 38,359,1f. u. 360,11.

[34] Vgl. WA 38,358,8–359,1: „jnn die kirchen *zum hauffen*“.

[35] Vgl. WA 46,78,37ff.: „Jnn der Gemein und unter dem hauffen ist es etwas leichter, da wir alle zusamen tretten und mit einander ‚Vater unser‘ sagen, Aber da gehet es nicht so leicht zu, da wir allein sind, und ein jglicher für sich selbs beten sol ...“ Vgl. Mathesius, Luthers Leben, 12. Predigt (ed. Loesche 297,17ff.): „... Denn es kam jn das betten / wie er sich vernemen ließ / inn der gemeyn viel senffter an / denn im Hause ...“

[36] Vgl. WA 49,593,5 u. 593,8 (Verweis auf Mt 18,20).

[37] Vgl. WA 38,362,32ff. Zur gegenseitigen Bezogenheit von privatem und gemeinschaftlichem Gebet vgl. Peters, Vaterunser I,79f.

[38] Vgl. dazu insges. Preuß, Christenmensch 218–221.

diese Linie allerdings vorwiegend formal im Sinne der Tatsache einer geistlichen Gliederung des Tageslaufes zu sehen ist[39]. Auch Mathesius, der Luthers Tageslauf zeitweise miterlebt hat[40], bringt Luthers Gebetspraxis mit dem Kloster in Verbindung[41].

Auf Luthers regelmäßiges Beten verweisen uns auch die berühmten Äußerungen von zwei anderen Zeitgenossen und Lebensgefährten. So hat Veit Dietrich 1530 Luther auf der Feste Coburg beim Gebet angetroffen und darüber Melanchthon berichtet. In diesem Brief ist die Rede von mindestens drei der besten Stunden des Tages, die Luther täglich dem Gebet gewidmet habe[42]. Melanchthon selbst spricht in der Grabrede für Luther davon, daß der Verstorbene täglich eine bestimmte Zeit für das Gebet ausgesondert habe[43]. Im Gesamtduktus der Rede ist diese Bemerkung auffällig und zeugt somit von dem Eindruck, den Luthers Gebetspraxis auf seine Mitmenschen gemacht hat.

Freilich läßt sich unsere Frage nach Luthers Meditationszeiten nicht eindeutig in der Weise beantworten, daß wir seinen geistlichen Tageslauf in allen Einzelheiten nach Form und Inhalt rekonstruieren könnten. Was wir aber versuchen können, ist dies, daß wir den Rahmen für diesen geistlichen Tageslauf nachzeichnen.

Dieser Rahmen ist gegeben durch das regelmäßige Gebet am Morgen und am Abend. Dies war schon klösterliche Praxis[44]; Luther hat sie beibehalten[45]. Jedoch versieht er diese festen Gebetszeiten mit einem anderen Inhalt, indem er

---

[39] Vgl. WA 30 I,125,17–21 (Vorrede zum Gr. Kat.): „Und das sie (= die Pfarrer) doch so viel thetten, weil sie des unnützen schweren geschwetzes der sieben gezeiten nu los sind, an der selbigen stat Morgens, Mittags und abends ettwa ein blat odder zwey aus dem Catechismo, betbüchlin, New testament odder sonst aus der Biblia lesen und ein Vater unser fur sich und yhr pfarkinder betten ..." Vgl. auch WA 42,511,28f.: „... omnes pii certa quaedam tempora habent, quibus orant, meditantur sacra, suos docent et instituunt in religione ..."

[40] Vgl. Volz, Lutherpredigten 168–212.

[41] Mathesius, Luthers Leben, 12. Predigt (ed. Loesche 278, 4–10): „... Alle morgen vnd abend / vnd offtmals vnterm abend essen / verricht er sein Gebet / wie er solches im Kloster von jugend auff gewohnet / Darneben saget er seinen kleinen Catechismus her / wie ein ander Schülerlein / vnnd hielt jmmer an im lesen / sein Pselterlein war sein Betbüchel / vnd Catechismus sein haußbuch / darauß leret / tröstet vnd vermanet er sich selbs ..." Der Text läßt Luthers Gebetspraxis allerdings weder nach Form noch nach Inhalt klar hervortreten.

[42] Veit Dietrich an Melanchthon (30. 6. 1530), in: WA BR 5, S. 420,15f.: „Nullus abit dies, quin ut minimum tres horas easque studiis aptissimas in orationibus ponat. Semel mihi contigit, ut orantem eum audirem." Zum Fortgang d. Zit. vgl. u. S. 71 A.54.

[43] Melanchthon, Oratio in funere D. Martini Lutheri, CR 11,731: „Quid dicam de caeteris eius virtutibus? Saepe ipse interveni, cum lachrymans precationes suas pro tota Ecclesia dixit. Sumebat enim sibi fere quotidie certum tempus ad Psalmos aliquos recitandos, quibus sua vota gemens et lachrymans miscebat: ac saepe dixit se succensere istis, qui aut propter ignaviam, aut propter occupationes dicunt satis esse solo gemitu precari. Ideo formae nobis divino consilio praescriptae sunt, inquit, ut lectio mentes accendat: imo ut vox etiam profiteatur, quem Deum invocemus."

[44] Vgl. WA 3,358,31–35 (Zit. o. S. 58 A.101); 3,362,5–18; vgl. auch o. S. 30.

[45] Vgl. WA 30 I,125,18f. (Zit. o. S. 69 A.39); WA 39 I,163,17ff.; WA 40 III,191,35ff.; WA 46,79,29ff.; WA TR 5, Nr. 5517 (S. 209,21–24).

unter anderem Stücke des Katechismus dafür empfiehlt[46]. Dieser Inhalt und die dafür angegebenen Zeiten decken sich mit dem, was Luther in der Schrift für Meister Peter ausdrücklich als eigene Praxis weitergibt[47]. Somit steht fest, daß er sein Katechismusgebet am Abend und am Morgen gerne in der dort beschriebenen Weise meditativ ausgeweitet hat.

Dieses Katechismusgebet konnte auch am Mittag gesprochen werden[48]. Unabdingbar freilich scheinen für Luther die Zeiten zu Beginn und Beschluß des Tages gewesen zu sein. In dem Fall, daß er aus irgendeinem Grund die Zeit des Gebets versäumte, wurde er von einem nachhaltigen Gefühl des Unwohlseins befallen[49].

Alles Weitere scheint sich nur schwer in Regeln fassen zu lassen. Dies macht eine Zeitbestimmung deutlich, mit der Luther seine eigene Praxis charakterisiert. An Meister Peter schreibt er: „. . . wenn ich füle, das ich durch frembde gescheflt oder gedancken bin kalt und unlüstig zu beten worden . . .“[50] Mit dieser unbestimmten Angabe, die das Gebet zu jeder Zeit möglich und nötig machen kann[51], eröffnet Luther seine Schrift. Erst in einem nächsten Anlauf setzt er Abend und Morgen als Fixpunkte[52].

Innerhalb eines festen Rahmens also hat sich Luther immer wieder spontan zu Gebet und Meditation zurückgezogen. In diesem Zusammenhang verdient die Bemerkung Veit Dietrichs Beachtung, Luther habe auf der Feste Coburg täglich mindestens drei Stunden – und zwar die zum Studium geeignetsten – dem Gebet gewidmet[53]. Dabei lassen die Formulierungen deutlich erkennen, daß diese drei Stunden keineswegs ein selten erreichtes Maximum waren; sie scheinen vielmehr in jener Zeit auf der Feste Coburg Luthers Brauch gewesen zu sein. Natürlich wird Luther nicht zeitlebens jeden Tag drei Stunden zusammenhängend auf Gebet und Meditation verwandt haben, zumindest nicht in der von Veit Dietrich angedeuteten Form. Er wird in der Regel die zum Studium geeigneten Stunden des Tages auch auf diese Tätigkeit verwandt haben. Aber die

[46] Vgl. WA 30 I,125,17–21 (Zit. o. S. 69 A.39).

[47] WA 38,358,2f.: „Lieber Meister Peter, Ich gebs euch so gut als ichs habe und wie ich selber mich mit beten halte.“ Zum Zeitpunkt vgl. ebd. 359,4f.: „Darumb ists gut, das man frue morgens lasse das gebet das erste und des abends das letzte werck sein.“

[48] Vgl. WA 30 I,125,17–21 (Zit. o. S. 69 A.39).

[49] WA TR 1, Nr. 122 (S. 49,23f.): „. . . quando forte negotiis impedior, quod orandi horam negligo, so ist mir den ganzen tag darnach vbel.“ Vgl. García de Cisneros, Exercitatorium c.8, Obras II,127,56–59 (Übers. Schlichtner 42): „Et si illa hora absque solita preterit oratione, non manet cor absque magno dolore, et precipue cum dimittitur ex negligentia vel aliqua minus rationabili causa.“

[50] WA 38,358,5f.

[51] Vgl. WA 30 I,126,17f.: „des Morgens und wenn ich zeit habe“; auch WA 46,79,28–31: „. . . Und gewehne dich also, teglich des abends mit dem Vater unser jnns bette gefallen und eingeschlaffen und morgens wider aus dem bette damit auffgestanden, und wenn es ursach, stete und zeit geben wil . . .“

[52] WA 38,359,4f. (Zit. o. A.47).

[53] S. o. S. 69.

Angabe von etwa drei Stunden zeigt doch, daß er zeitweise durchaus bereit und fähig war zu einer solch ausgedehnten geistlichen Übung. Bezüglich des Inhalts läßt sich allerdings keine Klarheit gewinnen. Es ist kaum anzunehmen, daß diese lange Zeit jeweils nur von spontan sich ergebenden Bitten angefüllt war. Veit Dietrich hat Luther auch nicht jeden Tag und sicher nicht volle drei Stunden lang belauscht, sondern er kam „einmal“ hinzu, wobei er ihn offenbar gerade beim lauten Beten antraf[54]. Schon H. Preuß vermutete zu Recht, Luthers Gebet müsse außer Bitten auch „Betrachtung, Gespräch mit dem himmlischen Vater gewesen sein“[55].

Bezüglich der Zeitangabe wäre zu fragen, ob darin nicht ein Nachklang mittelalterlicher Meditationspraxis vorliegt. Drei Argumente kann man dafür ins Feld führen:

- Unsere Überlegungen zur Meditationszeit bei den Augustinereremiten ließen die Zeit etwa von 7 bis 12 Uhr dafür in Betracht kommen[56]. Luther war also vom Kloster her durchaus an geistliche Übungen von mehreren Stunden gewöhnt.
- Veit Dietrich berichtet, Luther habe die für Studien geeignetsten Stunden des Tages dem Gebet gewidmet. Wenn damit die Morgenstunden gemeint sind[57], dann bestünde auch in dieser Beziehung eine Kontinuität zu Luthers Klosterjahren.
- Ein wichtiges Argument findet sich bei García de Cisneros. Er zitiert in seinem Exerzitienbuch Gerson aus De monte contemplationis[58]. García macht jedoch einen wichtigen Zusatz, wo Gerson nur von einem großen Zeitraum spricht, den man für geistliche Übungen jeweils zu veranschlagen habe. Er präzisiert nämlich, daß es sich um eine Zeit von zwei bis drei Stunden handle[59].

So scheint es, daß Luthers auf den ersten Blick erstaunlich langes Beten in der Tradition mittelalterlicher geistlicher Übung steht.

Nicht berücksichtigt haben wir in unseren Überlegungen die vielen Stunden,

---

[54] Veit Dietrich, s.o. S. 69 A.42; vgl. im Fortgang des Zitats (WA BR 5, S. 420,22–26): „... In haec fere verba tum orantem clara voce procul stans audivi. Ardebat mihi quoque animus singulari quodam impetu, cum sic amice, sic graviter, sic reverenter cum Deo loqueretur et inter orandum promissiones ex psalmis sic urgeret, ut qui certus esset omnia eventura esse, quae peteret.“

[55] Preuß, Christenmensch 206.

[56] S. o. S. 27f.

[57] Es ist wahrscheinlich, daß Luther in der Regel die Morgenstunden dem Studium gewidmet hat. Ratzeberger berichtet, daß nach einer überraschenden Genesung Luther von seinen Ärzten angetroffen worden sei, wie er in seinem „schreibstublin“ über den Büchern saß, und zwar am Morgen (Ratzeberger, Geschichte 62). In einer Tischrede von 1540 sagt Luther, er hätte jeden Morgen drei Stunden zur Verfügung für mancherlei Studien, wenn er von der Pflicht der Vorlesungen, die damals am Nachmittag stattfanden, und somit auch von der morgendlichen Vorbereitung entbunden wäre (WA TR 4, Nr. 4959/S. 593,5–9; vgl. dazu Ficker, Luther als Professor 34).

[58] Gerson, Mons contempl., c.43 (Zit. der betreffenden Passage o. S. 67 A.27).

[59] García de Cisneros, Exercitatorium c.64 (Obras II,423,27 / Übers. Schlichtner 226).

die Luther forschend, meditierend und betend auf das Studium der Heiligen Schrift verwandt hat. Er nennt diese Art der Meditation in einem Atemzug mit der Katechismusmeditation[60], wodurch deutlich wird, wie sehr auch sie zu seinem geistlichen Tageslauf gehört. Wir können annehmen, daß dafür vornehmlich die Morgenstunden in Frage kamen[61], wenn Luther diese nicht wie 1530 in einer Zeit besonderer Sorgen einer Art von Meditation widmete, in der das Gebet überwog.

Wir halten fest: Luther hat sich auch außerhalb seiner festen Gebetszeiten am Morgen und am Abend immer wieder in einen ruhigen Raum zurückgezogen, um sich dort Übungen aus Gebet und Meditation zu widmen, die bis zu drei Stunden und länger dauern konnten. Dazu kamen die dem Studium der Heiligen Schrift gewidmeten Zeiten.

3.2.4. *Gesten des Körpers*

Luther hat bei entschiedener Wendung gegen alle Veräußerlichung[62] gleichwohl die Bedeutung körperlicher Gesten für Gebet und Meditation nicht unterschätzt[63]. Drei Faktoren dürften dafür in erster Linie maßgeblich sein:

- Luthers Ausgangspunkt, den er mit der Tradition teilte[64], war der, daß der innere und der äußere Mensch beim Beten in Einklang zu stehen hätten, daß also, wie er sagt, die körperlichen Gebärden dem inneren Affekt zu entsprechen hätten[65].
- Der für Luther wichtigste Grund ist die Tatsache, daß die Bibel eine Vielfalt von Gesten empfiehlt[66], ja daß Jesus selbst darauf nicht verzichtet hat[67].
- Die Wertschätzung äußerer Gebärden als Ausdruck innerer Zustände bekommt in Luthers Auseinandersetzungen mit den Schwärmern einen besonderen Akzent. Offenbar sollen diese Gebärden dem Gebet aus den Regionen reiner Innerlichkeit heraus zu einem gewissen Grad an Objektivität verhelfen[68].

---

[60] WA 30 I,126,16–19: „Noch thue ich wie ein kind, das man den Catechismon leret, und lese und spreche auch von wort zu wort des Morgens und wenn ich zeit habe das Vater unser, zehen gepot, glaube, Psalmen etc. Und mus noch teglich dazu lesen und studieren ..."

[61] S. o. S. 71 A.57.

[62] Vgl. Damerau, Gebetslehre II,32.

[63] Vgl. dazu insges. Preuß, Christenmensch 217f.; Ludolphy, Luther als Beter 139f.; Damerau, Gebetslehre II,32ff.; Zur allg. Bedeutung der Gebetsgesten vgl. etwa Zöckler, Askese 349–354.

[64] Vgl. etwa Gerson (?), Alphabetum divini amoris, Operis conclusio (ed. Dupin III, 797): „... sic poterit illa diversitas exterior diversificare affectus interiores ..." Die Aussage erfolgt zum Stichwort der dispositio corporalis.

[65] Vgl. WA 3,154,2. Es heißt dort in bezug auf das Gebet: „... opera debent verbis respondere et gestus corporis affectui mentis." Vgl. auch WA 3,537,36ff.

[66] Vgl. WA 26,42,38–43,5.

[67] Vgl. WA 28,74,4–75,15; 78,9–13.

[68] Vgl. WA 28,78,13. Entsprechendes gilt vom äußeren Wort beim Beten (ebd. 77,7ff.; s. auch u. S. 79).

Als wichtigste Gebärden und Körperhaltungen begegnen in Luthers eigener Praxis und in seinen Ratschlägen für andere das Knien und das Stehen[69]. Dazu kommen das Erheben[70] und Ausbreiten[71] der Hände, das Erheben der Augen zum Himmel[72], das Kreuzeszeichen[73]. Es sei darauf hingewiesen, daß für Luther auch das Weinen zum Zeichen innerer Erregung werden konnte[74]. In all dem kommt es jedoch nirgends zu unumstößlichen Reglementierungen[75].

3.2.5. *Beteiligung der Stimme*

3.2.5.1. *Tradition*

In der Geschichte der Meditation im Bereich der westlichen Christenheit gab es die Tendenz einer zunehmenden Vergeistigung des Meditationsvorganges[76]. Immer weniger bestand die Meditation aus einem „vernehmbaren Aufsagen von Texten und Formeln"[77]. Dennoch müssen wir auch in späteren Zeiten damit rechnen, daß die Stimme noch eine Rolle spielt. Auf dasselbe Problem stoßen wir, wenn wir die Lesegewohnheiten früherer Zeiten ins Auge fassen. Es ist insbesondere die Untersuchung von J. Balogh[78], die gezeigt hat, daß in der Antike ein stummes Lesen, wie es für uns selbstverständlich ist, eine Ausnahme war. Diese antike Gewohnheit ist über verschiedene frühchristliche Schriftsteller bis ins Mittelalter nachweisbar[79]. Jedoch waren das mönchische Ideal des Schweigens[80] und verschiedene andere Faktoren dieser Gewohnheit abträglich, so daß wir beim Ausgang des Mittelalters vor dem Problem stehen, im Einzelfall den Gebrauch der Stimme nachzuweisen und nicht umgekehrt. Als Schwierigkeit kommt hinzu, daß sich die Frage des lauten und leisen Lesens schon früh mit der Frage lauten und leisen Betens verbunden hat, obwohl dafür ganz andere

[69] Beide Haltungen werden in der Schrift an Meister Peter als gleichwertig betrachtet (WA 38,360,2f.). Zu Luthers eigener Gewohnheit des Stehens am offenen Fenster vgl. Ratzeberger, Geschichte 139f.: „Es hatte auch Doctor Luther den gebrauch wie zuuor gemeldet, Das er alle Abendt, ehe er sich wolte zu bette legen mit blossem haupte In offenem fenster sein gebete mit deutlichen worten Zu unserem Hern Gott Iegen Himmel sprach, Es war Winter oder Summer, Wie solches vielen bewust . . ." Offenbar in dieser Situation kam es zu jener schönen Naturbetrachtung, von der Luther dem Kanzler Brück am 5. 8. 1530 berichtet (WA BR 5, Nr. 1675, S. 531,19–44). Zöckler, Askese 354, verweist für diese Gebetshaltung auf Dan 6,11.

[70] Vgl. WA 26,42,38–43,5.

[71] Vgl. WA BR 9, Nr. 3441 (S. 44,8).

[72] Vgl. WA BR 10, Nr. 3733 (S. 35, 115).

[73] Vgl. WA 30 I,392,6f., 394,8f. (Kl. Kat., Morgen- und Abendsegen).

[74] Vgl. WA BR 2, Nr. 455 (S. 455,69f.). S. auch Melanchthons Bemerkung o. S. 69 A.43.

[75] Vgl. WA 11,445,16–21, wo auf die Freiheit bezüglich der äußeren Gebärden hingewiesen wird. Vgl. etwa auch WA 32,415,1–11.

[76] Vgl. Bacht, Mönchsquellen 260ff., bes. 262 A.101; vgl. auch o. S. 18.

[77] Bacht, Mönchsquellen 254.

[78] Balogh, Voces paginarum; vgl. zu dem Problemkreis auch Sudhaus, Lautes und leises Beten; Capua, Osservazioni; Leclercq, Wissenschaft 23–26.

[79] Vgl. Balogh, aaO. 233.

[80] Vgl. ebd. 215.

Ursprünge und Begründungen anzuführen wären[81]: Im ersten Fall handelt es sich um eine allgemeinere kulturgeschichtliche Frage, im zweiten Fall werden wir auf spezifische Phänomene der Religionsgeschichte verwiesen[82]. Weil man hier also kaum unterschieden hat und weil ohnehin, wie wir sahen[83], der meditative und der betende Umgang mit Texten nicht zu trennen sind, finden wir im späten Mittelalter unser Problem häufig unter der Überschrift oratio vocalis – oratio mentalis verhandelt.

Als Beispiel wählen wir die Ausführungen Gabriel Biels in seiner Erklärung des Meßkanons. In den Vorbemerkungen zur Auslegung des Vaterunsers geht er auf das Gebet allgemein und dabei auch auf unsere Frage ein. In Aufnahme traditioneller Aussagen gibt er sieben Gründe an für den Nutzen und die Bedeutung des mündlichen Gebetes, das freilich immer vom Herzen begleitet sein muß[84]. Es heißt da beispielsweise, daß das stimmhafte Gebet der Konzentration förderlich ist und daß es äußerer Ausdruck innerer Bewegung sein kann, aber auch, daß ein solches Gebet satisfaktorischen Charakter trägt[85]. Dann aber stellt Biel deutlich fest, daß der Mensch, der es im geistlichen Leben zur Vollkommenheit gebracht hat, des mündlichen Gebets nicht bedarf. Sein innerer Aufschwung zu Gott würde dadurch nur gehindert[86].

Bei Mauburnus kommt nicht nur die oratio vocalis, sondern auch die lectio vocalis in den Blick. An einer Stelle sagt er ausdrücklich, daß stimmhafte lectio eine besondere Art von Vertrautheit mit den Texten bewirkt, wobei die Tatsache seines Argumentierens für die Sache freilich zeigt, daß es sich nicht um eine Selbstverständlichkeit handelt[87]. Von dieser auch für den Memorisationsvorgang nützlichen Art der Lektüre setzt er an anderer Stelle deutlich die eigentliche Meditation ab. Er unterscheidet dabei sorgfältig, indem er der lectio vocalis und der oratio vocalis auf der einen Seite die meditatio interna und die oratio mentalis auf der anderen Seite gegenüberstellt. Zum Ziel der vollkommenen Gottesschau führen – von Ausnahmen abgesehen – nur die jeweils nichtvokalen Tätigkeiten[88].

---

[81] Vgl. ebd. 105f. A.28.

[82] Vgl. dazu bes. Sudhaus, Lautes und leises Beten, pass.

[83] S. o. S. 64ff.

[84] Biel, Expositio, lect. 62 C (ed. Oberman/Courtenay III,22): „... dicitur quod private ac singulares orationes utroque modo fieri possunt, corde tantum, aut corde simul et voce, non autem solum voce." Die sieben Argumente werden lect. 62 C aufgeführt (S. 22–24).

[85] „Quarta (scil. causa est) mentis ab evagatione custodia ... Quinta est plenior debiti redditio ... et hoc principue competit orationi prout est satisfactoria ... Sexta est redundantia quedam ab anima in corpus ex vehementi affectione ac devotione ..." (ebd. 23).

[86] Biel, aaO., lect. 62 D (S. 24): „Nam perfecti viri qui sic inflammatur, quod totaliter fertur in deum, maioris efficacie est mentalis oratio sola quam vocali adiuncta. Talis enim non indiget voce exteriore ad devotionem excitandum seu affectum inflammandum, qui iam mente totus transivit in deum. Immo potius ex sono vocali retardatur."

[87] Mauburnus, Rosetum, Alph. XIV,U (Zit. o. S. 16 A.13).

[88] Mauburnus, Rosetum, Alph. IV,O: „Ex his itaque satis colligitur, quod religiosi illi decipiuntur et numquam vel raro verae devotionis gratiam aut perfectae contemplationis apicem

Biel und Mauburnus sind nur zwei Stimmen einer im wesentlichen übereinstimmenden Tradition[89], die sich im Blick auf unsere spezielle Fragestellung folgendermaßen charakterisieren ließe:

Geistliche Übungen des Mittelalters können von Texten ihren Ausgang nehmen, wobei der stimmhafte Umgang mit denselben als sinnvoll erscheint. Ihr Ziel ist immer die mehr oder weniger in mystischen Termini umschriebene Einigung der Seele mit Gott, auch wenn dies da und dort weniger stark betont worden ist[90]. Je näher nun dieses Ziel rückt, desto mehr wird alles Äußerliche von einem Hilfsmittel der Devotion zu einem Hinderungsgrund[91]. Das bedeutet, daß die stimmhafte Rezitation von Texten unterbleibt; das bedeutet aber zugleich, daß die Texte überhaupt in den Hintergrund treten. Wenn das Ziel geistlicher Übungen durch ein Zurücktreten aller Verstandestätigkeit und durch eine Betätigung der Affekte charakterisiert ist[92], kann der Umgang mit Texten, der immer den Verstand voraussetzt, keine Bedeutung mehr haben[93]. Es zählen dann allenfalls die durch Texte hervorgerufenen Affekte.

So können wir abschließend sagen, daß dort die Beteiligung der Stimme durchaus möglich ist, wo sich Gebet und Meditation eng an Texte anschließen. Dies ist jedoch allenfalls im Anfangsstadium der Meditationsübung der Fall.

---

assequuntur, qui volunt semper ex libris legere, studere aut vocaliter multa orare et non se assuescunt in cordis silentio continere seu per meditationes internas fervida desideria et intima suspiria sese in deum convertere et sic interne exercitari. Licet enim lectio et vocalis oratio aliquando pro devotione prosint et amorem dei in homine aut excitent aut lactent, non tamen ad veram et perfectam sanctitatem acquirendam sufficiunt, nisi interna meditatio et mentalis oratio saltem subsequantur, immo nisi aut praeeant aut concomitentur. Inordinatum enim et immoderatum studium scripturarum et nimietas vocalium orationum aut exercitationum externarum valde retardant et interpediunt profectum multorum religiosorum." Vgl. auch Alph. IV, F. (Zit. u. S. 81 A.130).

[89] Vgl. Bopp, Oratio mentalis 210–218; Wulf, Das innere Gebet 385ff.; Wertelius, Oratio continua 299–302; Damerau, Gebetslehre II,44–51.

[90] Vgl. Wulf, Das innere Gebet 387 (zur oratio mentalis in der Devotio moderna); auch Goossens, Meditatie 28,142–153; Schwarz, Bußtheologie 12f., 146f.

[91] Vgl. Angelus Clarenus OFM (gest. 1337), Breviloquium fratris Angeli de clarino super doctrina salutis ad parvulos Christi, c.2: „Et quando ex multis verbis orationis vel corporalibus exercitiis genuflexionum ipsa mentalis devotio impediretur, expedit tunc omnia talia impedientia postponere, et in aliud tempus reservare, ne quod melius est perdatur" (Zit. in Mattioli, Simone da Cascia 477). Vgl. auch Gerson, Myst. theol. pract., cons. 11 (ed. Combes 197,7–198,18).

[92] Vgl. García de Cisneros, Exercitatorium c.28, Obras II, 257,7–10 (Übers. Schlichtner 119): „Nunc tractandum est, qualiter mens iam aliquantulum secundum formam suprapositam exercitata elevatur in Deum absque ulla intellectus actione et ei per fervidum amorem adheret, quod sancti veram sapientiam nuncupant."

[93] Überhaupt trägt jenes Erlebnis des Höhepunkts keine worthafte Struktur. Vgl. ebd. c.30, Obras II,269,62–66 (Übers. Schlichtner 127): „. . . requiritur quod homo videat se illuminari, inflammari, recreari, elevari per amorem in suum creatorem, ita quod illud, quod sentit et videt, non potest aliquibus verbis declarari ratione sue sublimitatis, bonitatis, formositatis, puritatis et nobilitatis." Vgl. Hugo v. St. Viktor, De claustro animae, c.7: „Egreditur a contemplatione, qui coelesti fruebatur delectatione. Egreditur, et descendit, quo, et quomodo? Egreditur a contemplatione coelestium ad meditationem Scripturarum . . ." (PL 176,1094).

3.2.5.2. *Luther*

Wir gehen aus von drei für das Problem der Meditation zentralen Texten, die allesamt von dem mittleren und späten Luther stammen, nämlich der (Neuen) Vorrede zum Großen Katechismus (1530), der Schrift für Meister Peter (1535) und der Vorrede zum ersten Band der Wittenberger Ausgabe seiner Schriften (1539).

In der Vorrede zum Großen Katechismus kommt Luther auf seine eigene Praxis des Katechismusgebetes zu sprechen. Er macht deutlich, daß er die Texte mündlich vor sich hinspricht[94]. Es muß kaum betont werden, daß die Katechismusstücke zum auswendig gelernten Gut aller Christen gehören sollen[95].

Den deutlichsten Einblick in Luthers Katechismusmeditation gibt uns wieder die Schrift für Meister Peter. Wenn wir unsere Überlegungen zunächst auf den Höhepunkt der Übung, das Vaterunser, konzentrieren[96], so ergibt sich folgender Modus des Meditierens: Man betet das Vaterunser „gantz aus von wort zu wort“[97], was wohl als ein stimmhafter Vorgang aufzufassen ist[98]. Sodann wiederholt man ein Stück, etwa die erste Bitte, und formuliert im Anschluß daran ein freies Gebet[99]. Luther führt zu allen Bitten des Vaterunsers aus, wie ein solches Beten aussehen könnte. Dabei handelt es sich aber ausdrücklich um Vorschläge und keinesfalls um wörtlich nachzuvollziehende Texte[100]. Auch er selbst formuliere heute so und morgen so, wobei allerdings der Tenor der Aussagen immer gleich bleibe[101].

Es ist die Frage, ob jene freien Gebete, die sich an eine wörtlich gesprochene Vaterunserbitte anschließen, von Luther stimmhaft vorgebracht wurden. Dafür wären Luthers diesbezügliche Formulierungen ins Feld zu führen, die immer wieder das Verbum „sprechen“ aufgreifen[102]. Auch dürfte das Mißverständnis, man müsse Luthers frei formulierte Gebete „nachplappern“[103], nur dort entstehen, wo ein stimmhafter Vorgang vorausgesetzt ist. Jedoch könnte diese Terminologie auch in übertragener Bedeutung für einen rein geistigen Vorgang ge-

[94] WA 30 I,126,17f.: „... und lese und spreche auch von wort zu wort ... das Vater unser, zehen gepot, glaube, Psalmen etc.“ Vgl. auch WA 50,470,26f.; WA TR 1, Nr. 122 (S. 49,22): „... quotidie eum (= catechysmum) orare cogor, etiam vocaliter ...“ Diese Praxis empfiehlt er auch anderen: WA 30 I, 46,15–22.

[95] Vgl. WA 30 I,349,6–9.

[96] Zur Rezitation der vorbereitenden Stücke vgl. WA 38,359,1 ff. u. 360,1. Zum Gesamtaufbau der Katechismusmeditation s. u. S. 156.

[97] WA 38,360,12.

[98] Vgl. WA 30 I,126,17f. (Zit. o. S. 76 A.94). Im übrigen spielte nicht nur die Stimme, sondern auch die Sprache eine Rolle, vgl. WA TR 4, Nr. 4579 (S. 386,21f.): „Dicebatque se frequentius Germanice orare, nam materna lingua plus efficeret.“

[99] WA 38,360,13–28. [100] WA 38,362,37–363,9. [101] WA 38,363,6–9.

[102] Etwa WA 38,360,14; 363,6.7. Man beachte jedoch, daß Luther zu dem das Vaterunser einleitenden kurzen Gebet bemerkt: „... und sprich *oder dencke* auffs kürtzest du kanst“ (WA 38,360,3). Als Alternative war stimmloses Beten also möglich, wenn auch nicht unbedingt geraten.

[103] WA 38,362,37ff.: „Auch soltu wissen, das ich nicht wil diese wort alle im gebet gesprochen haben, Denn da würde doch zu letzt ein geplepper und eitel ledig gewesch aus ...“

braucht sein. Deshalb verweisen wir auf Luthers durch ihn selbst und andere bezeugte Praxis, auch freie Gebete laut vorzubringen. Wir denken dabei etwa an die schon erwähnten Berichte von Veit Dietrich und Melanchthon[104], sodann an eine Äußerung Luthers in der Genesisvorlesung, wo er einen abgeschiedenen Ort für das Beten gerade deshalb empfiehlt, weil dort das unbeholfene (also wohl das freie) Gebet nicht gehört werden kann[105].

Bei solchem Beten im Anschluß an die Vaterunserbitten geschah es Luther „offt“[106], daß ihm Gedanken kamen, die nur als ein Predigen des Heiligen Geistes gedeutet werden konnten. In solchen Fällen hat das eigene und damit natürlich auch das laute Beten aufzuhören. Der Ablauf der gesamten Übung wird unwichtig, d.h. es ist dann nicht mehr sinnvoll, alle Vaterunserbitten durchgehen zu wollen. Man soll nur noch dem lauschen, was der Heilige Geist zu sagen hat[107].

Etwas anders liegen die Dinge bei der vorbereitenden Meditation der 10 Gebote nach dem vierfachen Kränzlein. Sie geschieht nicht – wie beim Vaterunser – ausschließlich in der Form des Gebets. Zumindest der erste der vier Schritte[108], die Lehre, ist wohl ein stilles Nachdenken[109] über das jeweilige Gebot, das sich noch nicht in unmittelbarer Anrede an Gott wendet. Wenn wir es auch nicht ausschließen können, daß wenigstens die Stücke der Übung, die Gebetsform tragen, von Luther laut vorgebracht wurden[110], so scheint doch auch hier das stille Nachdenken über das jeweilige Gebot zu überwiegen. Dafür spricht Luthers Bemerkung, daß es der Seele möglich sei, in einem Augenblick mehr zu denken, als die Zunge in zehn Stunden reden und die Feder in zehn Tagen schreiben könnten[111]: „... so ein behende, subtil und mechtig ding ists umb die seele oder geist, darumb hat sie die Zehen gebot durch alle vier stück gar bald ausgericht, wenn sie es thun wil und ernst ist“[112]. Von der Sache und von den Formulierungen her wird deutlich, daß Luther hier an einen stimmlosen Vorgang denkt. Im übrigen kann es auch auf dieser das Vaterunser vorbereiten-

---

[104] S o. S. 69 A.42, 71 A.54 u. S. 69 A.43. Vgl. auch Ratzeberger, Geschichte 140 (Zit. o. S. 73 A. 69).

[105] WA 44,91,23–28: „Postquam vero traiecit, separavit se (gemeint ist Jakob am Jabbok, Gen 32,23ff.) a tota familia in locum solum, et oravit magna solicitudine ... Ideo deligit solitarium locum, propterea quod solitudo maxime opportuna est precantibus, etiam interdiu. Quando enim est seria et ardens invocatio, non libenter patimur verba illa, quae coram Deo effundimus ineptius, exaudiri.“

[106] WA 38,363,9.

[107] WA 38,363,9–16; vgl. dazu insges. u. S. 88–91.

[108] Vgl. WA 38,365,1–4.

[109] Vgl. WA 38,365,2.6 (ich „dencke“), jedoch auch ebd. Z. 4 („mit der gleichen gedancken und worten“) und 371,3 („diese meine wort oder gedancken“).

[110] Vgl. zum möglichen mündlichen Charakter des gesamten einleitenden Teils der Katechismusmeditation WA 38,359,2 und 360,1. In jedem Fall werden wohl die biblischen Texte selbst mündlich gesprochen, vgl. o. S. 76 A.94.

[111] WA 38,371,5–8.

[112] WA 38,371,8ff.

den Stufe der Katechismusmeditation zu jenem Sprechen des Heiligen Geistes kommen, demgegenüber der Mensch nur stille sein und zuhören kann[113].

Bis zu diesem Punkt bezogen sich unsere Untersuchungen auf die spezielle Form der Katechismusmeditation. Nun wenden wir uns jener Definition von 1539 zu, die das Meditieren der Heiligen Schrift zum Gegenstand hat und die wir in anderem Zusammenhang schon einmal untersucht haben[114]. Wir kamen oben zu dem Schluß, daß mit dem äußerlichen Wort und der mündlichen Rede Predigt und Lehre gemeint seien, die von der Meditation als einem „Umgehen mit Gottes Wort"[115] mitumfaßt werden.

Nun stellt sich aber die Frage, ob damit nicht auch ein stimmhaftes Rezitieren der Texte gemeint ist. Wenn wir diese Aussage mit dem vergleichen, was wir bisher über Luthers Praxis des Meditierens erhoben haben, so müssen wir die Frage wohl positiv beantworten: Die stimmhafte, gleichwohl nicht mechanische Rezitation der Texte bildet den roten Faden, den kontinuierlichen Bezugspunkt beim Meditieren. Auch hier kann es zu jenem Reden des Heiligen Geistes kommen[116], auf das Luther schon in der Schrift an Meister Peter so eindrücklich hingewiesen hatte. Dies ist uns im übrigen ein Zeichen dafür, daß die Katechismusmeditation und die Meditation von Texten der Heiligen Schrift gleiche Strukturen aufweisen.

Wir haben schon bemerkt, daß Luther in seiner Definition nicht scharf zwischen dem einsamen Meditieren und dem öffentlich am Wortlaut der Heiligen Schrift verantworteten Reden über Gottes Wort unterscheidet[117]. Beides sind für ihn zwei Seiten derselben Medaille: Meditation als Umgang mit dem Wort. Unsere auf die individuelle Meditationspraxis abzielende Untersuchung verweist uns nunmehr auf die Beteiligung der Stimme auch beim einsamen Meditieren. Die Parallelität beider Vorgänge, der öffentlich verantworteten und der individuellen meditatio, gibt uns einen Hinweis, warum – abgesehen von allen mnemotechnischen Fragen, die sicher auch hereinspielen – für Luther der stimmhafte Umgang mit Texten so wichtig ist: In beiden Fällen ist der „auditus externus"[118] ein gewisses Korrektiv gegen vermeintliche innere Erleuchtungen, wie sie im spiritualistischen Schwärmertum erstrebt und erlebt werden und die letztlich doch nichts anderes sind als in den Himmel projizierte menschliche Gedanken und Phantasien[119]. Beim Umgang mit dem Wort im stillen Kämmerlein hat man sich ebenso wie auf der Kanzel stets am Wortlaut der Heiligen Schrift zu orientieren.

---

[113] WA 38,366,10–15.

[114] WA 50,659,22–25. Zit. und Erklärungen o. S. 62f.

[115] Vgl. WA 50,660,7f.

[116] WA 50,659,24f.; vgl. dazu u. S. 88–91.

[117] Vgl. o. S. 63.

[118] WA 16,598,8.

[119] Vgl. WA 16,598,8–33, wo Luther drastisch eigene Erfahrung schildert. Wir zitieren die Zeilen 22–25: „Ego saepe relicto verbo aliquo certo cogitationibus meis incipio volare et disceptare quasi metiens verbum mea sapientia videorque mihi per haec esse in celo, sed reversus ad verbum video me potius fuisse in lupanari." Vgl. ein Zitat aus demselben Text u. S. 79 A.124.

Sicherlich wäre es eine unzulässige Verengung des Problems, würden wir den auditus externus auf die stimmhafte Wiedergabe von Texten reduzieren. Alles, was über Luthers Sicht des Verhältnisses von Wort und Geist Gottes gesagt werden muß[120], ist bei dem auditus externus mitzubedenken. Gleichwohl kommen diese Gedanken, die zutiefst mit Luthers Theologie verflochten sind, auch an unserem scheinbar nebensächlichen Praxisproblem zum Tragen, ja sie werden hier in einer besonderen Weise greifbar. So könnten wir sagen, daß die stimmhafte Rezitation von Texten während der Meditation dazu beiträgt, dem Wort Gottes die ihm gemäße Objektivität zu belassen; sie ist eine Form der Garantie dafür, daß wir beim Meditieren tatsächlich Gott und nicht – wenn auch auf Umwegen – letztlich wieder uns selbst oder dem Teufel begegnen[121].

Damit eng zusammengehörig ist ein weiteres Argument für das laute Rezitieren. Wenn wir davon ausgehen, daß die Meditation eine starke Hilfe in Anfechtungen ist, ja daß diese ihr eigentliches Bewährungsfeld darstellen[122], dann kommt dem verbum vocale selbst in der Form der lauten Rezitation – wenn es also nicht Zuspruch durch den Bruder ist[123] – die Bedeutung zu, Gottes Zuspruch sicherer, verläßlicher, objektiver an mein Ohr und an mein Herz dringen zu lassen[124].

Eindrücklich weist Luther auch auf die Bedeutung hin, die lautes Hersagen von Gebetstexten und anderen Bibelstellen für die Konzentration besitzt. Der äußere Anhalt am Text reizt das Herz zur rechten Andacht und hindert die Gedanken, ihre eigenen Wege zu gehen[125].

Wir fassen nun zusammen, was sich über Luthers eigene Praxis in bezug auf die Verwendung der Stimme beim Beten und Meditieren erheben ließ:

Biblische Texte, also auch die Grundstücke des Katechismus, werden nach Möglichkeit laut vorgebracht. Dies kann geschehen in der Form einer durchlaufenden Rezitation oder aber so, daß ein kürzeres Textstück rezitiert und daran

[120] Vgl. Althaus, Theologie 42–47; auch Beisser, Claritas 162–172.

[121] Vgl. Luthers Ausführungen in der Genesisvorlesung, in denen er die Meditation auf das „verbum vocale" bezieht. Rebekka habe, um Mut für ihren Plan der Übertragung des Erstgeburtsrechts auf Jakob zu gewinnen, den Patriarchen Eber (vgl. WA 43,394,32–37) befragt. Im Anschluß an seine Antwort heißt es (WA 43,505,11–17): „Ideo haud dubie audivit verbum vocale, et id animo meditata est alioqui non ausa fuisset hoc tentare. Spiritus sanctus enim non venit sine verbo, sed per cytharam, hoc est, per meditationem verbi, vel vocalem vocem patris, matris aut aliorum vult venire, alioqui venit Diabolus. Sed ut David, Isaias et tota scriptura testatur: Spiritus sanctus cum verbo et per verbum venit, secundum sententiam: ‚Beatus, qui meditatur in lege Dei die ac nocte' (Ps 1,2!)."

[122] Vgl. etwa WA 25,55,11–15; 230,29ff.; WA 43,472,13–19; bes. WA 50,660,1–4 (zur Trias oratio – meditatio – tentatio).

[123] Vgl. etwa WA 38,205,17f.

[124] Vgl. WA 16,598,26–29: „Sed ita fac: Verbum certum in tentatione tua aut ubi voles docere, arripe mordicus et non cede ab eo, non permitte, ut aliquis te avertat. Omnis mala doctrina, odium, timor, tristitia, tentatio cadit diligenti meditatione unius certi dicti." Die Aussage steht im Zusammenhang von Ausführungen über die Bedeutung des auditus externus.

[125] Vgl. WA 28,75,11–78,15. Zu beachten ist auch die jeweils darunterstehende Bearbeitung Crucigers.

ein Gebet oder eine Meditation angeschlossen wird. Gebete dürften dabei überwiegend laut, Meditationen aber, die, obwohl sie im Angesicht Gottes geschehen, nicht die Form des Gebetes tragen, dürften ohne Stimme vorgebracht worden sein. Nach Luthers Erfahrung kann es an jedem Punkt der Übung zu einem Sprechen des Heiligen Geistes kommen, angesichts dessen alles eigene Sprechen und Formulieren einem aufmerksamen inneren Hören zu weichen hat.

Wenn wir diese Praxis Luthers mit der mittelalterlichen Tradition zu unserem Problem vergleichen, so ergeben sich deutliche Unterschiede, wobei allerdings gesagt werden muß, daß wir vom mittleren und späten Luther ausgehen; der frühe Luther stand noch stärker in der Tradition[126].

Ein erster auffallender Unterschied ist Luthers konstant positive Bewertung des mündlichen Umgangs mit Texten. Lectio und oratio vocalis, so könnten wir in der Terminologie des Mauburnus sagen[127], sind für Luther der rote Faden in allen Stadien einer geistlichen Übung, während sie für die mittelalterliche aszetische Tradition nur Hilfsmittel im Anfangsstadium waren. Es hängt mit Luthers neuartiger Auffassung vom Wort Gottes zusammen, daß für ihn der stimmhafte Anhalt am Text eine gewisse Sicherheit bietet, Gott zu begegnen; das Mittelalter sah darin eher ein Zeichen für ein Verbleiben im Bereich des Menschlichen und damit einen Hinderungsgrund für die Gottesbegegnung. Sodann sind die Geisterfahrungen, von denen Luther immer wieder spricht, keine intendierten Höhepunkte der geistlichen Übung, denen gar durch ein Unterlassen des mündlichen Umgangs mit dem Text näherzukommen wäre. Das Reden des Geistes bricht gerade in diese mündliche Übung ein. Zwar gebietet der Geist ihr Einhalt, aber er tut das bezeichnenderweise in Bindung an das Wort. Das geht daraus hervor, daß seine Tätigkeit von Luther mehrfach als ein Predigen bezeichnet wird[128]. Dadurch aber sind diese Momente geist-licher Erfahrung unterschieden von dem mystischen Ziel geistlicher Übungen im Mittelalter[129].

Schön wird diese Unterschiedenheit zwischen Luther und dem Mittelalter auch deutlich an der Verwendung und Definition von meditatio/meditari. Zugleich erblicken wir dabei ein Stück des Weges, auf dem Luther zu seiner von der Tradition abweichenden Haltung gekommen ist. Sicherlich spielen dabei auch tiefgreifende theologische Überlegungen zur Mystik und zur oratio mentalis eine Rolle. Aber befördert und unterstützt worden sein mögen diese

---

[126] Vgl. etwa den von E. Hirsch teilweise rekonstruierten Predigttext von 1516 (WA 1,94–99); Text und Interpretation bei Hirsch, Oratio mentalis.

[127] S. o. S. 74.

[128] WA 38,363,13.14; 366,12; vgl. auch 373,1: Der Geist „lehrt“ im Herzen.

[129] Vgl. o. S. 75. Bei García de Cisneros findet sich eine Stelle, in der die formale Ähnlichkeit bei gleichzeitiger inhaltlicher Verschiedenheit schön zum Ausdruck kommt. Exercitatorium c.23, Obras II,205,58–63 (Übers. Schlichtner 89): „... non enim expedit, ut totum exercitium meditando festines transcurrere, sed si in illius primordiis devotionis vel compunctionis gratia te Dominus visitaverit, claude te intra teipsum, et mane fixus conservans in te illam gratiam et dilatans cor tuum in fervidis affectionibus, et circa hoc expende totum tempus orationi deputatum ...“

Gedanken in besonderer Weise durch die philologischen Überlegungen zu meditatio/meditari. Mauburnus noch konnte meditatio ohne erklärendes Adjektiv vom mündlichen Gebet und der mündlichen Lektüre absetzen, d.h. sie war für ihn per definitionem stimmlos[130]. Er geht dabei aus von der aszetischen Praxis der oratio mentalis. Luther dagegen kommt auf philologischem Weg zu einer Bestimmung von meditatio, welche die Stimme per definitionem einschließt[131].

Damit blicken wir in einem neuen Zusammenhang noch einmal auf Luthers Definition in den Operationes[132]. Wir können nunmehr sagen, daß seine philologisch begründeten Hinweise auf den lautlichen Charakter von meditari nicht nur auf Predigt und Lehre des Wortes zu beziehen sind, sondern daß sie tatsächlich ihre Entsprechung in der Praxis des individuellen Meditierens haben. Auch in dieser Hinsicht besteht also zwischen jener relativ frühen Bestimmung von meditatio und jener späten Definition von 1539 eine Gemeinsamkeit[133].

Die Bestimmung der Praxis Luthers bestätigt die Beobachtung von Wertelius, daß Luthers Äußerungen zum Verhältnis von innerem und äußerem Gebet sehr oft durch besondere Problemstellungen und Frontlinien ausgelöst und geprägt sind[134]. So wendet sich Luther, wenn er die Notwendigkeit des äußeren Gebetes betont, oft gegen schwärmerische Tendenzen; wenn er aber das äußere Gebet lediglich als Ausdruck des inneren Gebetes gelten läßt, wendet er sich gegen die veräußerlichte Gebetspraxis, die in der Kirche seiner Zeit vielfach eingerissen war[135]. In seiner eigenen Praxis, die als solche zunächst durchaus unpolemisch ist, finden wir einen Ausgleich zwischen beiden Linien, die sich nach außen oft zu widersprechen scheinen: Das äußere, stimmhafte Wort geschieht nie ohne die Beteiligung des Herzens; die wortlosen Gedanken und Gebete bleiben immer an jenes äußere Wort gebunden.

3.3. *Meditation und religiöse Erfahrung*

3.3.1. *Meditatio als Stufe auf dem mittelalterlichen Weg mystischer Erfahrung*

Wir beziehen uns für unsere Darlegungen vornehmlich auf Johannes Gerson, den „Kirchenvater der geistlichen Schriftsteller des 15. Jahrhunderts“[1]. In sei-

---

[130] Mauburnus, Rosetum, Alph. IV,F: „Multis, inquam, et multiplicibus modis meditatio praeferibilia est vocali et gregaria oratione vel litteralia lectione.“

[131] Vgl. o. S. 52f. [132] AWA 2,41,16–45,14. Vgl. o. S. 51–54.

[133] Vgl. o. S. 78. [134] Wertelius, Oratio continua 315. [135] Vgl.ebd.

[1] Moeller, Frömmigkeit 19; vgl. Oberman, Werden und Wertung 68. Wegweisend für die Erhellung des Erfahrungsbegriffs in der Tradition ist die Untersuchung von U. Köpf zu Bernhard von Clairvaux (1980). Vgl. auch Köpf, Art. Erfahrung; dort wird die Linie des Erfahrungsbegriffes durch die Tradition bis zu Luther hin ausgezogen.

ner Schrift De meditatione cordis gibt er eine Definition von meditatio, der wir drei wichtige Bestimmungen entnehmen[2]:
1. Meditation zielt auf Erfahrungserkenntnis (cognitio experimentalis)[3].
2. Für die Erfahrungskomponente solcher cognitio experimentalis ist die Beziehung auf den Affekt wesentlich[4].
3. Eine dergestalt vom Affekt bestimmte Erfahrungserkenntnis kann letztlich nicht mit Worten weitervermittelt werden. Ein ihr angemessenes Verständnis setzt immer eine ähnliche Bewegung des Affekts voraus[5].

Solche cognitio experimentalis wird, wenn sie sich auf Gott richtet, in ihrer höchsten Ausprägung mit verschiedenen Namen belegt. In seiner Mystica Theologia versucht Gerson eine Zusammenstellung dieser Bezeichnungen. Er rechnet dazu u.a. contemplatio, extasis, raptus und unio[6].

Diese cognitio experimentalis de Deo stützt sich nun keineswegs auf die affektiven Seelenkräfte so, wie sie von Natur aus sind. Vielmehr ist es der Sinn geistlicher Übungen und damit der Meditation, die wirren und am Irdischen hängenden Affekte auf Gott hin auszurichten[7]. Im Zusammenhang mit der Reinigung und Umpolung des menschlichen Wahrnehmungsvermögens müssen auch die sog. geistlichen Sinne Erwähnung finden. Es fällt auf, daß im

---

[2] Gerson, De meditatione cordis, c. 4 (ed. Glorieux VIII,78f.): „Dicamus ergo complentes, quod meditatio est vehemens et salubris animi applicatio ad aliquid investigandum, vel experimentaliter cognoscendum. Ponamus hoc ultimum, propter naturam ipsius affectionis, quae diversa sortitur nomina, proportionaliter ad conditionem cognitionis: non enim potest aliter affectio cognosci quam experimentaliter ab eo qui per eam afficitur; quam experimentalem affectionis cognitionem, non potest eam habens, in alterum, verbis quibuslibet fundere, nisi similiter affectus sit alter ille ..."

[3] Vgl. dazu insges. Schwarz, Fides 417–420 (Exkurs zum Begriff der affektiven Erkenntnis). Zur cognitio experimentalis de Deo bei Gerson vgl. bes. Myst. theol. spec., cons. 28 (ed. Combes 70–73).

[4] Vgl. zur Mühlen, Art. Affekt 605; Köpf, Religiöse Erfahrung 136–143. Vgl. bei Gerson selbst De meditatione cordis, c. 13 (ed. Glorieux VIII,81): „Describitur autem contemplatio; quod est liber et expeditus mentis intuitus, in res respiciendas usquequaque diffusus; et hoc quoad contemplationem, quae respicit intellectum. Porro quoad contemplationem, quae consistit in affectu, et in praxi, describit eam Hugo, quod est per sublevatae mentis jubilum, mors quaedam carnalium desideriorum, hoc est, gustare quam suavis est Dominus. Quem gustum sequitur alia longe cognitio, quam fuerit intellectualis solum visio, vel quaedam auditio per fidem, aut scripturam." Zur gegenseitigen Bezugnahme von Intellekt und Affekt bei Gerson vgl. Dreß, Theologie Gersons 132–137; Ozment, Homo spiritualis 78–82.

[5] Vgl. Dreß, aaO. 94–97.

[6] Gerson, Myst. theol. spec., cons. 2 (ed. Combes 10,23–33): „Has vero cognitiones experimentales de Deo interius vocant sancti variis nominibus, sicut pro rei varietate multiplicate sunt super numerum. Vocant autem contemplationem, extasim, raptum, liquefactionem, transformationem, unionem, exultationem, iubilum vero dicunt esse supra spiritum, rapi scilicet in divinam caliginem, gustare Deum, amplecti sponsum, osculari eum, gignere de Deo, parere de eo verbum, introduci in divina cellaria (vgl. Cant 1,3), ‚inebriari torrente voluptatis' (Ps 35(36),9), ‚currere in odorem unguentorum suorum' (Cant 1,3), ‚audire vocem eius' (Cant 8,13), intrare ‚in cubiculum' (Cant 3,4), ‚in pace in idipsum' dormire et requiescere (Ps 4,9)."

[7] Vgl. Dreß, Theologie Gersons 114–121. Vgl. auch die Überschrift zu Gerson, Myst. theol. pract., cons. 11: (ed. Combes 197,3f.): „Undecima consideratio docet piis meditationibus affectuum generativis silenter insistere ..."

Bereich affektiver Erkenntnis Termini der sinnlichen solche der kognitiven Wahrnehmung überwiegen. Wenn demnach vom „Schmecken", „Riechen" oder „Berühren" göttlicher Gegebenheiten die Rede ist, so ist damit in gewisser Analogie zu den natürlichen Sinnen ein Wahrnehmungsvermögen gemeint, das sich aber im Gegensatz zu jenen erst auf dem Wege geistlicher Übung einstellt[8].

Es versteht sich nach dem Gesagten von selbst, daß wir bei unserer Bezugnahme auf Erfahrung nicht das Problem im Auge haben, inwieweit natürliche Erfahrung als Begründung und Ermöglichung theologischer Einsichten und Lehrsätze dienen kann. Es geht uns vielmehr um die spezifische religiöse Erfahrung als eine Frucht geistlicher Übung, die sich von der natürlichen Erfahrung in charakteristischer Weise abhebt[9]. Wenn die geistliche Übung des Mittelalters einen Weg von der einen zur anderen, höheren Art von Erfahrung zu gehen versucht, so ist dies nur durch ein kompliziertes Ineinander von eigener Bemühung und Gnade möglich[10].

3.3.2. *Meditation und Erfahrung bei Luther*

3.3.2.1. *Erfahrung als Kennzeichen meditativer Erkenntnis*

Es ist nun zu prüfen, ob und in welcher Weise die Meditation auch bei Luther auf Erfahrung abzielt. Wir gehen dabei so vor, daß der Zusammenhang zwischen Meditation und Erfahrung zuerst unter vorwiegend formalen Gesichtspunkten aufgewiesen wird, d.h. wir bringen den Nachweis, daß auf Erfahrung weisende Terminologie im Umkreis von meditatio eine entscheidende Rolle spielt. Die genauere Struktur und inhaltliche Qualifizierung dieser Erfahrung soll dann in den folgenden Kapiteln zum Ausdruck kommen.

Wir haben gesehen, daß in der Tradition der Affekt konstitutiv war für das Zustandekommen meditativer Erfahrung. Dies ist unbestreitbar auch bei Luther der Fall. Aus seinen frühen wie aus seinen späten Äußerungen über Meditation geht hervor, daß die Beteiligung der affektiven Seite des Menschen unabdingbar zum Wesen des Meditierens gehört. An einigen Beispielen weisen wir diesen grundlegenden Zusammenhang auf:

– In den Dictata finden sich mehrfach Ausdrücke, in denen meditatio und

---

[8] Vgl. Rahner, Lehre von den „geistlichen Sinnen"; Balthasar, Herrlichkeit 1, 352–367 (historischer Teil einer insgesamt systematischen Besinnung); auch Grünewald, Franziskan. Mystik 94ff.; Köpf, Religiöse Erfahrung, bes. S. 146–150. Vgl. auch die folgende Anmerkung.

[9] Es sei etwa verwiesen auf die charakteristische Umkehr der Rangordnung der Sinne. Bei den natürlichen Sinnen nehmen Sehsinn und Gehör einen höheren Rang ein, weil sie den „Erkenntniswert" eines Gegenstandes erfassen, während Geruch, Geschmack und Tastsinn sich mehr auf den „Lebens- und Genußwert" richten. Im Bereich der geistlichen Sinne gilt eine umgekehrte Rangordnung (vgl. Grünewald, Franziskan. Mystik 94). Vgl. die Aussage Gersons o. S. 82 A.4.

[10] Vgl. Bonaventura, Brevil. V,6. Die Ausbildung der geistlichen Sinne steht dabei im Rahmen der „ramificatio gratiae in habitus beatitudinum et per consequens fructuum et sensuum" (Opera omnia V,258).

affectus parallel gebraucht werden. So heißt es etwa, man solle affectu et meditatione die Sünden der ganzen Welt auf sich beziehen[11].

- In den Adnotationes zum Quincuplex Psalterium des Faber Stapulensis (1513 flg.) wird ausdrücklich gesagt, daß die Meditation den Affekt befördert[12].
- Gerson hatte erklärt, daß die Meditation „fruchtbringend“ sein müsse, und dies dadurch erläutert, daß sie auf cognitio experimentalis, mithin auf affektive Erkenntnis abzielen müsse[13]. In bezug auf Passionsmeditation erklärt Luther ganz ähnlich, daß die Betrachtung des Leidens Christi erst dann fruchtbar sei, wenn es zu einem affektiven Mitleiden komme[14].
- Für die von uns untersuchten Definitionen verweisen wir hier besonders auf die Erklärung von meditari durch ruminare[15], was seinerseits definiert wurde als cum affectu verbum suscipere[16].
- Es ist nicht erforderlich, daß terminologisch präzis immer von affectus die Rede ist. Die gemeinte Sache kann auch anders zur Sprache kommen. So wird beispielsweise die Erregung des Affekts durch Meditation als ein Warmwerden vorgestellt[17]. Dies ist besonders für die deutschen Texte bedeutsam, da dort oft von „erwarmen“ etc. die Rede ist und wir nunmehr sagen können, daß diese Redeweise im Zusammenhang steht mit affektiver Erfahrung. Wir verweisen hierfür auf die Schrift für Meister Peter. Dort geht Luther aus von der Situation, daß der Beter „kalt und unlüstig zu beten“ ist[18]. Er kann das Vaterunser erst dann in rechter Weise nachvollziehen, wenn zuvor durch Betrachtung von Dekalog, Credo oder Bibelstellen „das hertz . . . erwarmbt und zu sich selbs komen ist“[19]. Damit zusammenhängend wäre auch auf Terminologie zu verweisen, die das sinnliche Wahrnehmungsvermögen des Menschen betrifft[20], sowie auf die Lokalisierung meditativer Tätigkeit im Herzen[21].

---

[11] WA 3,432,19f.; vgl. WA 3,404,15f.; 410,29f.; WA 4,176,10.

[12] WA 4,471,7: „affectus fovetur meditatione“.

[13] Gerson, De meditatione cordis, c. 4 (ed. Glorieux VIII, 78). Ein Teil des Zitates findet sich o. S. 82 A.2.

[14] WA 1,336,26f.: „Ideo qui vult *fructuose* passionem Christi audire, *meditari*, legere, oportet eum induere *affectum* talis compassionis . . .“ (Sermo I de Passione Christi. 1518?/vgl. zur Datierung u. S. 118 A.112).

[15] WA 55 II,1,12,2f. (s. o. S. 46).

[16] WA 14,650,26 (s. o. S. 57).

[17] WA 4,471,7: „affectus *fovetur* meditatione“. Vgl. WA 3,222,18–21 zu Ps 38(39),4: „Calescit autem cor intra seu in medio nostri, quando inflammatur in spiritualibus bonis. Et hoc idem est Meditatio, id est in medio cordis cogitatio. Alias frigefit ad extra vagando per sensus.“

[18] WA 38,358,6.

[19] Ebd. 360,1f. Vgl. etwa auch WA 9,146,34ff. (Zit. o. S. 57 A.98).

[20] Vgl. etwa WA 3,540,1f.: „. . . ruminare oportet: tunc enim *senties* affectum.“ In den meisten Fällen ist nicht ausdrücklich von Meditation, sondern allgemeiner von der Beziehung zum Wort Gottes die Rede; vgl. etwa WA 10 II, 23,6–11: „. . . du must bey dyr selbs ym gewissen *fulen* Christum selbs und unwenglich empfinden, das es gottis wort sey, wenn auch alle wellt da widder stritte, ßo lange du das *fulen* nicht hast, ßo lange hastu gewißlich gottis wort noch nicht *geschmeckt*

Diese nun auch für Luther aufgezeigte Beziehung von Meditation und Affekt bedeutet wie in der Tradition die Möglichkeit, daß durch Meditation nicht nur Erkenntnis, sondern eine darüber hinausgehende Erfahrung zustande kommt. Die Bestimmung der experientia durch den Affekt ist jedenfalls auch bei Luther gegeben[22]. Es muß aber sofort bemerkt werden, daß die Affektanschauung Luthers schon frühzeitig nicht mehr eindeutig im Rahmen traditioneller psychologischer Schemata zu sehen ist. Wir haben darauf hingewiesen, daß bereits zur Zeit der Dictata die Grundlinien von Luthers neuer Anthropologie deutlich zu erkennen sind[23]. So bezeichnen Intellekt und Affekt nicht mehr zwei jeweils in sich gestufte Bereiche der Seele, sondern sie meinen als Begriffspaar den ganzen Menschen, der in dieser personalen Ganzheit Gott oder der Welt zugewandt sein kann[24]. Die beiden Grundvermögen des Menschen gehören zusammen[25]. Wenn jedoch auf dem Affekt oft das größere Gewicht liegt, so geschieht dies gerade deswegen, weil für Luther der Affekt „der anthropologische Ort der geistlichen Erfahrung und des geistlichen Lebens" ist[26]. Erkenntnisse, die nur im Intellekt angesiedelt sind und den Affekt ausklammern, entsprechen Luthers Vorstellung vom Glauben nicht, da sie den Menschen im Zentrum seiner Existenz unberührt lassen[27] und so die Dimension der Erfahrung umgehen.

Bei aller formalen Ähnlichkeit mit der Tradition, auf die wir bisher gestoßen waren, ergab sich doch im Affektbegriff schon ein bemerkenswerter Unterschied, der vermuten läßt, daß es bei Luther um eine anders geartete Erfahrung geht als etwa bei Gerson. Mit der Aufgabe der traditionellen Anthropologie, welche die Voraussetzung für eine systematisch gestufte geistliche Übung bot[28], muß sich auch die Erfahrung ändern, auf welche die Meditation zielt. Davon

---

unnd hangist noch mit den oren an menschen mund odder feder und nicht mit des hertzen grund am wortt ..." Vgl. auch die Stellenangaben bei R. Seeberg, Dogmengeschichte IV,272–279.

[21] Das Herz ist Sitz der affektiven Kräfte, darüber hinaus auch in umfassender Weise die Mitte der Person, ihr Wesenskern (vgl. Metzger, Gelebter Glaube 86f.). Vgl. etwa WA 3, 222,20; WA 55 II,1,12,2f.; AWA 2,558,5f.

[22] Etwa AWA 2,379,5f.: „Intellectum et sensum (scil. der im Psalmtext erwähnten Anfechtung) non dat nisi ipse affectus et experientia." Vgl. WA 3,549,30–35; AWA 2,281,5f.; 413,8f.; WA 5,578,31; 626,10. Zum Verhältnis von Affekt und Erfahrung vgl. auch R. Seeberg, Dogmengeschichte IV,272–279.

[23] S. o. S. 50f.

[24] Vgl. zur Mühlen, Art. Affekt 606f.; Metzger, Gelebter Glaube 78; zu Intellekt und Affekt insges. auch Schwarz, Fides 117–134.

[25] Vgl. Metzger, aaO. 71–74. Als Beispiel führen wir WA 3,534,24ff. an, wo Luther im Zusammenhang mit der Meditation der opera Dei bemerkt: „... affectus meminit et agnoscit confiteturque domino opus suum. Et sic apparet opus esse domini: quia non meminit affectus, quod non monstrat intellectus. Hoc autem monstrante ille afficitur et meminit."

[26] Zur Mühlen, aaO. 606.

[27] Es gibt Menschen, die „intellectu quidem illustrissimi, sed affectu frigidissimi" sind (WA 4,353,21f.) und deren Glaube daher tot ist. Vgl. WA 3,423,8–14; AWA 2,559,3ff. Vgl. Metzger, aaO. 73 A.28.

[28] Vgl. o. S. 50.

wird noch ausführlicher zu sprechen sein[29]. Hier sollte durch den formalen Aufweis der engen Beziehung von Meditation und Affekt lediglich die Erfahrung als Dimension des Meditierens ins Blickfeld treten.

Wenn wir nach dem Inhalt der meditativen Erfahrung fragen, so können wir wie in der Tradition auch bei Luther davon ausgehen, daß die Begegnung mit Gott als Ziel hinter allem Meditieren steht. Wir verweisen dafür auf die Äußerung Luthers in der Vorrede von 1539. Dort bedeutet Meditation Umgang mit dem Wort[30]; dieses Wort aber, die Heilige Schrift, das ist Gott selbst[31].

Bei der Frage nach der Gotteserfahrung stoßen wir auf das schwierige Problem des Verhältnisses von Glaube und Erfahrung bzw. Offenbarung und Erfahrung, das in den letzten Jahren zunehmend das Interesse (wieder) auf sich gezogen hat. Man kann von einem „Umschwung" sprechen, von einem „Wandel", der sich in bezug auf die „Erfahrungsfeindlichkeit von Theologie und christlichem Glauben" vollzogen hat[32]. Dennoch gilt andererseits das Phänomen der Erfahrung „bis in unsere unmittelbare theologische Gegenwart hinein . . ., nicht zuletzt infolge der Dialektischen Theologie und deren rezeptorisch-verkürzten Weiterverwendung, gegenüber der Offenbarung als etwas Sekundäres und Abgeleitetes"[33].

G. Ebeling war es, der 1974 auf dieses „Erfahrungsdefizit in der Theologie"[34] hingewiesen und dabei zugleich eindringlich auf Luthers Theologie aufmerksam gemacht hat[35]. Er geht so weit, daß er den Erfahrungsbezug der reformatorischen Exklusivaussagen sicherstellen will, indem er das sola experientia als „notwendiges Interpretament"[36] zu sola scriptura, solus Christus, solo verbo und sola fide bezeichnet. Freilich ist auch Ebeling weit davon entfernt, das anstehende Problem zu lösen, im Gegenteil: „Das Thema bedürfte dringend einer Neubearbeitung unter Berücksichtigung der auf Luther einwirkenden Tradition."[37] Offenbar ist diese Arbeit aber bis heute nicht umfassend und in der angedeuteten Richtung, nämlich unter Berücksichtigung der Tradition, in Angriff genommen worden. Neuere und neueste Publikationen weisen lediglich mit Berufung auf Ebeling weiterhin auf die Dringlichkeit einer Behandlung des Problems hin[38].

Selbstverständlich würde es den Rahmen dieser Arbeit sprengen, wollten wir das Thema der experientia bei Luther erschöpfend behandeln. Wir können

---

[29] Vgl. bes. u. S. 91–96.

[30] Vgl. WA 50,660,7f.

[31] Vgl. WA 50,657,26f.

[32] Ritter, Offenbarung und Erfahrung 558.

[33] Ebd. 556f.

[34] So der Titel des Aufsatzes von Ebeling.

[35] Ebeling, Erfahrungsdefizit 7–14.

[36] Ebd. 12.

[37] Ebd. 12 A.18. In dieser Anmerkung weist Ebeling auf Literatur hin, die das Thema in Angriff nimmt, ohne freilich besagtem Mangel in jeder Weise abzuhelfen. Vgl. auch Spijker, Experientia 242 A.27. Bei einer solchen Neubearbeitung müßte dann natürlich auch das Problem der Erfahrung im wissenschaftstheoretischen Kontext erörtert werden (vgl. Oberman, Contra vanam curiositatem 53). Zur Bedeutung der Erfahrung in Luthers Theologie und Frömmigkeit vgl. auch Lortz, Martin Luther 221f. u. 236.

[38] Vgl. Spijker, Experientia 236ff.; Barth, Erfahrung 567f.

jedoch einen Beitrag dazu leisten, indem wir die Umrisse derjenigen Erfahrung herausarbeiten, die zum Wesen des Meditierens gehört. Diese Aufgabe ergibt sich zunächst aus dem Duktus unserer Untersuchungen zur Meditation. Wir meinen aber darüber hinaus, daß gerade dieser Zugang zum Phänomen der Erfahrung in besonderer Weise sachgemäß ist, und wollen dies im folgenden kurz begründen.

Zum Wesen von Erfahrung gehört es, daß sie niemals in zureichender Weise auf intellektuellem Weg allein weitervermittelt werden kann[39]. Sie muß letztlich durch gleichgeartete Erfahrung nachvollzogen werden. Natürlich hat auch Luther um diesen Sachverhalt gewußt. Wir verweisen dazu auf die Definition von 1516[40]. Luther geht davon aus, daß Ps 1,3 Erfahrung andeutet, zu der es im Verlauf des Meditierens kommen kann. In seiner Auslegung spricht er von solcher Erfahrung unter Hinzuziehung bildlicher Aussagen der Heiligen Schrift. Dadurch werden formale Strukturen dieser Erfahrung, etwa daß sie sich plötzlich ereignet, deutlicher herausgestellt, als es der Psalmist tut. Aber die Wahrheit des Gesagten kann sich nur eigener Erfahrung des Hörers erschließen[41]. Jedoch bleibt Luther auch bei diesem Hinweis noch nicht stehen, sondern er verweist seine Hörer bzw. Leser ausdrücklich auf die meditatio[42]. Daß damit nicht eine unverbindliche Kenntnisnahme biblischer Inhalte, sondern eine Frömmigkeitspraxis mit ganz bestimmten Kennzeichen gemeint ist, dürfte nach allem, was bisher gesagt worden ist, einleuchten. Luther erschöpft sich also keineswegs im Reden *über* Erfahrung, sondern er führt seine Leser und Hörer in demselben Atemzug durch den Verweis auf eine festumrissene Praxis bis unmittelbar an den Punkt heran, an dem sie die in Rede stehende Erfahrung selbst nachvollziehen können. Allgemeiner könnten wir formulieren, daß man ohne Berücksichtigung der entsprechenden Praxis nicht sachgemäß von Erfahrung sprechen kann. In diesem Sinn versucht unsere Untersuchung, sich dem Problem der Erfahrung bei Luther sachgemäß zu nähern.

Freilich ist nach Einsicht in diesen Zusammenhang der Schluß nicht zu umgehen, daß eine wissenschaftliche Untersuchung von Erfahrung trotz Einbeziehung der entsprechenden Praxis immer noch nicht vollkommen ihrer Sache angemessen sein kann, wenn denn Erfahrung nur durch Erfahrung nachvollzogen werden kann. Deshalb erlauben wir uns an dieser Stelle die Bemerkung, daß – zumindest grundsätzlich – kein Hinderungsgrund besteht, den Weg der Meditation, wie er sich im Zuge der Untersuchungen herauskristallisiert, tatsächlich zu gehen.

Den Zusammenhang zwischen Meditation und Gotteserfahrung wollen wir in den beiden folgenden Kapiteln nach zwei Richtungen entfalten. Zuerst

---

[39] Vgl. o. S. 82.

[40] S. o. S. 48 die beiden letzten Sätze des Zitates (WA 55 II,1,16,2–8) und S. 49.

[41] WA 55 II,1,16,2: „Expertus nouit . . .“

[42] WA 55 II,1,16,7f.: „. . . tradat se ad meditationem . . . et experientia docebitur verum dixisse prophetam in hoc versu.“

greifen wir die Beobachtung auf, daß es im Verlauf des Meditierens zu einem Sprechen des Heiligen Geistes kommen kann. Sodann zeichnen wir, indem wir über Anfechtungserfahrung sprechen, die charakteristischen Konturen der Gotteserfahrung Luthers nach. Insgesamt soll damit der beherrschende Zug von meditativer Erfahrung bei Luther zum Ausdruck kommen. Bei der Behandlung konkreter Meditationsformen werden sich diesem Schwerpunkt weitere Einzelheiten angliedern[43].

3.3.2.2. *Erfahrung des Heiligen Geistes im Vollzug des Meditierens*

Wir gehen wieder aus von der Schrift für Meister Peter, da die Art der zu beschreibenden Geisterfahrung dort am deutlichsten sichtbar ist[44]. Wie wir schon bemerkten[45], kann es im Rahmen der Katechismusmeditation zu einem Sprechen des Heiligen Geistes kommen, angesichts dessen alles eigene Beten und Meditieren des Menschen verstummen muß. Man kann, wenn es dazu kommt, nur still sein, zuhören, sich merken, was der Geist predigt, und es unter Umständen sogar aufschreiben[46]. Trotz der Worthaftigkeit dieses Ereignisses[47] handelt es sich um mehr als nur um einen intellektuellen Erkenntnisakt; es geht um Erfahrung. Darauf deutet die Beobachtung, daß Luther bei der Beschreibung des Phänomens zwar Ps 119,18 anführt, dabei aber gleichsam unter der Hand das Verbum statt – wie es der hebräische und der lateinische Text erfordern würden – mit einem Ausdruck des Sehens mit „erfahren" wiedergibt. Als Bibelübersetzer arbeitet Luther genauer. Aber hier, wo ihm die Bibelstelle zur Beschreibung einer Erfahrung dient, ändert er sie entsprechend ab. Wenn man sich, meint Luther, auf diesen Einbruch des Heiligen Geistes einläßt, „so wirstu wunder erfaren (wie David sagt) im Gesetze Gottes"[48].

Die Ausführungen Luthers in der Schrift für Meister Peter sind auch insofern von Bedeutung, als sie Aufschluß geben über die Häufigkeit solcher Erlebnisse. Von sich selbst sagt Luther ausdrücklich, daß ihm solches oft widerfahre[49], und offenbar rechnet er damit, daß es auch anderen Menschen, die nach seiner Anleitung beten, ebenso ergehen kann, denn er „ermahnt" sie, sich solchem Predigen des Heiligen Geistes keinesfalls zu widersetzen[50].

---

[43] Vgl. u. S. 140f., 171f. u.ö.

[44] WA 38,363,9–16 und 366,10–15.

[45] Vgl. o. S. 77f., wo wir im Zusammenhang mit lautem und leisem Meditieren schon auf dieses Phänomen hingewiesen haben. Jene Bemerkungen sind zu einer vollständigen Beschreibung des Phänomens hinzuzunehmen.

[46] WA 38,366,10–15: „Und wie ich droben gesagt habe im Vater unser, also vermane ich aber mal: ob der Heilige geist unter solchen gedancken keme und anfienge jnn dein hertz zu predigen mit reichen erleuchten gedancken, so thw jm die ehre, lase diese gefassete dancken faren, sey stille und höre dem zu, ders besser kan denn du, Und was er predigt, das merck und schreibe es an, so wirstu wunder erfaren (wie David sagt) im Gesetze Gottes."

[47] Vgl. dazu und zur Abgrenzung gegenüber der Tradition o. S. 80.

[48] WA 38,366,14f. Vgl. o. A.46. [49] WA 38,363,9. [50] WA 38,366,10 (Zit. o. A. 46).

Da wir uns mit alledem im Bereich der Katechismusmeditation befinden, dürfte es nicht abwegig sein, in einer diesbezüglichen Bemerkung der Vorrede zum Großen Katechismus eine solche Geisterfahrung zumindest miteingeschlossen zu sehen. Luther betont dort, man solle im Gegensatz zu einer nur verstandesmäßigen Kenntnisnahme der Katechismusstücke sie täglich in fruchtbringender Weise lesen und üben. So kommt es, daß „der heilige geist bey solchem lesen, reden und gedencken gegen wertig ist Und ymer newe und mehr liecht und andacht dazu gibt, das es ymer dar besser und besser schmeckt und eingehet . . ."[51].

Dieser Bemerkung und vor allem der Schrift für Meister Peter entnehmen wir vier Züge, die das Wesen dieser meditativen Geisterfahrung bestimmen:

- Es ist der *Heilige Geist,* der zu dem Meditierenden spricht.
- Es geht um Geisterfahrung im Vollzug von *Schriftmeditation*[52].
- Aufgrund dieser Tatsache und weil es ausdrücklich um ein „Predigen" des Heiligen Geistes geht[53], können wir insgesamt von der *Worthaftigkeit* des Ereignisses sprechen.
- Dennoch handelt es sich um eine Kopf *und* Herz des Menschen umfassende *Erfahrung.*

Wir wenden uns nun der Definition von 1516 zu[54] und weisen darauf hin, daß die dort beschriebene meditative Erfahrung in ihrer Struktur genau der eben untersuchten Erfahrung im Rahmen der Katechismusmeditation entspricht. Damit wird eine Kontinuität sichtbar, die fast 20 Jahre – den Bruch mit dem Klosterleben eingeschlossen – überspannt. Auch in diesem Text handelt es sich um Erfahrung des Heiligen Geistes im Gefolge von Schriftmeditation, um ein worthaftes Ereignis[55] ebenso wie um eine tiefgreifende Erfahrung, mögen auch die Akzente anders verteilt sein. Neu kommt hinzu, daß es sich bei der Geisterfahrung in diesem Fall um ein Geschehen handelt, das plötzlich eintritt und von kurzer Dauer ist[56]. Muß auch die Worthaftigkeit als stärkstes Argument gegen eine Gleichsetzung mit ausgesprochen mystischer Erfahrung eingewendet werden[57], so ist dennoch durch die Kennzeichnung breviter et subito eine gewisse Nähe dazu nicht zu leugnen[58].

---

[51] WA 30 I,127,2ff.

[52] Wir rechnen den Katechismus in diesem Fall zur Heiligen Schrift, da er nichts anderes ist als „der gantzen heiligen schrifft kurtzer auszug und abschrifft" (WA 30 I,128,29f.).

[53] S. o. S. 80 A.128.

[54] Wir beziehen uns auf WA 55 II,1,15,5–12 und 15,20–16,8 (Zit. und Interpretation s. o. S. 48f.).

[55] Vgl. „sermo" (WA 55 II,1,15,20), „lingua" (aaO. 16,1), „docetur" (aaO. 16,3), „vox" (aaO. 16,4).

[56] WA 55 II,1,16,3: „breuiter et subito". Vgl. auch WA 3,539,23f.: „Meditatio enim est summa, efficacissima et brevissima eruditio."

[57] Gegen die Gleichsetzung des Phänomens in der Schrift für Meister Peter mit der traditionellen contemplatio bei Otto, West-Östliche Mystik 350f. Auch Holl, Religion 87, sieht das Phänomen nicht ganz deutlich, wenn er es als „Versenkung in Gott" und "reine Anbetung" bezeichnet.

[58] Zu subito bzw. statim im Rahmen der Mystik vgl. Oberman, Iustitia 423 A.15. Auch die

Ebenfalls in diesen Zusammenhang dürfte eine Stelle in den Operationes einzuordnen sein, wenngleich die Worthaftigkeit hier nicht so stark zum Ausdruck kommt. In der Auslegung zu Ps 3,3 äußert Luther sich grundsätzlich über die Bedeutung des „Sela“ in den Psalmen. Er geht zuerst die verschiedenen traditionellen Lösungen durch[59], findet jedoch in jedem Fall Gegenargumente und entschließt sich endlich unter Bedenken, seine eigene Meinung bzw. Erfahrung wiederzugeben: Das jedes System sprengende Vorkommen von „Sela“ deutet auf die Bewegung des Heiligen Geistes, der – dem Meditierenden unvorhersehbar – unter Aussetzung der Rezitation des Psalmtextes[60] in illuminatio und affectio die Seele berührt[61].

Von hier aus schlagen wir wieder einen Bogen und wenden uns der Vorrede von 1539 zu. Dort hieß es im Zusammenhang der Definition von meditatio: „. . . mit vleissigem auffmercken und nachdencken, was der heilige Geist damit meinet“[62]. Wir sind der Ansicht, nach allem, was gesagt worden ist, auch diese Bemerkung als Niederschlag solcher Geisterfahrung werten zu können. Zwar ist Luther an dieser Stelle nicht an einer Beschreibung des Ereignisses gelegen. Es ist aber unwahrscheinlich, daß er im Rahmen einer so stark durch die Praxis geprägten Beschreibung des Meditierens etwa nur an einen dogmatischen Hinweis auf die hermeneutische Bedeutung des Heiligen Geistes gedacht hätte.

Wenn wir nun alle angeführten Belege überblicken, können wir die Beschreibung der in Rede stehenden Geisterfahrung an einem Punkt noch etwas präzisieren. Es handelt sich, wie wir sagten, um eine worthafte Erfahrung des Heiligen Geistes im Vollzug der Schriftmeditation. Das kann, zumal wenn die Tätigkeit des Geistes als ein „Predigen“ charakterisiert wird[63], nichts anderes bedeuten, als daß der Heilige Geist das biblische Wort in einer Intellekt und

---

Tatsache, daß es sich nicht nur um ein plötzlich eintretendes, sondern auch um ein kurz dauerndes Ereignis handelt, hat in der Tradition ihren Anhalt. Vgl. Bernhard, Sup. Cant 85,13 (PL 183,1194): „Dulce commercium; sed breve momentum et experimentum rarum“; auch Sup. Cant 23,15 (PL 183,892): „Sed heu! rara hora et parva mora!“ Daß das Ereignis nur selten eintritt, betont Luther allerdings gerade nicht.

[59] AWA 2,127,25–130,25.

[60] So deuten wir in Übereinstimmung mit dem, was über die Stimme im Vollzug des Meditierens gesagt wurde (s. o. S. 77f.) den Ausdruck „omissis verbis psalmi“ (AWA 2,131,5). Vgl. WA 2,82,17–21: „Auch seind etlich psalmen mit dem wortleyn ‚Sela‘ (das ist ‚ruge‘) unterscheyden und wirt nach gelesen, noch gesungen, tzu vormanen, das, wo ein sunderlich stuck sich euget im gebet, das man da still halt und ruge, die meynung wol tzubetrachten und die wort so lange faren lasse.“

[61] AWA 2,130,26–131,8: „Ita ‚pausam‘ hanc mea temeritate suspicor significare insignem aliquem affectum, quo psallens pro tempore movente spiritu afficitur. Qui, quoniam non est in nostra potestate, non in omni psalmo nec omni versu a nobis haberi potest, sed prout spiritus sanctus dat moveri. Ideo sela in psalmis tam confuse et citra ullam rationem ponitur, ut hoc ipso indicet secretam et nobis incognitam nec provideri possibilem motionem spiritus, quae, ubiubi venerit, omissis verbis psalmi quietam et pausantem poscit animam, quae capax fiat vel illuminationis vel affectionis, quae offertur. Ita hoc versu, cum agatur de insigni illa tentatione spiritus, qua deus iratus sustinetur, nedum creatura, motus est Propheta ad eam profundo affectu sentiendam et agnoscendam.“

[62] WA 50,659,24f. (Gesamtzitat s. o. S. 62).

[63] Vgl. o. S. 80 A.128 u. 89 A.55.

Affekt ergreifenden Weise auslegt. Es handelt sich um kleinere oder größere Durchbrüche im Sinn eines existentiellen Verstehens der Heiligen Schrift.

Diese Durchbrüche sind zunächst beglückende Erlebnisse. Davon zeugte eindrücklich der Text von 1516 durch Zahl, Art und Inhalt der zur Umschreibung des Ereignisses herangezogenen biblischen Stellen sowie insbesondere durch dessen Kennzeichnung als ein Hervorbrechen von suavitas[64]. Jedoch bedeutet dies keineswegs, daß Meditation insgesamt ein Vorgang leicht und schnell erfolgender, auch inhaltlich immer angenehmer Erkenntnis wäre. Im Gegenteil, meditatio ist unbeschadet einzelner Durchbrüche ein mühsamer, langwieriger, alle Lebensbezüge umfassender Kampf um die rechte Einsicht in das biblische Wort[65]. Das Wissen darum verbindet sich mit den Zügen, die echte Gotteserfahrung für Luther immer trägt, und führt ihn dazu, die Anfechtung als grundlegende Dimension alles Meditierens zu bezeichnen. Dem wollen wir im folgenden Kapitel nachgehen.

3.3.2.3. *Experientia als tentatio*

Wir konzentrieren unsere Überlegungen um die Trias „Oratio, Meditatio, Tentatio“[66] aus der Vorrede von 1539. Dabei ist es zunächst auffällig, daß Luther innerhalb eines deutschen Textes die drei Begriffe lateinisch wiedergibt. Dies deuten wir dahingehend, daß für Luther die Begriffe einzeln von lateinischer mittelalterlicher Tradition geprägt sind und daß darüber hinaus auch ihre Reihenfolge[67] auf traditionellem Hintergrund zu sehen ist.

Die Reihenfolge wollen wir nun in Beziehung setzen zu der mittelalterlichen Stufung lectio – meditatio – oratio – contemplatio, die – wenn auch mit Abwandlungen – letztlich allen geistlichen Übungen zugrunde lag[68]. Daß die lectio bei Luther nicht eigens erscheint, muß nicht verwundern. Sie ging in die Stufe der meditatio ein[69]. Zwei Gründe mögen dazu beigetragen haben. Erstens könnte Luther eine einprägsame Dreiheit von Begriffen beabsichtigt haben[70];

---

[64] Vgl. o. S. 49.

[65] Vgl. WA 43,472,13–19: „Sed sine tentatione nihil discimus ... Haec Theologia nostra est, quae non facile aut subito discitur, sed assidue meditandum est in lege, standum est in acie contra Diabolum, qui conatur nos retrahere a studio verbi, et languefacere fidem nostram.“

[66] WA 50,659,4.

[67] Wir halten dabei die Reihenfolge in unserem Text für maßgeblich, da der Text von Luther selbst stammt und zudem als eine prinzipielle Äußerung an exponierter Stelle angesehen werden muß. Die beiden anderen Belege für die Trias mit veränderter Reihenfolge, eine nichtauthentische Bucheinzeichnung (WA 48,276) und eine bei Mathesius überlieferte Äußerung (12. Predigt, ed. Loesche 292,33–293,10), können demgegenüber keine Geltung beanspruchen.

[68] Vgl. o. S. 19. Diese Stufung ist eine „für das ganze Mittelalter kanonisch gewordene Reihenfolge“ (Wulf, Das innere Gebet 385).

[69] Vgl. WA 50,659,24: „lesen und widerlesen“ (zum Stichwort meditatio).

[70] Schon Bonaventura nahm lectio und meditatio zu einer Einheit zusammen, um dem Aufbau der triplex via zu entsprechen. Bonaventura, De tripl. via, Prologus (Opera omnia VIII,3): „Scien-

zweitens dürfte sich darin die Verwerfung einer Trennung von Buchstabe (lectio) und Geist (meditatio) ausdrücken[71].

Wichtiger ist die Umstellung von meditatio und oratio. Wir greifen eine Beobachtung auf, die wir oben schon gemacht haben[72], und stellen zunächst fest, daß es sich bei der oratio in diesem Fall um ein der Schriftmeditation vorgängiges Bitten um Erleuchtung durch den Heiligen Geist handelt. Zusätzlich könnte die Vorordnung der oratio vor die meditatio die Bedeutung haben, daß Luther an so exponierter Stelle keinesfalls den Verdacht aufkommen lassen wollte, Hinwendung zu Gott im Gebet sei durch Meditation gleichsam machbar[73]. Vielmehr ist vorgängige liebende Hinwendung zu Gott die Wurzel alles Meditierens. Damit hätten wir sachlich eine Brücke geschlagen zu jener Vorordnung der voluntas vor die meditatio in der Definition von 1516[74].

Wenn diese Überlegungen zum Verhältnis von oratio und meditatio innerhalb der Trias stimmen, dann ergibt sich daraus der Schluß, daß die tentatio die Stelle einnimmt, die in dem grundlegenden mittelalterlichen Schema der contemplatio zukam. Contemplatio aber bezeichnete als einer unter mehreren möglichen Begriffen den Höhepunkt der geistlichen Übung, die cognitio experimentalis de Deo[75]. Ziel des Meditierens wäre demnach bei Luther wie in der Tradition die erfahrungsmäßige Begegnung mit Gott. Allerdings trägt dann Luthers Form der Gotteserfahrung Züge, die sie in bezeichnender Weise von der Tradition abheben: Es ist Erfahrung Gottes durch sein Wort in der Situation der Anfechtung.

Die eben formulierte Einsicht von der Anfechtung als dem Höhepunkt der geistlichen Übung gewannen wir auf Grund der Stellung der tentatio innerhalb der Trias. Sie bestätigt sich durch die dem Stichwort tentatio folgenden definitorischen Sätze:

> „Zum dritten ist da Tentatio, anfechtung. Die ist der Prüfestein, die leret dich nicht allein wissen und verstehen, sondern auch erfaren, wie recht, wie warhafftig, wie süsse, wie lieblich, wie mechtig, wie tröstlich Gottes wort sey, weisheit uber alle weisheit."[76]

Zuerst bemerken wir, daß die tentatio als Bedingung dafür angesehen wird, daß Gottes Wort *erfahren* werden kann. Lateinisch wäre hier experientia bzw. das Verbum experiri zu erwarten. Dabei wird von Erfahrung genau in dem Sinn gesprochen, den unsere bisherigen Untersuchungen erwarten lassen[77]: Erfahrung als ein über den Bereich bloßen Wissens und Verstehens weit hinausgehen-

---

dum est igitur, quod triplex est modus exercendi se circa hanc triplicem viam, scilicet legendo et meditando, orando, et contemplando."

[71] Vgl. Oberman, Iustitia 426. Ders., Simul gemitus et raptus 51ff.: Die Schrift ist keineswegs „bloßer Anlaßmotor für den Affekt" (ebd. 51) in der Weise, daß man sie an irgendeinem Punkt hinter sich lassen könnte.

[72] Vgl. o. S. 66. Natürlich bleibt gerade wegen dieses vorgängigen Betens die folgende meditatio betender Umgang mit dem Text. Anders ist Meditation für ihn nicht denkbar (vgl. etwa o. S. 49).

[73] Vgl. Oberman, Iustitia 426.

[74] Vgl. o. S. 46f. [75] Vgl. o. S. 82. [76] WA 50,660,1–4. [77] Vgl. o. S. 83–86.

des Ergriffensein des ganzen Menschen vom Gegenstand der Meditation. Bei Luther wie in der Tradition beruht solche Erfahrung auf der Beteiligung des Affekts. Jedoch war es Ziel der monastischen geistlichen Übung, den Affekt als Bereich der Seele methodisch und in bestimmten Stufungen zu reinigen, ihn auf Gott hin auszurichten und so zur cognitio experimentalis de Deo zu gelangen[78]. In Luthers geistlicher Übung ist die Funktion des Affekts völlig anders. In der Anfechtung wird der *ganze* Mensch, d.h. der Mensch mit Intellekt *und* Affekt, ergriffen, mehr noch: angegriffen, und in eben dieser existenzbedrohenden Situation erreicht und berührt ihn das Wort Gottes. Das ist für Luther religiöse Erfahrung – Erfahrung sozusagen sub contrario. Dieser Sachverhalt erfährt in den zitierten Sätzen aus dem späten Text von 1539 eine in ihrer Prägnanz kaum zu übertreffende Formulierung. Dennoch handelt es sich keineswegs um eine nur vereinzelt ausgesprochene Ansicht Luthers. Im Gegenteil, die enge Verknüpfung von experientia und tentatio, die wir in diesem Text aufgewiesen haben, ist als Linie durch Luthers theologische Entwicklung zu verfolgen. Darauf hat die Forschung immer wieder verwiesen[79].

Sodann ist an den zitierten Sätzen zur tentatio auffallend, daß keine negativen Töne zu bemerken sind, obwohl doch die Anfechtung ohne Zweifel einen „Angriff auf den ganzen Menschen"[80], mithin eine schmerzliche Erfahrung darstellt[81]. Im Gegenteil, es geht – wenn auch unter dem Stichwort tentatio – um die Erfahrung, daß Gottes Wort süß, lieblich, mächtig, tröstlich etc. ist[82]. Im Anschluß an die zitierten definitorischen Sätze spricht Luther dann freilich von Anfechtung auch so, daß deren negativer Charakter zum Ausdruck kommt[83]. Er denkt an die Angriffe der „Papisten" gegen ihn, die gerade wegen seines Beharrens auf dem Wort erfolgen. Darin sieht er den Teufel am Werk. Der oftmals verborgene Sinn solcher Angriffe bleibt aber ein positiver, nämlich der, den mit dem Wort Gottes umgehenden, d.h. meditierenden Menschen zu einem „rechten Doctor" und einem „zimlichen guten Theologen" zu machen[84].

---

[78] Vgl. zur Mühlen, Art. Affekt 605; auch o. S. 81ff., 85f.

[79] Vgl. etwa Müller, Erfahrung, bes. 61–70, auch 157 A.2 u. 3 (Stellenbelege); Loewenich, Theologia crucis 182–191; Jacob, Gewissensbegriff 38,44,48,54 u.ö.; Pinomaa, Existentieller Charakter 84f. u.ö.; Beintker, Überwindung 22f.,73; Prenter, Spiritus 67f., 209f.; Metzger, Gelebter Glaube 160ff.; Oberman, Iustitia 422. Schön kommt bei Spijker im Rahmen eines vom Mittelalter bis in die Gegenwart reichenden Entwurfs zum Problem der Erfahrung die Bedeutung der Anfechtung bei Luther in den Blick (Spijker, Experientia 245ff.).

[80] Beintker, Art. Anfechtung (RGG), 370.

[81] Schäfer, Oratio 678, spricht auf Grund dieser Beobachtung von einer „Doppelerfahrung von Anfechtung und Trost". Dies ist sachlich völlig richtig (vgl. Pinomaa, aaO. 189f.). Wir legen jedoch Wert darauf, daß trotz des Stichwortes tentatio von Angst und Bedrängnis der Anfechtung in den definitorischen Sätzen nicht die Rede ist; die tentatio wird als positive Erfahrung definiert.

[82] Die Adjektive unterstreichen das Moment der Erfahrung.

[83] WA 50,660,5–16.

[84] Dieses Beispiel für Anfechtungen betrifft die Meditation nicht nur in ihrem Charakter als private Übung, sondern auch in ihrer Erscheinungsform als Predigt und Lehre (vgl. o. S. 53, 54, 61, 63).

Der insgesamt positive Rahmen, in den die Anfechtung somit zu stehen kommt, bestätigt unsere Ansicht, daß die tentatio im Rahmen geistlicher Übung die Stelle der contemplatio einnimmt. Darüber hinaus entspricht dies durchaus dem, was über die Anfechtung im Gesamtgefüge der Theologie Luthers zu sagen ist.

Wenn wir den Versuch einer zusammenfassenden Formulierung machen wollen, so können wir sagen: Anfechtung in Luthers Theologie bedeutet Leben unter dem Ansturm von Kräften, welche die Macht haben, uns von Gott abzuwenden. Anfechtungen können dabei von der leichteren Form äußerer Widerfahrnisse wie Armut, Hunger, Krankheit etc. bis zu der schwersten Form begegnen, in der Gott selbst den Menschen unmittelbar angreift[85]. In den letzteren, den sog. geistlichen Anfechtungen „erreicht Gottes Verborgenheit erst ihre allertiefste Tiefe“[86].

Wichtig ist nun, daß in allen Formen der Anfechtung letztlich Gott am Werk ist. Luther selbst spricht zwar oft vom Teufel als dem Urheber der Anfechtung[87] und er erfährt ihn tatsächlich als „eine Wirklichkeit, die er mit blutigem Ernst auffaßt“[88]. Dennoch dürfte es richtig sein, letztlich doch Gott als den eigentlich Wirkenden hinter aller Anfechtung zu sehen[89]. Wenn es Gott ist, der in allen Formen der Anfechtung auf eine freilich oft schwer durchschaubare Weise nach uns greift, indem er uns angreift, so ist die Anfechtung letztlich, trotz aller Widrigkeit, ein Feld der Begegnung mit Gott.

Nun ist es freilich nicht so, als ob widrige Ereignisse des äußeren und inneren Lebens an sich schon Anfechtungen wären. Andererseits gibt es Formen der Anfechtung wie Ehre unter den Menschen, Hochmut, falsche Sicherheit etc., die zunächst gar nicht als Widerwärtigkeiten empfunden werden[90]. Solange der Mensch die Anfechtungen als solche nicht erkennt, wird er allenfalls unter ihrer Last zusammenbrechen; er wird aber nicht das tun, was dem Sinn der Anfechtungen entspricht, nämlich seine Sündhaftigkeit und Verlorenheit erkennen und seine Zuflucht bei Gott suchen. Im schwersten Fall der direkten Anfechtung durch Gott selbst würde dies bedeuten, gegen Gott zu Gott zu fliehen[91].

---

[85] Zu den verschiedenen Formen und Graden der Anfechtung vgl. etwa Vogelsang, Angefochtener Christus 6–15; Bandt, Verborgener Gott 67ff.

[86] Bandt, aaO. 69.

[87] So auch in unserem Text (vgl. o. S. 93).

[88] Wertelius, Oratio continua 73.

[89] Dies ist insbesondere von Beintker stark herausgearbeitet worden (Überwindung 98 u.ö.) gegenüber einer Reihe anderer, in dieser Hinsicht nicht so klarer Arbeiten (vgl. ebd. 40,43; auch 43–52). Vgl. die vorsichtigen, den Textbefund nicht auf ein Prinzip zusammendrängenden Formulierungen von Wertelius (aaO. 72f.). Vgl. auch die Erörterungen bei Barth, Teufel und Jesus Christus 153–168, die über die strenge Alternative der Urheberschaft durch Gott oder den Teufel hinausführen.

[90] Vgl. Wertelius, aaO. 79. In dieser Hinsicht gilt der paradox klingende Satz: „maxima tentatio est nullam habere tentationem“ (WA 3,420,17).

[91] AWA 2,368,31: „ad deum contra deum confugere“. Weitere Stellen s. Beintker, Überwindung 171 A.9.

Dies, daß man die Anfechtungen als solche erkennt und trotz allem seine Zuflucht bei Gott sucht, setzt voraus, daß man Umgang hat mit Gottes Wort. Meditatio und tentatio gehören also aufs engste zusammen. Zur Funktion dieses Wortes gehört es, daß es der göttlichen Zielsetzung in der Anfechtung zur Durchsetzung verhilft, indem es zu dem Menschen in der doppelten Gestalt von Gesetz und Evangelium spricht[92]. So will Gott mit der Anfechtung und seinem Wort einerseits die Sicherheit des Menschen brechen. Erst wo dies geschieht – eben nicht nur als Erkenntnis durch das Wort, sondern als Erfahrung durch die Anfechtung –, dort kommen Gott und Mensch in das rechte Gegenüber. Erst in der schmerzvollen Erfahrung des Menschen, daß er Sünder ist und aus eigenen Kräften nichts vermag, begegnet ihm dann andererseits Gott tröstlich als derjenige, der gerade den Sünder sucht und rechtfertigt[93].

Nachdem wir unsere Interpretation der Trias mit einigen Strichen in den Gesamtzusammenhang der Theologie Luthers eingezeichnet haben, wollen wir sie noch durch zwei weitere Beobachtungen deutlicher hervortreten lassen.

Die erste Beobachtung betrifft noch einmal die – zugespitzt gesagt – tentatio als Luthers Weise der contemplatio. Und zwar fällt auf, daß typisch mystische, den Höhepunkt der geistlichen Übung betreffende Ausdrücke und Bilder schon früh von Luther zur Beschreibung der Anfechtung herangezogen bzw. umgekehrt durch die Anfechtungserfahrung neu gedeutet und damit umgeprägt werden. Dieser Prozeß der Neuakzentuierung und Indienstnahme mystischer Vorstellungen durch Luthers neue theologische Zielsetzungen ist insbesondere durch H. A. Oberman und K.-H. zur Mühlen herausgestellt worden[94]. Als Beispiel greifen wir Luthers Auslegung in den Dictata zu Ps 115(116),11 „Ego dixi in excessu meo: omnis homo mendax" heraus[95], weil sie „einer der Berührungspunkte ist, an denen Luther jene Sprache (scil. die Sprache der Mystik) aufgreift und sie umfassend für sein Denken fruchtbar macht"[96]. In der Auslegungsgeschichte zu der Psalmstelle gab es zwei Möglichkeiten, den excessus zu interpretieren: einmal als besondere Offenbarungssituation mystischen Charakters (extasis), sodann als Erfahrung von Anfechtung und Leid (pavor)[97]. Luther kennt beide Deutungsmöglichkeiten. In seiner Auslegung kommt er schließlich dazu, diese traditionell doppelte Auslegung zusammenzudenken: „In der extasis als illuminatio erkennen die Glaubenden Gottes Zukunft für sie und zugleich ihr eigenes Nichtsein coram Deo und im pavor und in der persecu-

---

[92] Vgl. Beintker, aaO. 106–114.

[93] Vgl. Beintker, aaO. 166. Beintker spricht insgesamt sehr deutlich von der „Begegnung mit Gott in der Anfechtung" (aaO. 163; vgl. bes. 163–173). Vgl. auch Bühler, Anfechtung 198ff.

[94] Oberman, Simul gemitus et raptus (1967); zur Mühlen, Nos extra nos (1972). Vgl. auch Steinmetz, Religious Ecstasy (1980).

[95] Oberman, aaO. 46–53, und bes. zur Mühlen, aaO. 51–66,196f., haben sich dazu ausführlich geäußert (zu WA 4,265–273.519).

[96] Zur Mühlen, aaO. 197.

[97] Vgl. zur Mühlen, aaO. 54. Darstellung der Auslegungstradition ebd. 54–61.

tio erfahren sie es."[98] In der zweiten Psalmenvorlesung greift Luther genau diese Deutung bei der Interpretation von Ps 5,12 auf, und zwar mit ausdrücklichem Bezug auf Ps 115(116),11: „Excessus iste tribulatio fuit, in qua homo eruditur, quam vanus mendaxque sit omnis homo, qui non in solum deum sperat."[99]

Die andere Beobachtung, die unsere These verdeutlichen soll, bezieht sich auf die Tatsache, daß die tentatio innerhalb der Trias als Teil einer geistlichen Übung begegnet. Inmitten der präzisen Übungen von Gebet und Meditation nimmt sich die Anfechtung zunächst wie ein Fremdkörper aus. Dies wird aber verständlicher, wenn wir bemerken, daß Luther die Anfechtung durchaus als exercitium bezeichnen kann. Wir zitieren als Beispiel eine Äußerung aus der Auslegung deutsch des Vaterunsers für die einfältigen Laien (1519): „Also sagt Sant Jacobus[100]: O bruder, wan euch vil *anfechtung* anstossen, solt yr dasselb fuer gros freud achten. Warumb? dan sie *uben* den menschen, und machen in yn der demuth und gedult volkommen unnd gotte beheglich als die aller libsten kinder."[101]

E. Sander hat für diese Form der geistlichen „Übung" den u.E. nicht auf Luther direkt zurückzuführenden Ausdruck exercitia spiritualia passiva gebraucht[102]. Untrennbar damit verbunden sind die aktiven Übungen, zu denen gottesdienstliches Leben, aber auch Gebet und Meditation gehören[103]. Damit stehen wir wieder bei der engen Verknüpfung von meditatio und tentatio, die wir im folgenden Kapitel näher entfalten wollen.

---

[98] Vgl. zur Mühlen, aaO. 64 (mit besonderem Bezug auf WA 4,273,19ff.). Vgl. auch Oberman, aaO. 51: „Charakteristisch für Luther . . . ist, daß auch der excessus, durch den der homo mendax zum homo spiritualis wird, weiterhin im Kontext von pugna, tribulatio und Anfechtung gesehen wird." Vgl. auch Metzger, Gelebter Glaube 111f. (Exkurs zu excessus in den Dictata).

[99] AWA 2,305,17f. (vgl. zur Mühlen, aaO. 196f.). Es sei darauf hingewiesen, daß tribulatio ebenso wie tentatio bei lediglich geringer Akzentverschiebung die Anfechtung bezeichnet (s. Beintker, aaO. 64ff.). Für den Sachverhalt, daß bei Luther die Anfechtung an die Stelle höchster mystischer Gotterfahrung tritt, verweisen wir auch auf die klare Äußerung WA 40 III,199,5–13 (In quindecim psalmos graduum commentarii. 1532/33. Nachschrift Rörers): „Christiana vita non est hypocritarum; speculantur nescio quas uniones cum sponso Christo. Non sensi istos gustus, quos ipsi fingunt. Anima sponsa et Christus sponsus confluunt etc. Sed fabulae sunt. Est hypocrisis illa; Christiana vita est hec: ante omnia apprehendere verbum; hec unio cum deo, illud quotidianum exerceri et augeri, quia diabolus, mundus, caro veniet et tentabit. Ideo tene te ad orationem et verbum, ut preces et verbum habeas in promptu, ubi venit tentatio, ne desperes; quae mittuntur, ut sanctificetur amplius, quia non vult eum derelinquere, sed exerceri." Vgl. auch WA 7,519,39ff. und die in ihrer Authentizität nicht sichere Stelle WA 25,388,9–17. Vgl. Holl, Religion 67: Die Anfechtungen spielen in Luthers Leben „dieselbe Rolle wie etwa die Visionen beim Mystiker".

[100] Jak 1,2.

[101] WA 2,125,35–126,1. Vgl. auch WA 6,247,26; Wa 40 II,539,2–5; Wa 40 III,199,5–13 (Zit. o. A.99); WA 44,592,10; WA 57 III,132,3f.; WA TR V, Nr. 6305 (S. 592,24f.).

[102] Sander, Geistl. Zucht und Übung, Teil III,212.

[103] Vgl. Sander, aaO. 214.

3.3.2.4. *Meditatio und tentatio*

Ziel der Meditation ist also für Luther die Erfahrung Gottes in der Anfechtung. Damit steht Luther, obwohl er das Moment der Gotteserfahrung aufnimmt, im schärfsten Gegensatz zur Tradition. Dies wird besonders deutlich an der Trias oratio – meditatio – tentatio, die Luther in bewußter Anknüpfung und zugleich Abgrenzung zu der mittelalterlichen, in der contemplatio gipfelnden Stufenreihe formuliert haben dürfte.

Nun ist es freilich nicht so, als ob die Tradition von Anfechtungen nichts gewußt hätte. Gerade Gerson, den wir als Repräsentanten der Tradition gewählt haben[104], hatte sich mit dem Problem der Anfechtung deutlicher und tiefgehender befaßt als andere geistliche Schriftsteller[105]. Auch Tauler[106] und Staupitz[107] wären hier zu nennen. Von ihnen allen hat Luther wichtige Anregungen für das Verständnis seiner eigenen Anfechtungen und für das Problem der Anfechtung überhaupt empfangen[108], wobei er allerdings die bleibenden fundamentalen Unterschiede insbesondere bei Tauler nicht immer deutlich gesehen hat[109]. Ebenso war in der Tradition das Verständnis der tentatio als einer besonderen Form der experientia vorbereitet[110]. Anfechtung kann demnach zur Erfahrungserkenntnis führen – aber zur Selbsterkenntnis des Menschen, nicht Gottes[111]. Und umgekehrt geschieht die Erfahrungserkenntnis von Gott, deren Umrisse bei Gerson wir gezeichnet haben, nicht durch oder in der Anfechtung[112]. Im Blick auf unsere Fragestellung können wir bezüglich der genannten Ansätze in der Tradition zusammenfassend sagen, daß an keiner Stelle die Anfechtung greifbar wird als die Dimension höchster Gotteserfahrung, die – als Ziel der meditatio – von keinem mystischen Gotterleben mehr zu übertreffen wäre.

Luther hat mit seiner Neubestimmung die geistliche Übung des Mittelalters nicht nur modifiziert, sondern radikal umgewertet. Die Frömmigkeitspraxis der Meditation hat damit durchaus Anteil an dem Umwertungsprozeß, der für Luthers Theologie insgesamt kennzeichnend ist und der zu Recht unter dem Stichwort einer „theologia crucis“ beschrieben worden ist[113]. Daß bestimmte

---

[104] Vgl. o. S. 81ff.

[105] Vgl. Bühler, Anfechtung 155ff.; auch Dreß, Theologie Gersons, bes. 193–204.

[106] Vgl. Bühler, aaO. 157–163; auch Spitta, Anfechtung, pass.; Gebrehiiwet, Christ-Mysticism, bes. 80.86f.

[107] Vgl. Bühler, aaO. 163–166, der ausdrücklich die Ergebnisse der gründlichen Untersuchungen von E. Wolf (Staupitz und Luther) zusammenfaßt.

[108] Vgl. insges. Appel, Anfechtung 106–112.

[109] Vgl. Appel, aaO. 106f.

[110] Vgl. die Belege aus der Tradition und den verbindenden Kommentar im Apparat zu WA 55 II,1,55,20ff. (S. 55ff.).

[111] Vgl. Biel, Expos. can. miss., lect. 77 C (ed. Oberman/Courtenay III,276): „Hoc modo tentat deus, ut tentatum scire faciat et experimentaliter cognoscere seipsum.“

[112] Vgl. ebenfalls Apparat zu WA 55 II,1,55,20ff. (hier S. 56).

[113] Vgl. Loewenich, Theologia crucis 182–191 (über die tentatio als Merkmal des Lebens unter dem Kreuz).

Einzelheiten der mittelalterlichen Meditationspraxis damit nicht hinfällig werden, versucht unsere Arbeit zu zeigen. Sie bekommen aber durch die Einfügung in einen neuen Rahmen eine grundsätzlich andere Ausrichtung.

Nun stellt die Trias oratio – meditatio – tentatio eine späte Äußerung Luthers dar. Wir haben im Laufe unserer Argumentation aber immer wieder – oft ohne ausdrücklich darauf hinzuweisen – deutlich gemacht, daß sachlich die Schwerpunkte dieses Verständnisses von Meditation bis in die Zeit der ersten Psalmenvorlesung zurückzuverfolgen sind. Wir heben an dieser Stelle die wichtigsten Punkte mit einigen Ergänzungen noch einmal hervor:

- Der Prozeß der Umwertung von Begriffen, die ursprünglich die Erfahrung des mystischen Höhepunkts bezeichneten, ist in den Dictata schon deutlich erkennbar. Dabei spielte die Erfahrung der Anfechtung eine nicht geringe Rolle[114].
- Überhaupt kristallisiert sich in den Dictata die Anfechtung als eine der wesentlichsten Erfahrungen des Christen heraus[115].
- An keiner Stelle der Dictata mündet die unter den exegetischen Ausführungen greifbare Praxis der Meditation in das Ziel mystischer Exerzitien[116]. Beherrschend ist dagegen die Form der Meditation, die in der Definition von 1516 ausführlich zur Darstellung kommt und zu deren Kennzeichen die durchgängige Bindung an die Heilige Schrift gehört[117].
- Die Anthropologie Luthers weist schon in der Zeit der Dictata charakteristische Abweichungen gegenüber der Tradition auf[118]. Insbesondere sind dort, wo die Spitze der Seele, traditionell unter anderem „gemuete" oder synteresis genannt, durch den Glauben (fides) bezeichnet oder zumindest verstanden wird[119], geistliche Übungen im herkömmlichen Sinn nicht mehr möglich. Es fehlt die anthropologische Voraussetzung für eine mystische Erhebung zu Gott[120].

Sind nun durch die Trias die Grundgegebenheiten der Meditation Luthers

---

114 Vgl. o. S. 95f.

115 Vgl. Pinomaa, Existentieller Charakter 85: „Wenn Luther somit in der ersten Psalmenvorlesung auf die Erfahrung zu sprechen kommt, betrifft der Zusammenhang regelmäßig die Anfechtungen." Das ist freilich etwas überspitzt formuliert.

116 Über die nächtliche Meditation sagt Luther WA 3,539,35ff.: „Hec autem aptissime fit nocte, tam ad literam quam spiritum. Est autem nox spiritualis: omnium exteriorum oblivisci et intus rapi, nec ulla visibilia iam estimare aut videre." Dies ist zwar mystische Sprache, meint jedoch, wie der Fortgang der Ausführungen zeigt, schriftgebundenes Meditieren. Gegen die Vermutung, es müsse sich um ausgesprochen mystische Zielsetzungen der Meditation handeln, vgl. Quiring, Mystik 189, der jedoch das Wesen der ruminatio verkennt.

117 Auch die oratio mentalis sieht Luther um diese Zeit schon nicht mehr in mystischem Rahmen. Vgl. insbes. zu WA 1,94–99 (Predigt über Zachäus, 1516. Textrekonstruktion bei Hirsch, Oratio mentalis) Quiring, Mystik 188f., und Wertelius, Oratio continua 304ff.

118 Vgl. o. S. 50f.

119 Vgl. die diesbezügliche These bei Ozment, Homo spiritualis 2f., 197 u.ö., mit Bezug auf WA 9,103,40f. (Randbemerkungen zu Tauler, ca. 1516).

120 Vgl. Scheel II,220ff.

nicht nur in seinen späten, sondern auch in den frühen Jahren der Formierung seiner Theologie benannt, so wäre jetzt nach den praktischen Implikationen des Verhältnisses von meditatio und tentatio zu fragen.

Wir halten uns zunächst an die Reihenfolge der Trias, in der die Anfechtung auf die Meditation folgt. Im Gegensatz zur mittelalterlichen Auffassung zielt diese Konzeption von Meditation nicht auf eine von den Gegebenheiten des konkreten Lebens abgelöste Gotteserfahrung im Sinne eines mystischen Erlebnisses. Im Gegenteil, es geht um Gotteserfahrung inmitten der Zwiespältigkeiten des täglichen Lebens, welche von Luther natürlich nur unter Gesichtspunkten des Glaubens, d.h. als Anfechtungen, gesehen werden[121]. Der Umgang mit dem Wort hat sich in der angefochtenen Existenz des Christen zu bewähren.

Nun gilt aber das Verhältnis meditatio – tentatio auch umgekehrt. Der meditierende Mensch hat nicht nur den Umgang mit dem Wort aus dem „stillen Kämmerlein" hinaus in die Zwiespältigkeit der gesamten Lebensbezüge zu verlängern, er ist umgekehrt auch gehalten, in aller Anfechtung – auch in ihrer höchsten und schwersten Form – nicht vom Umgang mit dem Wort zu lassen[122].

Solches Meditieren in und trotz aller Anfechtung kann prinzipiell alle Formen der Meditation umfassen. Jedoch ist im höchsten Ansturm der als feindlich empfundenen Mächte ein ruhiges Nachsinnen über dem Text kaum mehr möglich. Für diese Fälle hat Luther eine Reihe von Bibelstellen zur Hand, an denen er sich in solchen Situationen festklammert[123]. Dieses in promptu habere von Bibelstellen[124] hat in der aszetischen Tradition seinen Anhalt[125]. So schreibt García de Cisneros, es sei dem Frommen, zumal dem Anfänger in geistlichen Übungen, von Nutzen, „einzelne Schlagworte oder Schriftstellen bereit zu haben, um leichter im Verkehr mit Gott zu bleiben"[126]. Aber bezeichnender-

---

[121] Es sei darauf hingewiesen, daß an diesem Punkt eine Übertragung von Luthers Meditation in unsere Gegenwart besondere Schwierigkeiten bietet. Die Beziehung aller Widerfahrnisse des Lebens auf den Glauben war für Luther selbstverständlicher als für uns. Für die Konfrontation des modernen Menschen mit Luthers Trias verweisen wir auf Schäfer, Oratio (1978), Ratschow, Meditation (1978), und H.-M. Barth, Erfahrung (1980).

[122] Vgl. Bühler, Anfechtung 97–102; auch Jacob, Gewissensbegriff 41–49. Umgang mit dem Wort schließt immer auch das Gebet ein. Deshalb sind die klaren Ausführungen von Wertelius zum Verhältnis von Gebet und Anfechtung (Oratio continua 67–98) auch für unseren Zusammenhang erhellend.

[123] Bühler, Anfechtung 99, hat übersichtlich eine Reihe solcher Bibelstellen nach Hinweisen Luthers zusammengestellt. Zu dieser Praxis Luthers vgl. auch WA 16,598,26–29 (Zit. o. S. 79 A.124).

[124] Vgl. WA 40 III,199,11: „... ut preces et verbum habeas in promptu, ubi venit tentatio ..." (ges. Zit. o. S. 96 A.99).

[125] Es war sogar schon antike Praxis, für schwierige Lebenssituationen hilfreiche Sätze „griffbereit" zu haben; vgl. Rabbow, Seelenführung 124–127.

[126] García de Cisneros, Exercitatorium c. 26, Übers. Schlichtner 108. Vgl. den lat. Text (Obras II,237,91 ff.): „... utile est incipientem habere aliqua puncta et verba, per que exprimat desiderium suum affabiliter alloquendo Dominum in oratione ..."

weise ist dort der „positive" Verkehr mit Gott gemeint: Das Kapitel, das diesen Rat enthält, hat den Weg der Einung und Vollendung zum Inhalt.

Ist mit der doppelten Bewegung von der Meditation in die Anfechtung und von der Anfechtung in die Meditation zunächst der Praxis der Weg gewiesen, so muß das Verhältnis meditatio – tentatio doch auch auf der hermeneutischen Ebene verhandelt werden. Meditation (Text) und Anfechtung (Existenz) stehen zueinander in einem Zirkelverhältnis, d.h. die Existenz verändert sich durch den Umgang mit dem Wort, während dieser seinerseits durch die Existenz des meditierenden Menschen nicht unbeeinflußt bleibt. In unserem Fall des Umgangs mit dem Wort in der Situation der Anfechtung bedeutet dies zweierlei:

a) Erst der Umgang mit dem *Wort* deckt die Anfechtung als solche auf; erst Gottes Wort macht dem Menschen deutlich, daß es der Sinn der Anfechtung ist, ihm alle falsche Sicherheit zu nehmen und Gott als einzige Zuflucht in den Blick treten zu lassen. Zugleich ist es nur Gottes Wort als Evangelium, das dem Menschen die tröstliche Nähe Gottes in und trotz aller Anfechtung vermittelt[127].

b) Meditation ist kein verstandesmäßiges Erkennen dessen, was geschrieben steht, sondern eine umfassende Erfahrung mit dem Wort. Dazu kann es nur kommen, wenn der Mensch aus der Situation der *Angefochtenheit* heraus Umgang mit dem Wort sucht.

Beide Verstehensrichtungen sind, wie es dem hermeneutischen Zirkel entspricht, untrennbar miteinander verbunden – jedenfalls sollte dies bei einer rechten Meditation so sein. Erst wo dies so ist, kann die Anfechtung das werden, was ihrer Bedeutung im Rahmen der geistlichen Übung entspricht: Ort der Begegnung mit Gott.

In diesem Miteinander von meditatio und tentatio darf nun keineswegs die Anfechtung allein zum Träger und Garanten des Momentes der experientia innerhalb der Glaubenserfahrung gemacht werden, als ob – überspitzt gesagt – die Meditation den Glauben und die Anfechtung die Erfahrung dazu beitrüge. Eine derartige Konzentrierung des Erfahrungsmomentes auf der Seite des angefochtenen Menschen würde dem Wort die Möglichkeit nehmen, sich gerade in dieser existenzbedrohenden Situation kraftvoll und als *Gottes* Wort durchzusetzen. Der Umgang mit dem Wort muß seine eigene Erfahrung haben, die dann in die Erfahrung der Angefochtenheit trifft. Erst aus dieser Verflechtung von Worterfahrung und Existenzerfahrung entsteht eigentliche religiöse Erfahrung.

Für Luther ist das Wort alles andere als trockener Buchstabe, Mittel lediglich rationaler Existenzerhellung. Es ist tatsächlich die Form und Weise, in welcher der lebendige Gott auf den ganzen Menschen zukommt. Dementsprechend kann es beim Umgang mit dem Wort zu einer besonderen Art von religiöser Erfahrung kommen: dem Predigen des Heiligen Geistes[128]. Am deutlichsten

[127] Über die tröstliche Erfahrung in der Anfechtung als Werk des Heiligen Geistes vgl. Prenter, Spiritus 68,208f. u.ö.; auch Bühler, Anfechtung 142–148.

[128] Vgl. o. S. 88–91.

hat Luther darüber in der Schrift für Meister Peter gesprochen. Schon die zeitliche Nähe dieser Schrift (1535) zu unserer Trias (1539) wie überhaupt die fundamentale Bedeutung der in der Trias zum Ausdruck kommenden Gegebenheiten schließen es aus, daß es sich bei solcher Geisterfahrung um ein religiöses Erlebnis handeln könnte, das den Bedingungen des angefochtenen Glaubens enthoben ist.

Wir sagten bereits, daß es sich bei der Geisterfahrung ausdrücklich um ein „Predigen" des Heiligen Geistes, mithin um Auslegung des Wortes handelt[129]. Dieses Wort aber richtet sich als Gesetz und Evangelium an den angefochtenen Menschen. Deshalb kann solches Reden des Heiligen Geistes ernsten und tröstlichen Charakter tragen. In jedem Fall ist es für den meditierenden, d.h. um den Sinn des Wortes sich mühenden Menschen ein positives Widerfahrnis, insofern es die existentielle Bedeutung des Schriftwortes aufschließt.

Zur Verdeutlichung des Verhältnisses von Geisterfahrung und Anfechtung greifen wir nochmals jene Stelle aus den Operationes in Psalmos auf, an der Luther das „Sela" der Psalmen als Hinweis auf solche Geisterfahrung deutete[130]. Er wendet diese Erklärung dann sofort auf Ps 3,3 an, auf die Stelle also, die er gerade auslegt[131]. Der Psalmvers spricht nach Luther von der schweren Anfechtung, in der Gott selbst als Gegner des Menschen erfahren wird[132]. Das „Sela" am Ende des Verses aber deutet auf die Geisterfahrung, die den Propheten, d.h. den Psalmisten, an dieser Stelle dazu führt, solche Anfechtung „in tiefem Affekt zu fühlen und zu erkennen"[133].

Somit könnten wir zusammenfassend formulieren: Meditation im Sinne Luthers meint die Erhellung der angefochtenen Existenz durch das Wort, gleichzeitig die existentielle Erhellung des Wortes durch die Anfechtung. Die durch diesen Prozeß bezeichnete religiöse Erfahrung ergreift den ganzen Menschen mit Intellekt und Affekt. Was den Affekt betrifft, so handelt es sich dabei sowohl um den Affekt des angefochtenen *Menschen* als auch um den durch *Gott* in seinem Wort geist-mächtig angerührten Affekt. Nur in diesem Geschehen kommt es zur Erfahrung Gottes.

---

[129] S. o. S. 90f. [130] Vgl. o. S. 90.

[131] AWA 2,131,6ff.: „Ita hoc versu, cum agatur de insigni illa tentatione spiritus, qua deus iratus sustinetur, nedum creatura, motus est Propheta ad eam profundo affectu sentiendam et agnoscendam." Das Zitat ist unbedingt im Gesamtzusammenhang zu lesen (s. o. S. 90 A.61)! Vgl. auch AWA 2,153,23–26 (zum „Sela" in Ps 3,9).

[132] Vgl. auch AWA 2,127,4.

[133] Es sei darauf verwiesen, daß das Verbum agnoscere (AWA 2,131,8) es verbietet, den Vorgang lediglich als Gefühlsaufwallung zu deuten.

3.4. *Stoff und Methode*

3.4.1. *Bußmeditation*

3.4.1.1. *Die duplex confessio als Grundprinzip der Bußmeditation*

Christliche Buße könnten wir in möglichst allgemeiner Formulierung beschreiben als eine Herz, Verstand sowie alle Lebensbezüge umfassende „Besserung“[1] des Menschen in Abkehr von seinem durch die Sünde bestimmten Elend (miseria) und in Hinwendung zu Gottes Barmherzigkeit (misericordia). Eine in dieses Geschehen sich einfügende Bußmeditation wird folglich die beiden Pole der miseria des Menschen und der misericordia Gottes zum Gegenstand haben.

Um eine Vorstellung zu bekommen, wie eine um diese beiden Pole kreisende Bußmeditation im Mittelalter konkret aussehen kann, betrachten wir die entsprechenden Passagen aus Gerhard Zerbolts Schrift De spiritualibus ascensionibus. Zerbolts Ausführungen sind klar und stehen, wenn man von der Einordnung in das System der geistlichen Aufstiege absieht, durchaus im Strom der Tradition, die ihrerseits in ihren wesentlichen Stücken auf Gregor den Großen zurückgeführt werden kann[2].

Grundsätzlich besteht die Bußbewegung aus der compunctio ex timore und der compunctio ex amore[3]. Im ersten Fall, d.h. am Beginn der Bußbewegung, hat die entsprechende Bußmeditation zum Gegenstand die Sünden des Menschen, Tod, Gericht und Höllenstrafen. Der dadurch erzeugte heilsame Affekt ist die Furcht. Im zweiten Fall liegen der Meditation zugrunde das himmlische Jerusalem sowie die Wohltaten Gottes, zu denen die natürlichen Gaben ebenso gehören wie sein gnadenhaftes Wirken zum Heil des Menschen. Dadurch erwacht im Menschen die Liebe zu Gott (bzw. die Hoffnung). Wichtig ist, daß durch die um Gottes misericordia kreisende Meditation weiterhin Einsicht in die eigene miseria entsteht[4]. So wird man sich bei der Betrachtung der Herrlichkeit des himmlischen Jerusalems gleichzeitig dessen bewußt, wie weit man noch davon entfernt ist. Ebenso kommt bei der Meditation der Wohltaten Gottes die eigene Undankbarkeit in den Blick[5]. Nur auf Grund dieser Tatsache ist es

---

[1] Vgl. die etymologische Beziehung von „Buße“ und „Besserung“ etwa bei Kluge, Etym. Wörterbuch 114 (s. v. Buße).

[2] Zum traditionellen Charakter der Bußmeditation Gerhard Zerbolts vgl. Goossens, Meditatie 141; zu Gregor selbst vgl. Schwarz, Bußtheologie 59–82 und 289f.

[3] Vgl. Gerhard Zerbolt, Sp. asc., c. 15–25 (ed. Mahieu 68–120); dazu Goossens, aaO. 136–141, und Schwarz, aaO. 142–146. Verwiesen sei auch auf die schöne Übersicht über das System Gerhard Zerbolts in De sp. asc. bei Rooij, Gerard Zerbolt 124–128, hier 125. – Auf die sich anschließende dritte, durch die caritas gekennzeichnete Stufe gehen wir in diesem Zusammenhang nicht ein, da sie nicht mehr eigentlich der compunctio zuzurechnen ist (vgl. Goossens, aaO. 136f.).

[4] Es ist darauf zu verweisen, daß die Pole miseria und misericordia bei Gerhard Zerbolt wohl sachlich, nicht aber explizit als Einteilungsschema greifbar sind.

[5] Vgl. Gerhard Zerbolt, aaO., c. 23 (ed. Mahieu 106ff.).

möglich, von einer aus Liebe entspringenden *Reue* zu sprechen. Es muß kaum eigens betont werden, daß diese Meditation, insbesondere diejenige der furchterregenden letzten Dinge, bestrebt ist, ihren Gegenstand möglichst plastisch und im Detail zu erfasssen[6]. Was den Vollzug solcher Bußmeditation betrifft, so muß man sie nicht in allen Fällen als einheitliche, zusammenhängende Übung verstehen. Es kann sich vielmehr, wie im Beispiel Gerhard Zerbolts, um einen Prozeß der Buße handeln, in den sich dann – verteilt auf längere Zeiträume – die Meditationen über die jeweiligen Themenkreise einreihen[7].

Mit dieser Skizze haben wir Einblick bekommen in die Grundstruktur mittelalterlicher Bußmeditation[8]. Zugleich haben wir gesehen, welche Stoffe solcher Meditation traditionell zugrunde liegen. Als Ziel der Bußmeditation könnte man (wie im übrigen für alle Formen der Meditation) die größtmögliche Nähe zu Gott angeben. Freilich bestimmt sich diese Nähe ja nach Situation und je nach den Schwerpunkten, die dem geistlichen Leben gesetzt werden, anders. Somit kann es sich um die Gottesnähe der mystischen Unio handeln[9], um die Gottesnähe eines tugendhaften Lebens in der Nachfolge Christi[10] oder um die Nähe zu Gott im Gebet[11]. Diese Bestimmungen des Zieles sind nicht scharf zu trennen. In der Regel sind sie in der Spiritualität des Mittelalters bei unterschiedlicher Akzentuierung zusammen anzutreffen.

Aus dieser Tradition erwächst auch Luthers Bußmeditation. Hier wie dort stellt der doppelte Blick auf die eigene miseria und Gottes misericordia das bewegende Prinzip des Meditierens dar. Die theologischen Koordinaten jedoch ändern sich zunehmend mit der Ausprägung der reformatorischen Theologie Luthers. Diesen neuen theologischen Rahmen haben wir mit der Wahl des Stichwortes der duplex confessio[12] schon angedeutet.

---

[6] Vgl. Zarncke, Exercitia 35–41.

[7] Vgl. Gerhard Zerbolt, aaO., c. 21 (ed. Mahieu 98f.): „Oportet autem te longo tempore in his exercitiis (gemeint ist der erste, auf timor zielende Teil der Bußbewegung) immorari et cum huiusmodi meditationibus ac aliis virtuosis operibus maxime in remediis vitiorum . . . ipsas affectiones expurgare. Alias ulterius ascendere non possumus." Vgl. etwa auch den Aufriß des geistlichen Exerzitiums bei García de Cisneros. Dort werden die Meditationsstoffe ausdrücklich auf die Wochentage verteilt (c. 12–18 und c. 23).

[8] Als andere Ausprägung dieses Systems vgl. beispielsweise Gersons Meditation der Taube mit den beiden Flügeln der Furcht und der Hoffnung: Gerson, Myst. theol. pract., cons. 11 (ed. Combes 197–208); vgl. dazu Dreß, Theologie Gersons 116–119.

[9] Vgl. etwa das Exercitatorium des García de Cisneros. Dort steht die Bußmeditation im Rahmen des Weges purgatio – illuminatio – unio. Sünden, Tod, Gericht und Hölle sind als Meditationsstoffe der via purgativa zugeordnet (c. 10–15), die beneficia Dei der via illuminativa (c. 23).

[10] Dies ist der hervorstechende Gesichtspunkt in Gerhard Zerbolts De sp. asc.

[11] Etwa bei Hugo v. St. Viktor, De modo orandi, c. 1 (PL 176,977ff.); vgl. dazu u. S. 112.

[12] Zum Terminus vgl. etwa Luthers Erklärung zum Stichwort confitebor in Ps 110(111),1: „Confitebor, scilicet duplici confessione laudis et peccati" (WA 4,238,14); vgl. auch WA 4,109,21f.: „. . . duplex confessio, scilicet miserie nostre et misericordie dei, peccati nostri et gratie dei, malitie nostre et bonitatis dei". Vgl. insges. Vogelsang, confessio-Begriff.

Die Auffassung einer doppelten confessio, d.h. der confessio peccatorum und der confessio laudis, geht auf Augustin zurück[13]. Luther greift diese Vorstellung frühzeitig auf. Vier Gesichtspunkte sind dabei in unserem Zusammenhang von Bedeutung:

1. Durch den beide Pole der Bußbewegung umfassenden Begriff der confessio ist die Einheit des Vorganges gewahrt[14]. Es handelt sich um die beiden Seiten ein und derselben Sache. Das Mittelalter dagegen sah in der Regel die Verbindung zwischen beiden Polen als einen gestuften Weg vom timor poenae bis zur rechtfertigenden Gnade. Die Bußmeditation stand ganz im Zeichen dieser auf Differenzierungen und Stufungen im Gnadenbegriff beruhenden Bußbewegung[15].

2. Bilden auch beide Formen der confessio eine untrennbare Einheit, so kommt doch der confessio laudis eine Vorrangstellung zu; sie ist forma und lux der confessio peccatorum[16].

3.Es gehört notwendig zur Sache der confessio, daß sie im Angesicht Gottes geschieht[17]. Weder Sündenbekenntnis noch Lob sind Vorgänge, bei denen der Mensch auf sich selbst fixiert ist.

4. Die doppelte confessio in ihrer Einheit findet ihre Begründung und ihren Ursprung in der Einheit des vorgängigen Handelns Gottes am Menschen[18]. Diese Auffassung findet in Luthers späterer Theologie ihren klaren Ausdruck in der Lehre von dem *einen* Wort Gottes, das den Menschen immer als Gesetz *und* Evangelium trifft[19].

Wenn nun auch der Terminus der duplex confessio im Zusammenhang mit der Praxis der Bußmeditation nicht immer anzutreffen ist, so dürfte doch mit

---

[13] Zur duplex confessio bei Augustin vgl. Schwarz, aaO. 16–27.

[14] Vgl. WA 57 III,137,16f.: „confessio peccatorum et laudis est una eademque confessio". Vgl. Vogelsang, confessio-Begriff 97; Müller, Lob Gottes 92–102, auch 58–64. Metzger kommt auf die Frage zu sprechen im Rahmen einer Erörterung des eng damit zusammenhängenden Problems der humilitas (Gelebter Glaube 158).

[15] Vgl. Schwarz, Bußtheologie 302. Vgl. wieder die Ausführungen von Metzger zum Problem der humilitas (aaO. 154–160).

[16] WA 4,239,1ff.: „Ergo utraque confessio necessaria est, et sunt due partes unius integralis confessionis. Sed melior pars est confessio laudis et dignior velut forma et lux." Vgl. Schwarz, aaO. 240 A.274. S. auch Raeder, Das Hebräische 93f., zur wechselseitigen Erklärung von confiteri und laudare in den Dictata.

[17] Vgl. die Verbindung mit dem Dativ etwa WA 55 II,1,52,4f.: „*tibi* hanc tuam misericordiam et bonitatem confiteor."

[18] Besonders deutlich wird dieser Sachverhalt durch den Vollzug der Bußmeditation selbst. Ein und dasselbe Wort der Heiligen Schrift, im folgenden Beispiel das erste Wort des Vaterunsers, provoziert die doppelte confessio. Vgl. WA 1,90,23f.: „Ac sic in isto nomine ‚Pater' aedificatur scala illa duplicis confessionis . . ." Vgl. auch Vogelsang, confessio-Begriff 97.

[19] Vgl. Althaus, Theologie 227–232. Für die Dictata vgl. Metzger, Gelebter Glaube 158: „Als Bezugspunkt dieses Glaubens erscheint in den Dictata noch nicht ausschließlich das „Wort", sondern ein – allerdings deutlich am Wortgeschehen ausgerichteter – Begriff des göttlichen Handelns."

dem Begriff der Kern der Bußmeditation angesprochen sein, wie er sich sowohl in den frühen als auch in den späteren Aussagen Luthers herausschälen läßt. Zugleich klingen in dem Begriff die theologischen Akzente Luthers an. Freilich bleibt zu beachten, daß in den früheren Aussagen die Abgrenzung von traditionellen Elementen nicht immer hinreichend deutlich ist[20].

Wir skizzieren im folgenden nach drei Seiten die Stellung der Bußmeditation in der Frömmigkeit des Reformators Luther und machen damit zugleich deutlich, wo im Verlauf der weiteren Untersuchungen wieder von Bußmeditation zu reden sein wird:

1. Der mit dem Stichwort der duplex confessio bezeichnete Kern der Bußmeditation bleibt für Luther unabdingbarer Bestandteil des Umgangs mit dem Wort. Exemplarisch soll dies aufgezeigt werden an der Praxis der Katechismusmeditation in der Schrift für Meister Peter[21].

2. Als Ursprung der Buße tritt die Liebe zu Gott in den Vordergrund im Gegensatz zu dem mittelalterlichen Ausgangspunkt der Furcht vor Strafe[22]. Für die Praxis der Bußmeditation bedeutet dies, daß sie ihren Ausgang nimmt bei den beneficia Dei.

3. Wenn die Buße aus der Liebe entspringen soll, so können Sünde, Tod, Gericht und Hölle nicht mehr als selbständige Themen beherrschend im Mittelpunkt der Bußmeditation stehen[23]. Dafür wird die Passion Christi zu ihrem zentralen Gegenstand; Buß- und Passionsmeditation können zusammenfallen[24]. Überhaupt scheint die Bußmeditation als selbständige, nicht in Schriftmeditation eingebundene Übung für Luther zunehmend an Bedeutung verloren zu haben.

[20] Es gilt festzuhalten, daß beispielsweise die erste Psalmenvorlesung noch in die Vorgeschichte der reformatorischen Bußtheologie gehört, „obgleich das Reformatorische hier schon unmittelbar durchbricht" (Schwarz, Bußtheologie 15; vgl. auch ebd. 299).

[21] S. u. S. 158, 162.

[22] Vgl. Schwarz, aaO. 300–303, mit Bezug auf das Widmungsschreiben an Staupitz zu den Ablaß-Resolutiones von 1518 (WA 1,525ff.; bes. 525,11ff.) und den Sermo de poenitentia aus demselben Jahr (WA 1,319–324; hier bes. 319,10–35).

[23] Vgl. Schwarz, aaO. 303ff.

[24] Vgl. WA 1,576,10–13: „Cum vera contritio sit incipienda a benignitate et beneficiis dei, praesertim a vulneribus Christi, ut homo ad sui ingratitudinem primo veniat ex intuitu divinae bonitatis et ex illa in odium sui ac amorem benignitatis dei ..." (Resolutiones disputationum de indulgentiarum virtute. 1518). Vgl. etwa auch WA 50,471,1f. (Wider die Antinomer. 1539). Vgl. insges. Elze, Passion Jesu 140–144, und u. S. 126, 149, 173.

3.4.1.2. *Entfaltung des Grundprinzips in konkreten Formen der Bußmeditation*

3.4.1.2.1. *Modus et manuductus magnificandae misericordiae Dei (Dictata. 1513–15)*

Im Rahmen der ersten Psalmenvorlesung gibt Luther zu Ps 68(69),17 – genauer zu dem Versteil quoniam benigna est misericordia tua[25] – ausdrücklich eine Anleitung[26] zum praktischen Vollzug der Bußmeditation. Herausgefordert wird Luther dazu durch das Stichwort misericordia. Er meint, dieses Wort – und mit ihm natürlich die Sache – könne nur dort richtig verstanden werden, wo Einsicht in die eigene miseria vorhanden ist. Ein in Selbstgefälligkeit und Selbstsicherheit lebender Mensch wird die misericordia Dei nicht begreifen[27]. Gottes Mittel, dem Menschen sein Elend vor Augen zu führen, sind die Anfechtungen. Dies können äußere Anfechtungen sein, beispielsweise Verfolgungen, aber auch Anfechtungen innerer Art durch Reue über das eigene sündige Wesen[28]. Luthers Anleitung zur Bußmeditation bezieht sich auf den zweiten Fall. Sie soll dem Menschen dazu helfen, beim Ausbleiben äußerer Anfechtungen dennoch nicht falscher Sicherheit zu verfallen[29].

Die Zweiteilung dieser Bußmeditation ist zunächst durchaus traditionell: Zuerst soll man seine eigene miseria erkennen, sodann Gottes misericordia[30]. Die Meditation der miseria geschieht in den folgenden acht Schritten[31]:

1. Undankbarkeit gegenüber den natürlichen Gaben Gottes (Leben, Nahrung, Kleidung etc.),
2. Undankbarkeit gegenüber Gottes Gnadengaben (z. B. Sakramente),
3. Nichtbefolgung der Gebote Gottes,
4. mangelnder Eifer in der Ermahnung anderer Menschen,
5. Verstoß gegen Gebote,
6. Aufsichnehmen aller Sünden der Welt, als ob es die eigenen wären,

---

[25] Die Auslegung dieses Versteils umfaßt WA 3,428,25–434,6; vgl. auch die Glossen WA 3,413,18–38. Vgl. dazu insges. Hamel I,52–62; Schwarz, Fides 187–191; ders., Bußtheologie 284ff.; Metzger, Gelebter Glaube 166–170.

[26] Vgl. WA 3,428,38: „monstremus, quid consyderare debeamus, ut multas miserias videamus"; bes. WA 3,431,14f.: „Et ut *modum* et *manuductum* magnificande misericordie dei accipias, consydera ..." Das in dieser grammatikalischen Form (gebräuchlich ist manuductio) bei Luther singuläre und in den entsprechenden Wörterbüchern nicht verzeichnete Wort manuductus meint hier eine Anleitung („Handleitung") zur Meditation.

[27] Vgl. WA 3,413,29–33.

[28] Vgl. WA 3,413,22ff.: „Deus sanctis immittit tribulationes et scribit contra eos amaratudines, ut sibi amarescant ac sic Deus dulcescat, sive hoc exterioribus persecutionibus sive interioribus compunctionibus (fiat)."

[29] Vgl. WA 3,428,33–429,1: „Quilibet sibi formet et faciat maximam tribulationem ... Sed quia pax et securitas non sinit nos talia videre, ideo laboremus et monstremus, quid consyderare debeamus, ut multas miserias videamus, ut sic misericordiam domini magnificemus et benignificemus."

[30] Vgl. WA 3,428,38 und 3,431,14.

[31] WA 3,429,16–431,13.

7. flehentliches Gebet aus Furcht und Traurigkeit,
8. Weinen und Seufzen aus Einsicht in die Verhärtung des eigenen Herzens[32].

Im Anschluß daran gibt Luther seine Anleitung zur Erkenntnis der misericordia Gottes[33]. Das scheint sich in vier Schritten abzuwickeln[34], wenngleich diese nicht – wie im bereits beschriebenen Teil der Bußmeditation – von Luther selbst durchnummeriert worden sind:

1. Ich stelle mir einen Menschen vor, der plötzlich in seinen Sünden stirbt. Die ganze Welt würde ich dafür geben, wenn ich vor einem solchen Ende bewahrt werden könnte.

2. Ich versetze mich in die durch die Verdammung hervorgerufenen Schrekken solcher Menschen. Wie würde ich, wie würden sie Gottes misericordia preisen, wenn er sie ihrem Schicksal entrisse!

3. Es hätte mir schon oft ebenso ergehen können wie diesen Menschen. Gottes Güte hat mich bis heute davor bewahrt.

4. Ich stelle mir vor, ich sei wie sie verdammt, Gott aber würde mich mitten aus dem Infernum retten. Nun kann ich Gottes Gnade, die mich gar nicht erst der Verdammung überliefert, ganz anders begreifen und schätzen.

Es ist deutlich, daß zwischen den Schritten 2 und 3 ein größerer Einschnitt liegt als zwischen den anderen, denn die Schritte 1 und 2 bedeuten vornehmlich meditative Versenkung in das Schicksal anderer Menschen, während die Schritte 3 und 4 sich auf das mögliche Schicksal des Meditierenden selbst beziehen[35].

Luthers eben beschriebene Bußmeditation trägt über die grundlegende Zweiteilung nach miseria und misericordia hinaus traditionelle Züge[36]. Diese reichen von der Berücksichtigung der üblichen Meditationsstoffe (Sünden, Tod, Gericht und Höllenstrafen, aber auch Gottes Wohltaten) bis hin zu Anklängen in Terminologie und Vorstellung im einzelnen[37]. Nun zeigen sich allerdings schon

[32] Weitere Einteilungen wurden in der Zusammenstellung der Punkte nicht berücksichtigt. So beziehen sich die Punkte 1–4 auf die Sünden durch Unterlassung (omissiones), während Punkt 5 tatsächlich begangene Sünden (commissiones) ins Auge faßt. Weiterhin scheinen die Punkte 1–5 der Erkenntnis der Sünden zu dienen, die Punkte 6–8 ihrer Vergrößerung (vgl. WA 3,429,2f.: magnificare neben agnoscere).

[33] WA 3,431,14–30.

[34] WA 3,431,15–18.19–22.22–27.27–30.

[35] Sicher sind die beiden Richtungen der Meditation (1/2 und 3/4) nicht völlig scharf geschieden (vgl. Schwarz, Bußtheologie 285 A.429). Das „at nunc id adde" (WA 3,431,22) markiert jedoch deutlich einen Einschnitt.

[36] Vgl. dazu und zum Folgenden o. S. 102f. Es wird mit der Bezugnahme auf Gerhard Zerbolt freilich keine literarische Abhängigkeit notwendig vorausgesetzt. Er steht als Beispiel einer insgesamt einheitlichen Tradition (vgl. o. S. 102).

[37] Vgl. WA 3,431,15–18: „... consydera aliquem vel aliquos, qui subito in peccatis suis occisi vel mortui sunt ... Et si scires te ita periturum et totius mundi precio te ab eo interitu redimere posses, libentissime faceres." Ganz ähnlich heißt es bei Gerhard Zerbolt, Sp. asc., c. 19 (ed. Mahieu 82): „Deinde cogita et forma in te talem affectum, ut si anima tua statim deberet exire, quam libenter omnem delectationem relinqueres, quam gratanter omnem laborem et poenitentiam arriperes, si vitam posses obtinere." Vgl. etwa auch bei Luther die Wendung sibi formare affectum im Hinblick auf den Tod (WA 3,431,19).

in der Verteilung der einzelnen Gedankenkreise auf die beiden großen Blöcke der Bußmeditation bemerkenswerte Unterschiede. So erscheinen die beneficia Dei nicht nur – in Gestalt der vor Verdammung bewahrenden Gnade – im zweiten Teil, sondern schon in dem um die miseria des Menschen kreisenden Teil. Sie haben dort innerhalb der Punkte 1 und 2 die Funktion, dem Menschen seine vielfältige Undankbarkeit vor Augen zu führen[38]. Umgekehrt begegnen die Themen von Tod, Gericht und Höllenstrafen nicht im ersten, auf unsere miseria zielenden Teil, sondern im zweiten Teil, welcher der Einsicht in Gottes Barmherzigkeit dient.

Ferner ist, wenn man die Unterschiede zur Tradition in den Blick bekommen will, auf den Rahmen zu achten, in dem die gesamte Anleitung zur Bußmeditation steht[39]. Luther legt im Zuge seiner Vorlesung Ps 68(69) aus. Er versteht diesen Psalm – nach dem literalen Sinn – als Gebet Christi in seiner Passion[40]. Dieses Gebet, mithin auch V. 17, sollen die Hörer Luthers nachvollziehen können, was aber nur möglich ist, wenn sie durch die Bußmeditation affektiv am Geschick Christi teilnehmen[41]. Diese Beobachtung und die erwähnte Umschichtung der traditionellen Stoffe der Bußmeditation führen uns zu folgenden Feststellungen:

- Luthers Bußmeditation im Rahmen der Auslegung von Ps 68(69) steht von Anfang an unter dem Vorzeichen der misericordia Gottes. Getroffen vom Wort Gottes, in diesem Fall durch das Wort misericordia, wird der Mensch dazu geführt, seine eigene Existenz, wie sie durch die Pole miseria nostra und misericordia Dei bestimmt ist, zu bedenken. Die von sich aus furchterregende Meditation von Sünden, Tod, Gericht und Hölle gewinnt kein Eigengewicht[42].
- Die beschriebene Bußmeditation hat die Funktion, ein echtes und aufrichtiges, darüber hinaus auch sachgemäßes Beten von Ps 68(69),17 zu ermöglichen. Damit treten die beiden anderen möglichen Zielrichtungen der Bußmeditation, tugendhaftes Leben und mystische Unio[43], in den Hintergrund bzw. sie werden gar nicht genannt[44].

---

[38] Diese Funktion hatten die beneficia Dei auch schon bei Gerhard Zerbolt (vgl. o. S. 102). Sie standen dort aber eindeutig in dem durch die misericordia Dei gekennzeichneten Teil.

[39] Vgl. auch u. S. 172f.

[40] Vgl. WA 3,410,2.

[41] Vgl. WA 3,431,40–432,4; 433,36–434,1: Die Bußmeditation wird verstanden als Teilhabe und Teilnahme an Christi Tod, Höllenfahrt und Auferstehung bzw. Himmelfahrt.

[42] Bezüglich der Neigung zum Eigen- und Übergewicht dieses Teils der Meditation vgl. Goossens, Meditatie 141; Schwarz, Bußtheologie 76f. und 289ff. Es sei darauf hingewiesen, daß – ganz im Sinne der duplex confessio (vgl. o. S. 104 A.14) – schon die Einsicht in die eigene miseria einen Lobpreis der misericordia Gottes darstellt: vgl. WA 3,428,38–429,1 (Zit. o. S. 106 A.29).

[43] Vgl. o. S. 103.

[44] Der Gedanke einer Besserung des Lebens, der mit der Einsicht in die eigene Sündhaftigkeit natürlich immer verbunden ist, klingt an am Ende der Ausführungen zu V. 17, wo Luther von der Nachfolge Christi im Sinne der caritas spricht (WA 3,434,1–6).

Über die Frage der Einordnung dieser Form von Bußmeditation in Luthers theologische Auseinandersetzung mit dem mittelalterlichen humilitas-Ideal soll hier nicht entschieden werden[45]. Wir meinen aber, daß die in der Praxis der Bußmeditation aufgewiesenen Akzentverschiebungen gegenüber der Tradition zumindest auf dem Weg liegen, der zur klaren Ausprägung der reformatorischen Theologie und Frömmigkeit Luthers führt.

3.4.1.2.2. *Ps 76(77): Bußbewegung und Bußmeditation (Dictata. 1513–15)*

Für Luther beschreibt Ps 76(77)[46] das Meditieren eines Menschen im Zustand bzw. Prozeß der Reue und Buße[47]. Dabei kommen nicht nur inhaltlich Gedanken der Buße zur Sprache, sondern der Psalm gibt darüber hinaus Aufschluß über die Formen, in denen sich Bußmeditation und Bußbewegung äußern können[48]. Dies geschieht so, daß der Beter des Psalms, ein im Prozeß[49] der Buße stehender Mensch, seine bisherige Bußbewegung beschreibt und dabei verschiedene Elemente der herkömmlichen Bußmeditation anspricht. Sie haben seine Bußbewegung begleitet, befördert, ja auch hervorgebracht[50].

Nun besteht aber das Problem, daß die angesprochenen Elemente der Bußmeditation so sehr mit dem Gedankenfortgang des Psalms verflochten sind, daß ein Grundriß, der diese Elemente zu einer geschlossenen Übung verbinden würde, nicht rekonstruiert werden kann. Man muß sogar eher mit der Möglichkeit rechnen, daß die einzelnen Elemente sich – im Gegensatz zu dem Meditationsschema im Zusammenhang mit Ps 68(69),17 – mit einer gewissen Eigenständigkeit in die Bußbewegung einreihen. In Anbetracht dieser Schwierigkeit verfahren wir so, daß wir die Elemente der Bußmeditation einzeln hervorheben.

---

[45] Vgl. dazu Hamel I,52–62. Zum Problem der humilitas in den Dictata vgl. den kurzen Überblick über die Forschungslage bei Metzger, Gelebter Glaube 154f. A.58, und dessen eigene Erörterung des Problems (aaO. 154–160).

[46] Die von Luther offenbar in zwei Anläufen niedergeschriebene (vgl. WA 3,530 A.1) Auslegung umfaßt WA 3,526–549 (Adnotationes: WA 4,506f.). Vgl. dazu Schwarz, Bußtheologie 275–284,286ff.

[47] WA 3,537,3f.: „puto psalmum esse descriptionem meditantis hominis in compunctione." Wir greifen hier nur die für unseren Zusammenhang wichtige Auslegung auf den einzelnen Menschen heraus, nicht diejenige auf die Kirche (vgl. WA 3,549,17f.).

[48] WA 3,526,26–35: „Iste psalmus pulchre docet modos et gestus eorum qui introrsum rapti meditantur. Et quid meditari debeat. Et quibus signis agnoscatur, quando sit in meditatione et compunctione. Quare si vis scire, quomodo sacrificetur Deo spiritus contribulatus et cor contritum, hunc psalmum intellige ... Et hic describitur compunctio quo ad materiam et formam."

[49] Dazu, daß es sich um einen alle Lebensbezüge umfassenden Prozeß der Buße handelt, vgl. etwa WA 3,538,7f.: „fastidit spectacula, fastidit musicam, fastidit fabulas et iocos." Vgl. auch WA 3,540,34f.; 541,25f. und die Bezugnahme auf die Lebensgeschichte Augustins im 8. Buch der Confessiones (WA 3,537,31f.; 538,9f.; 549,26–30).

[50] Vgl. WA 3,537,7–11 zu Ps 76(77),3 „In die tribulationis meae exquisivi dominum": „Hec est tribulatio compunctionis et tota miseria huius vite ... (Quod autem ait ‚mee', exprimere videtur tribulationem, quam sibi suscitavit meditatione.) Quia compunctus intelligit suam miseriam et videt se in media tribulatione et tentatione esse ..." Vgl. auch WA 3,541,9–16.

Luther äußert sich in seiner Auslegung des Psalms vielfältig und jeweils in größeren Absätzen über das Wesen der meditatio[51]. Beherrschend im Vordergrund steht dabei – angeregt durch den Psalmtext[52] – die *Meditation der opera Dei.* Bei ihrem Vollzug sollen dem Menschen aus den guten Werken Gottes Hoffnung und Liebe, aus den schlimmen aber Furcht und Haß gegenüber der Sünde erwachsen[53]. Gott will mit seinen Werken immer zugleich Gutes tun und ermahnen[54]. Eindeutig Vorrang haben aber im Rahmen dieser Doppelheit die Wohltaten Gottes; vornehmlich sie gilt es immer wieder ins Gedächtnis zu rufen[55]. Dies, daß man sich die Werke Gottes ins Gedächtnis ruft, meint nun freilich mehr als nur einen mentalen Akt. Luther orientiert sich offenbar an dem, was die Bibel unter „gedenken" versteht[56], und bestimmt das Gedächtnis der Werke Gottes als einen Lebensakt, der von ihrer Meditation über die Dankbarkeit und die Affekte von Liebe und Furcht bis zu einer diesen Werken entsprechenden Gestaltung des Lebens reicht[57].

Nun sind im Psalm selbst die Werke Gottes nicht näher bezeichnet[58]. Luther bietet deshalb verschiedene Möglichkeiten an, wie die Werke Gottes, die grundsätzlich alle Werke von Anfang bis zum Ende der Welt umfassen, unterschieden und somit meditiert werden können[59]. Wir wollen diese Gedankengänge hier nicht im einzelnen wiedergeben, zumal sie stark durch die Textvorlage des Psalms bestimmt sind. Als für die Meditationspraxis bedeutsam soll lediglich hervorgehoben werden, daß das exegetische Schema vom vierfachen Schriftsinn offenbar auch als Gliederungsprinzip für den Stoff der Meditation verwendet

---

[51] Die wichtigsten Abschnitte sind WA 3,528,28–34 (meditatio als eine das unsichtbare Wesen des Gegenstandes erfassende Tätigkeit); 531,8–27 (meminisse als ein Meditation und Lebensvollzug umfassender Vorgang); 538,27–31 (ruminatio als gründliche, konzentrierte Form der Meditation); 539,19–24 (Früchte konzentrierten Meditierens); 539,25–34 (klar umrissener Meditationsstoff als Voraussetzung); 539,35–540,2 (Innerlichkeit des Meditationsvorganges). Zu nennen ist hier natürlich auch die geschlossene Erörterung der opera Dei und ihrer Meditation WA 3,530–536. Vieles von den genannten Aussagen zur Wesensbestimmung der Meditation ist von uns schon in dem Kapitel über Luthers Definitionen von meditatio bzw. ruminatio herangezogen worden.

[52] Bes. Ps 76(77),12f.: „Memor fui operum Domini, quia memor ero ab initio mirabilium tuorum, et meditabor in omnibus operibus tuis, et in adinventionibus tuis exercebor."

[53] Vgl. WA 3,530,29ff.; 531,32f.

[54] Vgl. WA 3,531,6f.

[55] Vgl. WA 3,531,1: „maxime bona sunt rememoranda".

[56] Vgl. Raeder, Das Hebräische 270f.

[57] Vgl. WA 3,531,22–25: „Meminisse operum Dei non est nudus eorum intuitus, sed gratias ei in illis agere semper, et sic per ea spem in deum ponere, timere illum, amare illum, querere illum et odisse malum et fugere peccatum."

[58] Vgl. WA 3,531,28.

[59] WA 3,532,1–12; 532,38–533,12; 533,12–17; 533,17–28; 535,15–30; 542,9ff. In diesem Zusammenhang sind auch die Ausführungen WA 3,534,15–535,8 zu nennen, in denen zwar nicht die Werke Gottes unterschieden werden, in denen Luther aber im Anschluß an Ps 76(77),12f. die Meditation der Werke Gottes als einen Vorgang stufenweise wachsender Intensität beschreibt.

[60] Vgl. WA 3,532,1–12; 532,38–533,12.

werden kann[60]. Insgesamt gilt, daß in bezug auf solche Einteilungen Freiheit herrscht[61].

Neben der so stark hervortretenden Meditation der opera Dei sind als traditionelle Elemente der Bußmeditation von Luther angeführt die *meditatio mortis*[62], die Meditation von *Himmel und Hölle*[63] sowie die Betrachtung von *Gericht und Verdammung*[64]. Die Erkenntnis der eigenen *Sünden* und der Sündhaftigkeit ist offenbar vorausgesetzt[65]; auf ihr beruht die gesamte im Psalm dargestellte Bußbewegung.

Wir haben schon darauf hingewiesen, daß es kaum möglich sein dürfte, die genannten Elemente vom exegetischen Kontext abzulösen, um daraus eine Praxis der Bußmeditation zu rekonstruieren. Wenn wir die Aussagen im Kontext belassen, so ergibt sich insgesamt ein traditionelleres Bild als in der ausdrücklichen Handlungsanweisung der Scholien zu Ps 68(69),17. Dort sprachen wir von einer Umschichtung der traditionellen Elemente der Bußmeditation[66]. In unserem Fall hält sich Luther an den Duktus von Ps 76(77). Den Gang der Buße und der Bußmeditation könnte man demnach folgendermaßen skizzieren[67]:

Der erste große Teil, im Psalm die VV. 1–10, ist gekennzeichnet durch die Einsicht in die eigene miseria[68]. Der beherrschende Affekt ist die Furcht[69]. Er wird befördert durch die Meditation von Tod, Hölle und Gericht. Durch V. 11 wird sodann der Umschlag zu einer Neugestaltung des gesamten Lebens markiert[70]. In diesem zweiten Teil der Bußbewegung herrscht vor die Meditation der Werke Gottes. Deren vornehmlicher Affekt ist die Hoffnung[71]. Zugleich führt sie unmittelbar zur tätigen Neugestaltung des Lebens[72].

Dieser Aufriß erinnert – zumindest formal – stark an das traditionelle Schema von Bußbewegung und Bußmeditation, wie wir es uns am Beispiel Gerhard Zerbolts vor Augen geführt haben[73]. Jedoch kann diese Beobachtung wegen des

---

[61] WA 3,533,28f.: „Vel si quis aliter poterit distinguere vel in pauciora vel plura, non repugno, quamdiu regula fidei non repugnat."

[62] Vgl. WA 3,538,19.

[63] Vgl. WA 3,538,23ff.: „Cogitare enim penas malorum sine fine manentes, et gaudia bonorum similiter manentia: mirabiliter horrere et stupere facit animam." Vgl. auch WA 3,530,26; 532,7f.; 533,38f.

[64] Vgl. WA 3,536,25; 540,15f.

[65] Vgl. WA 3,535,32; 536,5f.; 540,17 (discussio conscientie).

[66] Vgl. o. S. 108.

[67] Vgl. bes. Luthers eigene Zusammenfassung der Intention des Psalms WA 3,548,38–549,4: „Videtur itaque mihi esse intentio totius psalmi, quod homo quilibet iustus, et simul tota natura humana, videns miseriam suam et compunctus ad dominum pro redemptione clamat: post hoc exauditus et redemptus ac mutatus e iam verus Idithum (vgl. Raeder, Das Hebräische 207), de miseria in statum salutis transiliens, pro gratiarumactione promittit et proponit semper laudare deum et opera eius narrare ad aliorum quoque instructionem."

[68] Vgl. WA 3,541,25f.; 548,39.

[69] Vgl. WA 3,540,19; 541,25f.

[70] Vgl. WA 3,540,34f.

[71] Vgl. WA 3,530,29–531,2.

[72] Vgl. WA 3,541,20–30.

[73] Vgl. o. S. 102f.

durchgängigen Vorzeichens der Exegese nicht überbetont werden. Wenn man präzise nach Luthers Praxis der Bußmeditation in jener Zeit fragt, so müßte eher auf die ausdrückliche Handlungsanweisung zu Ps 68(69),17, die vom Psalmtext relativ unabhängig ist, verwiesen werden.

3.4.1.2.3. *Ps 4: Modus elevandae mentis in Deum (Dictata. Druckbearbeitung 1516)*

Bußmeditation wurde selbstverständlich auch in Luthers Erfurter Kloster geübt. Wir haben bei den diesbezüglichen Untersuchungen auf Konrad von Zenn verwiesen. Er bietet das Beispiel einer Bußmeditation, die aus der Betrachtung der guten Gaben Gottes sowie unserer eigenen Unwürdigkeit besteht und in den Gebetsruf nach Gottes barmherziger Zuwendung einmündet[74]. Konrad bezieht sich dabei ausdrücklich auf Hugo v. St. Viktor. Dieser hatte in seiner Schrift über das Gebet betont, daß der oratio die meditatio vorangehen müsse. Dabei soll die meditatio in der doppelten Ausrichtung geschehen, daß durch die Einsicht in die eigene miseria die Notwendigkeit des Gebets erkannt wird und daß durch die Betrachtung der misericordia Gottes die rechte innere Ausrichtung auf Gott hin erwächst[75].

Auch Luther weiß, daß die Ausrichtung auf Gott im Gebet nicht gleichsam aus dem Stand möglich ist. So stellt für ihn der gesamte Ps 4 ein vorzügliches Mittel dar, die Affekte des Menschen in positiver Weise zu entflammen[76]. Darüber hinaus bietet Ps 4 einen „modus eleuande mentis in Deum“[77], d.h. eine konkrete Anleitung zum Beten[78], die auch unabhängig von den Worten dieses Psalms Gültigkeit hat[79].

---

[74] Vgl. o. S. 30f.

[75] Hugo v. St. Viktor, De modo orandi, c. 1 (PL 176,977): „Istis duobus alis, miseria scilicet hominis et misericordia Redemptoris, oratio sublevatur, quia dum mens alterna horum consideratione se ad devotionem incessanter excitat, quodam spiritualis desiderii impetu sursum levata volat. Sic ergo orationi sancta meditatio necessaria est, ut omnino perfecta esse oratio nequeat, si eam meditatio non comitetur aut praecedat ... Primum igitur necesse est, ut si prudenter et utiliter Dominum orare volumus, jugi meditatione animum nostrum exerceamus, et in consideratione miseriae nostrae dicamus, quid nobis necesse est petere, in consideratione autem misericordiae Dei nostri, quo desiderio debeamus postulare.“ Für die Tradition vgl. ferner die im Apparat zu WA 55 II,1,51,4f. genannten Belege.

[76] Vgl. WA 55 II,1,48,4ff.: „Et hoc modo Dauid fecit hunc Psalmum ‚la mnazeah‘, i.e. pro inuitatorio, excitatorio, inflammatorio, vt Scil. haberet, quo seipsum excitaret ad deuotionem et affectionem cordis ...“

[77] WA 55 II,1,50,23.

[78] Vgl. die Definition des Gebets bei Gerson, Myst. theol. spec., cons. 43 (ed. Combes 118,1f.): „Oratio quidem describitur quod est elevatio mentis in Deum per pium et humilem affectum.“ Diese Definition läßt sich bis auf Johannes Damascenus zurückverfolgen: vgl. Apparat zu WA 55 I,1,2,1f.

[79] WA 55 II,1,50,21–52,1: „Non solum materialiter est iste Psalmus Inuitatorium in Deum, quomodo omnes alii sunt, Sed etiam forma et modo. Optimus enim modus eleuande mentis in Deum est preterita bona agnoscere et consyderare. Preteritorum enim exhibitio est futurorum certitudo, et fidutiam accipiendi prestant accepta dona in preterito. Econtra tota demersio mentis a

Freilich entwickelt Luther diesen Gebetsmodus wieder exegetisch, und zwar vor allem an V. 2 des Psalms[80]. Dies bedeutet, daß wir die bei der Auslegung zurücktretenden Züge dieses Modus durch Vergleich mit der Tradition und mit anderen Äußerungen Luthers deutlicher nachziehen müssen.

Wenn wir von dem Gebetsmodus bei Hugo v. St. Viktor, dann aber auch von Luthers Schema der duplex confessio[81] ausgehen, so fällt auf, daß in der Auslegung von Ps 4,2 explizit nur die confessio laudis entwickelt wird[82]. In ihr gedenkt der Mensch dankbar der von Gott empfangenen Wohltaten. Er wird dadurch „entflammt", d.h. affektiv bewegt, und schöpft so die rechte Zuversicht für das Gebet[83]. Dies ist der Teil der Meditation, der die misericordia Gottes zum Gegenstand hat[84].

Den anderen Teil, der sich auf unsere miseria bezieht, müssen wir indirekt erschließen. Es geht uns da nicht viel besser als Luther selbst, der in den Worten des Psalmverses diese Komponente vermißte. Warum, so fragt er, klingt der Vers aus in der Bitte um Gottes Erbarmen, wenn doch vorher nur von Wohltaten, zumal von der Rechtfertigung[85], die Rede ist? Luther gibt eine grundsätzliche theologische Antwort: Rechtfertigung und Fortdauern der menschlichen miseria schließen sich nicht aus. Im Gegenteil, die Rechtfertigung ist in Gefahr, wo der Blick für die eigene miseria schwindet[86]. In Anbetracht dieses fundamentalen Zusammenhanges, den man sachlich zutreffend durchaus mit der Formel simul iustus et peccator bezeichnen könnte, steht tatsächlich mehr in Rede als lediglich ein beliebiger modus orandi. Es handelt sich um eine Einsicht in das Wesen des christlichen Lebens überhaupt, der dann natürlich auch die Form des Betens zu entsprechen hat[87]. Daß Luther diesen Teil nicht in ähnlicher Weise wie den ersten behandelt, hängt zunächst an der Textvorgabe, der er als

---

Deo in infernum est obliuio vel inaduertentia bonorum perceptorum ... Quare a gratiarum actione et confessione incipiendum est, et Sic in isto versu Commemorat bona percepta in prosperitate et bona in aduersitate, et breuibus verbis vtraque bona recolit, Sed latissimis sententiis. Quia non omnia debuit ponere, Sed modum docere voluit inflammandi." Luther bezieht sich mit seinen Ausführungen auf Ps 4,2 (vgl. nächste Anmerkung).

[80] Ps 4,2: „Cum invocarem, exaudivit me Deus iustitiae meae: in tribulatione dilatasti mihi. Miserere mei et exaudi orationem meam."

[81] Vgl. o. S. 103ff.

[82] Vgl. WA 55 II,1,51,4f.: „a gratiarum actione et confessione incipiendum est"; ebd. 52,4f.: „tibi hanc tuam misericordiam et bonitatem confiteor".

[83] Vgl. WA 55 II,1,64,25f.: „Oritur autem ista petitio ex fidutia preteritorum beneficiorum ..., ex quorum memoria sese accenderat."

[84] Das Stichwort misericordia fällt im Psalm selbst nicht. Luther gebraucht es – vielleicht in Anlehnung an die Tradition – dennoch (vgl. etwa WA 55 II,1,52,4.10; 54,8). In der Begründung für dieses Vorgehen führt er allerdings nicht die aszetische Tradition, sondern sachlich-theologische Gründe an (ebd. 53,9–54,6).

[85] Vgl. zu den Wohltaten bes. WA 55 II,1,54,6–13.

[86] Vgl. WA 55 II,1,63,17–65,13.

[87] Vgl. WA 55 II,1,65,11ff.: „Si itaque istos duos versus recte inspicimus, Non solum nobis prescribitur optimus modus laudandi Dominum, Sed etiam viuendi et orandi tota ratio hic comprehensa est."

Exeget nachspürt. Es mag hinzukommen, daß im Rahmen der doppelten confessio ohnehin der confessio laudis der Vorrang gebührt[88].

3.4.1.2.4. *Meditation des Vaterunsers (Predigt 1516)*

In einer Predigt aus dem Jahr 1516[89], deren überlieferter Text mit einiger Sicherheit auf seine eigenen Aufzeichnungen zurückgehen dürfte[90], bietet Luther einen Modus zur Meditation des Vaterunsers[91]. Wir stellen diesen dar, ohne auf die Einteilung der Christen in verschiedene Gruppen – nämlich in incipientes, proficientes und perfecti[92] – einzugehen, da sie u. E. nicht notwendig in Verbindung mit dem Meditationsschema zu sehen ist.

Nach Luthers Auffassung stecken im Vaterunser alle Anfechtungen und alles Kreuz des irdischen Lebens[93]. Diesem für uns heilsamen Inhalt kommen wir näher, wenn wir die einzelnen Teile, ja sogar Wörter[94] des Herrengebetes nach dem Schema der duplex confessio durchmeditieren[95]. Dies geschieht so, daß wir aus dem Guten, was von Gottes Güte erbeten wird, zugleich unser eigenes Elend erkennen[96].

Es sind natürlich vornehmlich die sieben Bitten, für welche dieses Schema gilt. Jedoch kann es auch schon auf das erste Wort, die Anrede pater, angewendet werden. Alles, was der Vater mir in väterlicher Weise an Gutem getan hat, soll erwogen werden. Dabei wird mir immer mehr bewußt, wie wenig ich mich als Sohn bzw. Tochter verhalten habe. Die so vollzogene duplex confessio führt zur Reue des Herzens, die zum rechten Nachvollzug der nun folgenden Bitten bereit macht[97].

---

[88] Vgl. o. S. 104. [89] WA 1,89–94.

[90] Vgl. die editorischen Bemerkungen WA 1,18f.

[91] Man beachte, daß Luther wieder ausdrücklich Anleitung für die Praxis geben will: „... promisi brevem eiusdem declarationem, ut sit unicuique ad manum occasio profundius meditandi et orandi ac sic Deum diligendi et desiderandi ..." (WA 1,90,14ff.).

[92] Zu diesen Stufen geistlichen Fortschritts in unserem Text (bes. WA 1,93,7–35) vgl. Lohse, Mönchtum 261f.

[93] Vgl. WA 1,90,8ff.: „... docuit nos orare Orationem Dominicam, quae plenissime continet omnes tribulationes nostras et est cruce refertissima." Auch WA 1,92,9–12: „... quis est unquam inventus, qui tantis titulis, tantis verborum viribus nostrae vitae Tragoediam expressit, sicut hic unus exprimit in sola oratione ista brevissima?"

[94] Vgl. WA 1,90,17ff.: „Hic ne ... semper homo sterilem vocis superficiem verset in ore, sensum debet in corde quaerere et proposito singulo verbo dicere ‚quare sic voluit dici'?"

[95] Zum Terminus duplex confessio in diesem Zusammenhang vgl. WA 1,90,24.

[96] WA 1,93,4–7: „Sicut autem de prima oratione factum est, ita de omnibus sequentibus fieri debet, scilicet cum ruminatione et examinatione, quantum malum sit esse et fuisse in eo statu naturae depravatae ex bona, quae in eo precatur."

[97] Vgl. WA 1,90,17–25.

3.4.1.2.5. *Examen conscientiae ex amore procedens (Decem praecepta. 1518)*

Im Rahmen dieser auf Predigten der Jahre 1516 und 1517 beruhenden Dekalogerklärung gibt Luther eine Anleitung zur Gewissensprüfung, die in großer sachlicher und terminologischer Klarheit zeigt, wie sich das Prinzip der duplex confessio in konkrete Meditationspraxis ausformt.

Luther behandelt die Gewissensprüfung als eine aus dem dritten Gebot folgende geistliche Übung[98]. Oberster Grundsatz ist, daß nicht Furcht vor ewigen Strafen und Haß auf das eigene sündige Wesen ihren Wurzelgrund darstellen, sondern die Liebe zu Gott. Dementsprechend hat die Meditation bei der Betrachtung der beneficia Dei einzusetzen. Diese sollen in der Reihenfolge natürliche Gaben – Erlösungshandeln Gottes – Verheißung ewiger Güter meditiert werden. In Anbetracht dieses gütigen Handelns Gottes erkennen wir dann unsere Sünden. Nur aus einer Meditation, die diese Reihenfolge beachtet, entsteht wahre, lebendige und wirksame Reue. Aus solcher Meditation entbrennt dem Menschen der rechte, auf Gott gerichtete Affekt.

Zu beachten ist, daß beide Richtungen der confessio gleichzeitig (simul) eingeschlagen werden sollen. Wenn Luther sie auch im Anschluß an Gen 28,12 als eine Stufenleiter zu Gott bezeichnet, so hindert doch das simul daran, daß man die beiden Weisen der confessio zu einem Heils*weg* verbindet[99].

3.4.1.2.6. *Elemente der Bußmeditation als Grund des Trostes (Tessaradecas consolatoria. 1520)*

Wir kommen auf Luthers berühmte Trostschrift für seinen erkrankten Kurfürsten zunächst wegen ihres Aufbaus zu sprechen. Es sind darin sieben Bilder von Übeln sieben Bildern von Gütern gegenübergestellt[100]. Diese Bilder sind jeweils nach räumlichen Gesichtspunkten geordnet. So folgen einander die Übel bzw. Güter in uns, vor uns, hinter uns, unter uns, zu unserer Linken, zu unserer Rechten, über uns. Wir erblicken in diesem symmetrischen Aufbau, den man

[98] WA 1,446,11–447,16: „Quintum, quod est maximum et omnium primum, scilicet reconciliari deo per examinationem conscientiae et contritionem peccatorum. Haec autem contritio sic paranda est, ut non tantum ex ôdio, quantum ex amore procedat. Ex amore autem procedet (ut rudibus exempli gratia dicam), Si homo secum ruminet beneficia dei in se per totam vitam collata. Tum illis opponat suam ingratitudinem et vitia in abusu talium bonorum . . . (446,22) Haec est verissima contritio, viva et efficax, ubi illa de timore inferni et peccati turpitudine est literalis ficta et brevi durans, quia non radicata amore, sed incussa timore tantum . . . (447,8) Et haec duo debent ex Euangelio audiri auditaque ruminari. Sunt enim haec duo, scilicet dei bona et nostra mala, Scala ipsa in deum, in qua descendimus in nos et ascendimus in deum, sicut figuratum est Gene: XXViii. Sunt etiam duo illa sacrifitia laudis et confessionis . . . (447,16) Et haec duo simul oportet offerri, ut sint eo perfectiora."

[99] Vgl. Müller, Lob Gottes 63.

[100] Vgl. die schöne Übersicht bei Heckel, Einführung 28f.

sich jederzeit am eigenen Standort im Raum vergegenwärtigen kann, ein einprägsames Schema der Meditation[101].

Inhaltlich lassen uns die beiden Tafeln mit je sieben Bildern von Übeln bzw. Gütern an die grundlegende Einteilung der Bußmeditation in miseria nostra und misericordia Dei denken. Ziel beider Teile ist in diesem Fall, dem Ziel der Schrift entsprechend, der Trost in schwieriger Situation[102]. Diesem Ziel sind im Verein mit anderen Übeln und Gütern auch die herkömmlichen Elemente der Bußmeditation untergeordnet: eigene Sündhaftigkeit, Tod, Gericht und Hölle sowie die Wohltaten Gottes. Als Beispiel greifen wir die Betrachtung der Hölle heraus. Schon die Tatsache, daß diese Thematik jeweils im vierten Bild, d.h. sowohl unter den Übeln als auch unter den Gütern, erscheint, verweist auf das eine Ziel des Trostes. Darüber hinaus gilt, was wir schon früher feststellten[103], daß angesichts des Elends der Verdammten Gottes Güte zu preisen ist, die uns bis heute vor solchem Schicksal bewahrt hat, obwohl wir dieses und noch Schlimmeres verdient hätten[104].

Trost ist also das übergeordnete Ziel. Dies wird noch deutlicher, wenn man auf die Situation achtet, für welche die Schrift ursprünglich bestimmt war. Kurfürst Friedrich der Weise von Sachsen war schwer erkrankt; sein Tod war nicht mehr auszuschließen[105]. In dieser Lage mußten die herkömmlichen Vorstellungskreise von Sünde, Tod, Gericht und Hölle zusätzlich beklemmendes Gewicht erhalten. Weil Luther das sieht, greift er diese Vorstellungskreise auf und fügt sie dem System seiner Trostschrift formal und inhaltlich so ein, daß sie – ohne deswegen an Ernst einzubüßen – ihren furchterregenden Charakter verlieren, ja daß sie sogar Anlaß werden, Gottes Barmherzigkeit zu preisen[106].

[101] Es spielt dabei keine Rolle, ob möglicherweise zeitgenössische Bilder das Vorbild für den Aufbau von Luthers Schrift abgaben (so die These von Preuß, Frömmigkeitsmotiv). Der Aufbau würde in jedem Fall ein selbständiges Schema der Meditation darstellen.

[102] Vgl. WA 6,106,11–14: „Habet autem duas partes, quarum prior septem imagines malorum continet, quorum consideratione praesentia incommoda mitigantur, posterior similiter septem imagines bonorum proponit ad eundem usum collectas" (Widmungsschreiben an Kurfürst Friedrich d. Weisen).

[103] Vgl. o. S. 107.

[104] Vgl. im 4. Bild der 1. Tafel (WA 6,113,3–9): „In inferno vero et aeterna damnatione quot milia sunt, qui nec millesimam peccatorum nostrorum partem habent! . . . An non hic videmus inestimabilem dei misericordiam, quae toties meritos non damnavit?" Ebenso im 4. Bild der 2. Tafel (WA 6,127,27–31): „Quas saluberrimas doctrinas miserrimorum exempla nobis saluberrime confirmant, quae tunc primum efficatia sunt, si illorum qui ea ferunt affectum induti fuerimus, ac velut in loco et persona eorum simus: tunc enim movebunt et monebunt nos ad laudem bonitatis dei, qui nos ab his servarit." Letzterer Text zeigt auch terminologisch recht deutlich, daß wir uns auf dem Feld der Meditation befinden (induere affectum: vgl. o. S. 107 A.37).

[105] Vgl. die editorischen Vorbemerkungen WA 6,99.

[106] Verwiesen sei an dieser Stelle auf Luthers Sermon von der Bereitung zum Sterben, eine Trostschrift aus dem Jahre 1519. In den Anfechtungen des nahen Todes gilt: „Du must den tod yn dem leben, die sund yn der gnadenn, die hell ym hymell ansehen . . ." (WA 2,688,35f.). Andererseits gilt: „Im leben solt man sich mit des todts gedancken uben und zu unß foddern, wan er noch ferne ist und nicht treybt" (WA 2,687,11ff.). Vgl. dazu neuerdings Goez, Luthers Sermon, bes.

3.4.2. *Passionsmeditation*

3.4.2.1. *Vorbemerkungen zu Gegenstand und Quellen*

Was den Gegenstand der folgenden Untersuchungen angeht, so beschränken wir uns bewußt auf die Passion Christi. Wie bereits die Ausführungen zur mittelalterlichen Passionsmeditation zeigen, ist diese zwar immer zu sehen im größeren Zusammenhang einer Meditation der Vita Christi; jedoch kann man – allein schon im Blick auf die gängigen Meditationsbücher – von einem abgegrenzten Genus der Passionsmeditation sprechen.

Auch bei Luther gehören Vita und Passion Christi engstens zusammen, so daß für beide Gegenstände dieselben Auslegungs- und Meditationsgrundsätze gelten[107]. Dennoch stellt die Passion den Schwerpunkt des Lebens Jesu, den anschaulichsten Ausdruck seiner Heilsbedeutung und somit den wichtigsten Gegenstand in Luthers Meditieren der evangelischen Berichte dar. Die Ausgrenzung dieses Gegenstandes legt sich also sowohl sachlich als auch aus Gründen der Überschaubarkeit der Darstellung nahe. Das hindert uns jedoch nicht, an einigen Punkten die Linien auch zur Vita Christi hin auszuziehen.

Auf die Passionsmeditation als sinnvollen Gegenstand der Untersuchungen verweisen uns auch die Quellen. Nur dazu finden wir bei Luther im „Sermon von der Betrachtung des heiligen Leidens Christi"[108] von 1519 eine Schrift, welche die Meditationsgrundsätze nicht nur erwähnt, sondern sie ausdrücklich thematisiert[109]. Zudem erwies sich dieser Text als klarer Ausdruck von Luthers Passionsmeditation, wie er sie sein Leben lang geübt und anderen anempfohlen hat, nachdem er sich einmal von denjenigen Meditationsgrundsätzen der Tradition, welche seinen neuen theologischen Einsichten nicht mehr entsprachen, gelöst hatte; Anknüpfung und Kritik im Blick auf die Tradition kommen darin ebenso zum Ausdruck wie eine positive neue Einstellung zur Passionsmeditation.

Dementsprechend bildet den Schwerpunkt unserer Darstellung die Interpretation dieses Sermons von 1519. Dazu ziehen wir auch Äußerungen heran, die zeitlich früher oder annähernd gleichzeitig liegen. Zu nennen sind besonders die Sermones I und II de Passione Christi einschließlich der Kurzfassung[110] des

111f. Insgesamt bleibt es Luthers Interesse, der meditatio mortis kein furchterregendes Eigengewicht zu belassen: vgl. etwa WA 40 III,493,6ff. bzw. 22–25; WA 41,699,13–19. Als eigenständige Meditationsform wird sie von Luther offenbar nicht geübt (vgl. die Verweise auf die Passionsmeditation in dem erwähnten Sermon: WA 2,689f.).

[107] Vgl. etwa WA 9,439,19ff.: „Atque hic a principio admoneo, omnem Christi vitam, omnes Christi res gestas bifariam nos tractaturos: Sacramenti vice, et exempli vice." Verwiesen sei auch auf unsere Behandlung der Weihnachtspredigt über Lk 2,1–14 von 1521 (u. S. 145ff.). Vgl. die Ausführungen Ebelings zur sakramentalen und exemplarischen Auslegung, welche für die Geschichte Christi insgesamt gelten (Evangelienauslegung 424–446).

[108] WA 2,136–142.

[109] Vgl. u. S. 128f.

[110] Vgl. dazu Elze, Passion Jesu 135.

ersten Sermons[111]. Was ihre Datierung anbetrifft, so mag die Angabe des Jahres 1518 in der Weimarer Ausgabe als Terminus ad quem genügen. Daß dieses Jahr nicht zwingend die Entstehungszeiten der Sermone angibt, darauf haben M. Elze und O. Bayer hingewiesen[112]. Freilich erscheint uns sowohl bei Elze als auch bei Bayer die Wertung der in den Sermonen zum Ausdruck kommenden Meditationsfrömmigkeit nicht in allen Stücken als zutreffend[113]. Im wesentlichen können wir keinen größeren oder kleineren Fortschritt der Meditationspraxis bis zum Sermon von 1519 feststellen, so daß wir die beiden lateinischen Sermone einschließlich der Kurzfassung des ersten ohne besondere Berücksichtigung ihrer Datierung zur Interpretation des Textes von 1519 heranziehen.

Zum Aufweis der Kontinuität von Luthers Praxis der Passionsmeditation stützen wir uns sodann vornehmlich auf Predigten ab dem Jahr 1521.

3.4.2.2. *Luthers Auseinandersetzung mit der Tradition*

3.4.2.2.1. *Umrisse der traditionellen Passionsmeditation*

Die Meditation der Passion Christi war „das Herzstück der spätmittelalterlichen Frömmigkeit"[114]. Wenn wir an den monastischen Bereich denken, so verweisen auf die Bedeutung der Passion Christi nicht nur die unzähligen diesbezüglichen Meditations- und Andachtsbücher[115], sondern darüber hinaus auch viele Züge der mönchischen Lebensführung. Im Grunde verstand sich die gesamte mönchische Existenz aus der Passion Christi[116]. Dies zeigte sich bis in Einzelheiten hinein. So deutete etwa die Form der Kutte auf das Kreuz Christi[117]; die Tonsur wurde als Hinweis auf die Dornenkrone verstanden[118]. Im

---

[111] WA 1,336,1–339,14 (Sermo I);339,15–340,14 (Kurzfassung); 340,15–345,10 (Sermo II).

[112] Vgl. Elze, Passion Jesu 134–136,140; Bayer, Promissio 87. Nach Bayer könnte man den Sermo II auf 1515 datieren, damit also deutlich vor den Sermo I, für den das Jahr 1518 zutreffen dürfte. Vgl. jedoch die Gründe für die Beibehaltung der Datierung des Sermo II auf 1518 bei Heintze, Luthers Predigt 214. – Vgl. auch Bayer/Brecht, Unbekannte Texte 236–240. Dort wird eine Predigt ediert, die, wenn die Datierung auf 1516 zutrifft, „ein bisher unbekanntes Zwischenglied in der Reihe der frühen Passionspredigten Luthers" (ebd. 240) darstellen dürfte. Für die Meditationspraxis erhalten wir jedoch keine weiteren Aufschlüsse.

[113] Vgl. u. S. 127ff., 147f.

[114] Elze, Frömmigkeit 396. Vgl. Vernet, Spiritualité 77–85; auch Leclercq, La dévotion médiévale envers le Crucifié, und Vandenbroucke, La dévotion au Crucifié à la fin du moyen âge.

[115] Vgl. Ruh, Passionstraktat 17f.

[116] Vgl. Jordan von Sachsen, Meditationes, art. 62, doc. 1: „... debemus commori Christo, moriendo videlicet mundo et peccatis, si cum Christo in vita aeterna vivere voluerimus." Besonders die Mönche vollziehen durch ihren Eintritt in den Orden ein solches Absterben gegenüber der Welt und damit zugleich ein Mitsterben mit Christus (vgl. ebd., doc. 3).

[117] Vgl. Jordan, Liber Vitasfratrum I,15 (ed. Arbesmann/Hümpfner 53,131–134): „Figura vero cucullae, quae protensis manicis in modum crucis expanditur ..., significat iugem memoriam Passionis Dominicae, et quod oportet monachum mundo et eius concupiscentiis esse crucifixum ..."

Rahmen der Liturgie waren die Worte Christi „Tut dies zu meinem Gedächtnis" eine mit jeder Messe sich wiederholende Aufforderung zur commemoratio der Passion, mithin zu deren Meditation[119].

Freilich war die Passion Christi nicht isoliert Gegenstand der Betrachtung, sondern sie stand im größeren Rahmen des gesamten Lebens Jesu. Dieses wurde in allen Einzelheiten – sogar in einem über die evangelischen Berichte hinausgehenden Maß[120] – durchmeditiert, wie die beiden wichtigsten Werke, die Meditationes vitae Jesu Christi (Ps.-) Bonaventuras und die Vita Jesu Christi Ludolfs von Sachsen, deutlich zeigen. Innerhalb des Lebens Jesu jedoch wurde die Passion – theologisch durchaus zu Recht – als Höhepunkt und konzentrierter Ausdruck der Bedeutung des Lebens Jesu angesehen[121]. Dementsprechend gab es viele Schriften und Bücher, die nur die Passion zum Inhalt hatten.

Von den Methoden der Meditation allerdings ist nicht in jedem Fall die Rede, auch wenn wir annehmen müssen, daß diese Schriften im Rahmen des Meditierens ihre Funktion gehabt haben. Ein ausgeprägtes methodisches Interesse ist neben den beiden schon genannten Werken über die Vita Christi vor allem in den Meditationes de passione Christi Jordans von Sachsen, sodann in den Passionsmeditationen aus dem Bereich der Devotio moderna, also vornehmlich im Rahmen der großen Systeme geistlicher Übungen von Gerhard Zerbolt und Mauburnus, festzustellen. Man darf annehmen, daß in den darin enthaltenen ausdrücklichen Handlungsanweisungen stillschweigende Praxis der Jahrhunderte zur Sprache kommt. Es sei in diesem Zusammenhang darauf hingewiesen, daß es sich bei den genannten und bei anderen Werken keineswegs in allen Stücken um eigenständige Schöpfungen handelt. Im Gegenteil, es ist über die durch die Spiritualität der jeweiligen Zeit bedingten Prägungen hinaus ein enges Netz von Abhängigkeiten und Bezugnahmen zu konstatieren. Da in den meisten Fällen keine kritischen Ausgaben existieren, ist dieses Geflecht nur sehr schwer zu durchschauen. Wie kompliziert beispielsweise die Geschichte der Vita Jesu Christi Ludolfs von Sachsen ist, hat neuerdings die gründliche quellenkritische Untersuchung von W. Baier gezeigt[122].

---

[118] Vgl. Jordan, Meditationes, art. 39, doc.: „Corona autem capitis monachalis coronam spineam repraesentat."

[119] Vgl. Mauburnus, Rosetum, Alph. XLVIII,P (im Rahmen der scala meditatoria dominicae passionis): „iuxta domini institutum commemorando ea, quae dominus passus est". Mauburnus bezieht sich damit auf die Einsetzungsworte, vgl. 1.Kor 11,24 Vulg.: „Hoc facite in meam commemorationem."

[120] Vgl. Ruh, Passionstraktat 20ff.; Bruin, Middeleeuwse Levens van Jesus 132ff.

[121] Vgl. etwa Reinhard von Laudenburg, Passio Domini, Prologus: „Itaque in cruce ipsius est finis legis et scripturae. In passione eius est summa omnis praedicationis. In morte eius est consummatio omnis sermonis." Fast wörtlich übereinstimmend, aber insgesamt etwas ausführlicher: Jordan, Meditationes, Prologus. Wir verweisen auch auf die Tatsache einer gesonderten Einleitung zum Passionsteil etwa bei Ludolf (Vita Christi II,58/ed. Rigollot IV,455–467); vgl. Baier, VC I,142.

[122] Baier, Vita Christi (1977).

Was nun die Praxis der Passionsmeditation anbetrifft, so erweist sich der enge Bezug von affectus und effectus, den M. Elze vor allem anhand des Prologs der Meditationen Jordans herausgearbeitet hat[123], tatsächlich als ein grundlegendes Schema. Affectus meint dabei die meditative Einfühlung in das Geschehen, was im Fall der Passion einem Mitleiden (compassio) gleichkommt; effectus meint die Auswirkung solcher affektiver Teilnahme an der Passion im täglichen Leben in der Form der Nachahmung (imitatio). Meditation und Lebensgestaltung stehen also in einem engen und unauflöslichen Verhältnis zueinander[124]. Diese Nachahmung Christi ist natürlich zunächst nicht mehr zur Meditation selbst gehörig. Sie wird aber im Rahmen des Meditierens bis in Einzelheiten hinein vorbedacht.

Als Beispiel greifen wir das Meditationsschema Jordans von Sachsen heraus[125]. Er teilt die Passion in 65 Artikel ein, von denen jeder vierfach bedacht werden soll. Zu Beginn steht jeweils ein theorema genanntes Gebet, das den Inhalt des gesamten Artikels zusammenfaßt. Es folgt der eigentliche articulus, die detaillierte Darstellung der jeweiligen Szene mit Erklärungen der Väter. Die nun folgenden documenta fassen – meist in mehreren Punkten – die Auswirkungen auf die Lebensgestaltung ins Auge, während in dem letzten Schritt, der conformatio, versucht wird, schon im Rahmen des Meditierens konkret greifbar und nicht nur mental Nachfolge Christi zu üben. Die Anweisungen zur conformatio und ihre Bindung an den Inhalt des Artikels wirken oft etwas gezwungen, beispielsweise wenn es zu art. 52, der die Aufrichtung des Kreuzes zum Gegenstand hat, heißt, man solle andächtig seinen Geist erheben und diese Erhebung unter Beten durch einen Gestus des Körpers zum Ausdruck bringen[126].

Mag nun dieses Schema eine Möglichkeit gewesen sein, die Passion Christi mit Hilfe von Jordans Buch zu bedenken, so bestehen doch erhebliche Zweifel, ob dies tatsächlich der einzige Modus war. Es erhebt sich nämlich die Frage, ob die Ausführungen der articuli, die stark lehrhaften Charakter tragen, die geeignete Hilfe waren zu jener intima compassio, welche der Prolog fordert und welche stark von den Affekten bestimmt sein sollte[127]. Zur Lösung des Problems halten wir uns zunächst die Tatsache vor Augen, daß den Ausführungen

[123] Elze, Passion Jesu 127–134.

[124] Vgl. die Bemerkungen zur mönchischen Lebensgestaltung o. S. 118f.

[125] Vgl. Lievens, Jordanus 13–19; Elze, aaO. 133; Baier, VC II,310. Jordan äußert sich zu den einzelnen Stufen des Schemas im Prolog der Meditationes. Sodann ist auf die Durchführung zu den einzelnen Artikeln zu achten.

[126] Jordan, Meditationes, art. 52, conf.: „Ad conformandum se huic articulo poterit homo ex devotione sua mentem sursum erigere quasi Christo coram eo pendente in cruce et poterit hoc etiam aliquo gestu corporis repraesentare gerens mente theorema cum documento primo etc., vel alias." Vgl. auch das Beispiel bei Elze, aaO. 133.

[127] Jordan, aaO., Prologus (mit Bezug auf Ex 25,40): „Inspice et fac secundum exemplar etc., quasi diceret: Inspice exemplar dominicae passionis ipsam tibi per intimam compassionem hodie visceraliter incorporando et fac secundum illud exemplar ipsum efficaciter imitando."

Jordans die Passionsgeschichte in Form einer Evangelienharmonie[128] vorangestellt ist[129]. Offenbar hatte die Passionsgeschichte ohne erklärende Bemerkungen eine eigenständige Funktion beim Meditieren.

Weiterführende Hinweise entnehmen wir den Meditationen (Ps.-) Bonaventuras[130]. Er meint in seinen Anweisungen für die Praxis, die das umfangreiche Werk abschließen, man solle in einer ruhigen Stunde des Tages (offenbar am Morgen) zunächst die Geschichte Jesu in der Weise bedenken, daß man sie sich in der Meditation möglichst plastisch vergegenwärtigt. Ausweitungen durch die fromme Phantasie sind dabei keinesfalls verboten, sondern als Zeichen besonderer Einfühlung sogar erwünscht[131]. Die moralischen Folgerungen und die Stimmen der Autoritäten können dann im Laufe des Tages zur Kenntnis genommen und dem Gedächtnis eingeprägt werden[132].

Wesentlich genauer, dafür auch komplizierter äußert sich Mauburnus. Er bietet in Anlehnung an seine allgemeine scala meditatoria eine besondere scala meditatoria dominicae passionis[133]. Im Rahmen dieses Meditationsschemas soll – wenn man von den Einleitungs- und Schlußstufen absieht – jeder Artikel in acht Stufen meditiert werden, wobei man allerdings auf derjenigen Stufe gründlicher (notfalls ausschließlich) verweilen soll, die in der jeweiligen Situation besonders notwendig ist[134]. Davon betrifft die erste Stufe, die commemoratio, vornehmlich den Intellekt, während sich die folgenden Stufen überwiegend auf

[128] Zur Benutzung von Evangelienharmonien vgl. Bruin, Middeleeuwse levens van Jesus 130ff.

[129] So zumindest in der von uns benützten Ausgabe. Dasselbe gilt für Reinhard von Laudenburg.

[130] Vgl. zu diesem Werk insges. Elze, Frömmigkeit 384–389; Baier, VC II, bes. S. 325–331.

[131] Dementsprechend enthält auch das Werk selbst Erweiterungen der Geschichte Jesu; vgl. die folgenden Sätze im Prooemium (S. 335): „. . . ego vero ad maiorem impressionem ea (scil. Worte und Taten Jesu) sic, ac si ita fuissent, narrabo, prout contingere vel contigisse credi possunt, secundum quasdam imaginarias repraesentationes, quas animus diversimode percipit. Nam et circa divinam scripturam meditari, exponere et intelligere multifarie, prout expedire credimus, possumus, dummodo non sit contra veritatem vitae, iustitiae et doctrinae et non sit contra fidem et contra bonos mores."

[132] (Ps.-) Bonaventura, Meditationes, c. 100 (S. 401): „Volo autem tibi tradere modum, quem teneas in meditando praedicta . . . Igitur scire debes, quod meditari sufficit solum factum, quod Dominus fecit vel circa eum contigit fieri vel dici secundum historiam Evangelicam, te ibidem praesentem exhibendo, ac si in tua praesentia fierent, prout simpliciter animo in dictis cogitanti (cj.; statt cogitandi) occurrit. Moralitates autem et auctoritates, quas ad tuam instructionem in hoc opere posui, non expedit in meditationem adduci, nisi si qua virtus amplectenda vel vitium detestandum ipsa prima facie cogitationis occurrat. Eliges ergo in his meditandis aliquam horam quietam, postea infra diem poteris discere moralitatem et auctoritates et eas studiose memoriae commendare."

[133] Zur allgemeinen Scala vgl. o. S. 19. Schema der Passionsscala bei Debongnie, Jean Mombaer 311.

[134] Mauburnus, Rosetum, Alph. XLVIII,O: „Modis igitur omnibus his circa singulos passionis articulos excitemur, ut omni fructu hoc opplemur . . . Suademus tamen, ut quisque illi gradui tenacius inhaereat, quo se magis affici volet. Puta si durus et ad compatiendum sit insensibilis, longius circa compassionem exerceatur, si frigidus et segnis volens inflammari, liquefactionis gradui inhaereat pertinacius, et sic de aliis."

[135] Die 8 gradus processorii lauten: commemoratio – compassio – imitatio – gratiarum actio – admiratio – exsultatio – liquefactio – unio amorosa (vgl. Rosetum, Alph. XLVIII,O).

den Affekt beziehen[135]. Die commemoratio geschieht auf doppelte Weise[136]: Zuerst soll man sich die Passionsgeschichte nach den evangelischen Berichten auswendig einprägen; sodann soll man zu ihrer Erklärung Auslegungen der Tradition heranziehen. Erst wenn dies ausführlich und gründlich geschehen ist, kann man zu der affektiven compassio und den übrigen Stufen fortschreiten.

(Ps.-) Bonaventura und Mauburnus zeigen also zwei verschiedene Weisen an, wie die einfache Geschichte der Passion bzw. des Lebens Jesu mit den Erklärungen in den Meditationsbüchern im Rahmen meditativer Praxis verknüpft werden kann. Ähnlich wird man sich auch einen Umgang mit dem Meditationsbuch Jordans, der nicht starr den von Jordan selbst vorgegebenen vier Schritten folgt, vorstellen dürfen.

Wir haben bisher gesehen, wie das Schema von affectus und effectus die Meditation bestimmen kann. Darüber hinaus haben wir mögliche praktische Voraussetzungen zur Erregung des affectus ins Auge gefaßt. Zu fragen wäre nun, ob der effectus bzw. die imitatio tatsächlich das einzige Ziel der spätmittelalterlichen Passionsmeditation darstellen oder, anders gesagt, ob diese mit dem Schema affectus – effectus tatsächlich hinreichend bestimmt ist. Wir meinen, daß damit sozusagen nur die horizontale Komponente angesprochen ist. Die andere, vertikale Komponente besteht in dem mystischen Element der Passionsmeditation. Es wäre verwunderlich, würde dieses Element, auf das wir bisher bei allen Stichproben im Raum der Tradition gestoßen sind, gerade hier, wo Bernhard von Clairvaux am Anfang steht[137], fehlen.

Wir greifen wieder auf das Rosetum des Mauburnus zurück. Von diesem Werk ist gesagt worden, das mystische Element fehle in ihm so gut wie ganz[138]. Dieses Urteil ist gerade im Blick auf die Passionsmeditation nicht verständlich. Bei Mauburnus bildet mystisches Erleben – in welchem Grad auch immer – geradezu das Ziel, wenn am Ende der acht gradus processorii seiner Scala die unio amorosa steht[139]. Unmittelbar vorbereitet wird diese letzte und höchste

[136] Ebd., Alph. XLVIII,P: „Hic notandum, quod primus iste gradus prae ceteris concernit processum intellectivum . . . Ceteri autem subsequentes respiciunt magis affectum. Diligentius itaque huic gradui immorandum, quoniam sine hoc ceteri afficient parum . . . Intellectualiter itaque eam (scil. commemorationem) tractare debemus. In primis iuxta domini institutum commemorando ea, quae dominus passus est secundum quod evangelica enarrat historia, textum scilicet evangelicum de proposito articulo memoriter revolvendo et per commemorationem crebrius repetendo. Itemque instar Ludolphi (= Ludolf von Sachsen, Vita Jesu Christi) et ceterorum postillatorum illum dividendo et exponendo . . ."

[137] Zu Bernhard und zu den verschiedenen Auffassungen bezüglich des Verhältnisses von Christi Menschheit und mystischer Entrückung bei Bernhard vgl. Baier, VC II,239–243. Zum Problem Passion – Mystik vgl. Ruh, Passionstraktat 27 ff.

[138] So Elze, Frömmigkeit 391. Was Gerhard Zerbolt betrifft, so verweisen wir für die mystische Komponente in seiner Passionsmeditation auf Schwarz, Bußtheologie 146 f.

[139] S. o. S. 121 A.135. Zur unio amorosa heißt es (Rosetum, Alph. L,X–Z): „Semper ergo dum passionem meditamur, in fine omni conatu ad hanc unionem assequendam nos reflectamus. Ideo enim passionem Christus finaliter pertulit, et ob eum finem etiam a nobis meditari debet . . . Tradunt alii alios gradus et plura subtilia de hac unione, ut Gerson super Magnificat et in mystica

Stufe durch die exsultatio, den Jubel über das Erlösungswerk der Passion[140], und die liquefactio, das „Schmelzen" der Seele in Anbetracht der Liebe, welche uns die Trinität in der Passion Christi zugewendet hat[141]. Die imitatio, die Gestaltung des Lebens nach dem Vorbild Christi, ist dadurch keineswegs ausgeschlossen. Sie ist aber eher als Bedingung für die Möglichkeit des eigentlichen Zieles anzusehen, das im mystischen Erleben besteht[142].

Es soll nun keinesfalls bestritten werden, daß – aufs Ganze gesehen – das mystische Element im Rosetum keinen beherrschenden Platz einnimmt, was ähnlich auch für andere im späten Mittelalter gern benützte Passions- oder Leben-Jesu-Bücher gilt[143]. Jedoch sollte uns der Verweis auf die Passionsmeditation bei Mauburnus im Zusammenhang mit den Bemerkungen über den Gebrauch der Geschichte Jesu im Vollzug des Meditierens vorsichtig machen. Es scheint so zu sein, daß man Erbauungsbücher über das hinaus, was diese selbst ausdrücklich sagen, benützt und den eigenen Koordinaten des geistlichen Lebens, mithin auch mystischem Streben, untergeordnet hat[144].

Damit berühren wir einen Punkt, der bei einer Beschreibung der Umrisse der spätmittelalterlichen Passionsmeditation nicht außer acht gelassen werden darf: die Koordinaten des geistlichen Lebens. Die Meditation der Passion macht zwar das Herzstück der spätmittelalterlichen Frömmigkeit aus, sie bleibt aber auch weiterhin nur Teil derselben. Wir konzentrieren unsere Überlegungen auf das Sündenbewußtsein und die damit verbundene Buße, weil dies bei Luther von Bedeutung sein wird.

Wenn in den Passionsbüchern relativ wenig von unserer sündhaften Verfassung gesprochen wird, so ist dies darauf zurückzuführen, daß diese Thematik Hauptgegenstand der beständigen Gewissensprüfung des Mönchs ist[145]. Diese und die daraus erwachsende anfängliche Besserung des Lebens bilden die Voraussetzung für ein sinnvolles Meditieren der Passion Christi. Deutlich wird dieser Sachverhalt am System der geistlichen Aufstiege Gerhard Zerbolts. Dort bildet die Bußmeditation die unabdingbare Voraussetzung der Passionsmedita-

---

theologia. Sed tu, ut ad summam dicamus, si hanc assequi voles, oportet, ut media inter te et Christum amoveas per passionis memoriam fortissimam, ut assidue piis aspirationibus hanc exoptes per passionis memoriam continuam, ut opera passioni unias et pro ea ores per passionis memoriam dignissimam." Mit der vorletzten Bedingung ist wohl die imitatio gemeint.

140 Ebd., Alph. L,Q: „Poteris igitur super singulis articulis iubilum tibi instar Bernardi conficere et carmen canere dilecto patrueli tuo. Ad quod deserviunt loci laudis, donec perducaris ad iubilum, quem sola docet unctio et noscit experientia."

141 Ebd., Alph. L,R: „Attende ergo, quod pater ex caritate filio suo non pepercit, quod filius ex caritate seipsum tormentis exposuit, quod spiritus sanctus ex caritate haec omnia effecit. Et totus liquesce, dum totam vides per caritatem tibi succurrere trinitatem."

142 Vgl. o. S. 121 A.135 und o. A.139.

143 Vgl. Elze, Frömmigkeit 384–394.

144 Vgl. o. S. 122 A.136: Ludolfs Buch hätte demnach bei Mauburnus seine Funktion auf der Stufe der commemoratio.

145 Vgl. Schwarz, Bußtheologie 160–166, und o. S. 30ff.

tion[146]. Ähnlich liegen die Dinge bei Mauburnus in bezug auf den Aufbau seines Systems geistlicher Übungen[147], dann aber auch in Einzelheiten der Passionsmeditation. So stellt er in seiner Scala den acht Hauptstufen zwei einleitende Stufen voran, wovon die zweite benevolentiae captatio benannt ist. Der Mensch soll in ihr bedenken, daß es nichts Heiligeres gibt als die Mysterien der Passion Christi und daß er ihnen folglich nicht mit unreinem Herzen nahen darf. Eine unwürdige Meditation kann vermieden werden, wenn der Mensch auf dieser vorbereitenden Stufe seine Unwürdigkeit vor Gott bekennt[148]. Mit all dem ist nun nicht gesagt, daß die Passion Christi theologisch nichts mehr mit unseren Sünden und unserer sündhaften Verfassung zu tun hätte, wohl aber, daß deren Erkenntnis und anfängliche Überwindung grundsätzlich der Passionsmeditation vorgeordnet ist[149].

Wir halten fest: Kern der spätmittelalterlichen Passionsmeditation ist die affektive compassio, die einfühlende, meditative Vergegenwärtigung des Passionsgeschehens, wozu vielfältige Hilfen gegeben werden[150]. Diese compassio kann weiterführen zu Augenblicken mystischen Erlebens; in jedem Fall mündet sie in die Gestaltung des Lebens im Sinne der imitatio Christi.

3.4.2.2.2. *Kontinuität und Umbruch bei Luther: „Ein Sermon von der Betrachtung des heiligen Leidens Christi“ (1519)*

1. Gebet

In seinem Sermon von 1519[151] betont Luther mit aller Schärfe, daß für ein fruchtbares Meditieren der Passion das Gebet um Gottes Gnade unabdingbare Voraussetzung ist. Dieses vorgängige Gebet ist deshalb notwendig, weil der Mensch von sich aus keinerlei Fähigkeit und Verdienst mitbringt, die zum Gelingen der Meditation beitragen oder es gar garantieren könnten; Gott selbst

---

[146] Die Passionsmeditation beginnt mit c. 26 nach der auf timor und spes zielenden Bußmeditation. Vgl. Schwarz, aaO. 144–149.

[147] Vgl. im Rosetum die Ausführungen am Beginn des zweiten Hauptteiles, in welchem u. a. die scala meditatoria dominicae passionis ihren Platz hat. Mauburnus bewegt sich im Bild des Rosengartens (rosetum). Alph. XLVI,A: „In superiori quippe parte roseti albas exercitiorum rosas carpsimus, quibus devenitur ad mentis puritatem. Hic nunc in huius viridarii parte rubrae sunt meditationum rosae legendae, quibus mens inflammetur ad ardoris caritatem ... In prima itaque parte mens vitiis humectata exercitiis desiccatur et igni aptatur; in hac igni apponitur et inflammatur.“

[148] Rosetum, Alph. XLVIII,N (mit Bezugnahme auf die Reinheitsvorschriften des Alten Testamentes): „Si igitur periculum indignae meditationis voles evadere, si mente perspicaci Christi mysteria contemplari, stude te in hoc gradu primum exercere te scilicet profunde humiliando ex consideratione tuae insufficentiae et vilitatis ...“

[149] Vgl. Schwarz, Bußtheologie 149.

[150] Man vergleiche nur die detaillierten Anweisungen zur compassio bei Mauburnus. Sie beanspruchen gegenüber den anderen Stufen ungleich mehr Raum (Alph. XLVIII,A–XLIX,V).

[151] Vgl. o.S. 117f. Die Zitate aus den lateinischen Passionssermonen können nach den Angaben o. S. 118 A.111 leicht verifiziert werden.

muß Christi Leiden in unser Herz „einsenken“[152]. Wenn nun keine Voraussetzung im Menschen selbst, also auch keine noch so detaillierten Regeln und Anweisungen das Gelingen der Meditation gewährleisten können, so muß mit Enttäuschungen gerechnet werden. Luther weiß darum und gibt den Rat, trotz solcher Erfahrungen keinesfalls von der Übung der Passionsmeditation abzulassen[153].

Die Aufforderung zum Gebet entspricht zunächst dem, was wir als Lebenspraxis Luthers schon herausgehoben haben, nämlich dem Grundsatz, daß jeder geistigen Arbeit, vor allem aber der Meditation das Gebet um Erleuchtung vorauszugehen habe[154]. In unserem speziellen Fall wendet sich Luther damit gegen Leute, die mit der Passion in falscher Weise umgehen[155]. Die Mißbräuche sind im einzelnen[156]:

- falsche, selbstgerechte Entrüstung über die Juden und über Judas,
- verdienstlicher und abergläubischer Umgang mit der Passion Christi,
- tränenreiches Mitleid mit Christus und Maria.

Die im dritten Punkt zusätzlich aufgeführte Klage gegen Leute, die mit der Messe falsch umgehen, indem sie das bloße, innerlich unbeteiligte Hören derselben als fruchtbar im Sinne des opus operatum auffassen, trifft wohl den Kern aller drei Mißbräuche[157]. Am deutlichsten aber dürfte sie sich gegen den zweiten Mißbrauch wenden. Ihn bringt Luther mit einem Spruch in Verbindung, der allgemein Albertus Magnus zugeschrieben wurde, ohne allerdings in dessen Werken nachweisbar zu sein, und der in der Tat einen Locus classicus der traditionellen Passionsmeditation darstellte[158]. Dieser auch dem Volk bekannte Spruch[159] besagte, daß selbst ein oberflächliches[160] Bedenken der Passion Chri-

[152] WA 2,139,1–7: „Darumb soltu gott bitten, das er deyn hertz erweiche und laße dich fruchtparlich Christus leyden bedencken, dan es auch nit muglich ist, das Christus leydenn von unß selber müg bedacht werdenn gruntlich, gott senck es dan yn unßer hertz. Auch noch diße betrachtung, noch keyn andere lere dir drumb geben wirt, das du solt frisch von dir selb drauffallen, dasselb zu volnbrengen, sondernn zuvor gottis gnaden suchen und begeren, das du es durch seyn gnad und nit durch dich selb volnbringst.“ Vgl. auch ebd. 140,27–30.

[153] WA 2,139,19ff.: „Die weil dan solch werck nit yn unßer hand ist, ßo geschicht es, das wir es zu weylen bitten, und erlangen es doch nit zu der stund, dennoch sol man nit vorzagen odder ablassen.“ Vgl. u. S. 129 A.193.

[154] Vgl. o. S. 66.

[155] Luther führt die zu Beginn der Schrift genannten Mißbräuche ausdrücklich auf die Mißachtung des vorgängigen Gebets um Gnade zurück (WA 2,139,7–10).

[156] WA 2,136,3–137,9.

[157] Interessanterweise übergeht die lat. Übersetzung von 1521 diesen Abschnitt WA 2,136,28–137,9 (vgl. EA var III,411). Offenbar hat der Übersetzer ihn als unnötige Abschweifung empfunden.

[158] Vgl. A.4 bei Paltz, Coelif. 99f.

[159] Richstätter, Christusfrömmigkeit 148, verweist auf sog. Albertustafeln, welche diesen oder andere Sprüche enthielten und in Kirchen aufgestellt waren.

[160] Die Oberflächlichkeit wird besonders deutlich in der Version des Spruches bei Johann von Paltz im Passionsteil der Coelifodina. Der Spruch beginnt dort folgendermaßen (Coelif. 99,28ff.): „Quicumque passionem Christi cotidie transcurrerit, sicut qui fabas numerat, talis exinde tres

sti verdienstlicher sei als ein bestimmtes Maß an Fasten, Selbstkasteiung und Psalterlesen[161]. Auf diesem Hintergrund eines oberflächlichen, gleichwohl als wirksam gedachten Umgangs mit Christi Passion sieht Luther auch die Sitte, Darstellungen und Symbole der Passion wie ein Amulett ständig bei sich zu tragen, um sich so gegen allerlei Widrigkeiten des Lebens zu schützen[162].

Allen Formen des Mißbrauchs ist eines gemeinsam, nämlich daß das Bedenken der Passion den Menschen nicht im Kern seiner Existenz trifft. Genau dies aber wäre eine rechte, fruchtbare Passionsmeditation. Wie diese im einzelnen auszusehen hat, wird im folgenden entfaltet. Hier sollte festgehalten werden, daß sie sich voll und ganz aus der Gnade Gottes versteht, was in dem einleitenden Gebet seinen praktischen Ausdruck findet.

2. Meditation

Der eigentliche Kern der Passionsmeditation wird von Luther im Hauptteil seines Sermons dargestellt[163]. Und zwar geht es darum, die Passion Christi in zweifacher Weise zu betrachten: Einerseits soll der Mensch daraus sich selbst, d.h. seine Sündhaftigkeit, erkennen und darüber erschrecken[164]; andererseits soll er sehen, wie Gottes Liebe in Christi Passion die Vergebung der Sünden und damit unsere Rechtfertigung gewirkt hat[165]. An anderer Stelle kann Luther diese doppelte Betrachtungsweise im Zusammenhang mit Passionsmeditation als cognitio nostra und cognitio Dei bezeichnen[166] oder aber sie mit dem Begriffspaar nostra miseria und Dei misericordia in Verbindung bringen[167]. Damit sind die beiden Pole der Bußmeditation genannt, und es bestätigt sich, was wir schon angedeutet haben[168], nämlich daß bei Luther die Passionsmeditation zu einer Form der Bußmeditation wird. Er kann dementsprechend sagen: „Also mussze wir aus den wunden Christi das unser saugen, dye bussz sunderlich."[169]

Diese doppelte Betrachtungsweise faßt Luther in seinem Sermon zusammen unter dem Stichwort sacramentum bzw. „sacrament". Damit ist gemeint, daß in diesem Teil der Meditation Gott an uns wirkt; sein gnädiges Handeln an uns in

---

utilitates consequitur ..." Eine solche Passionsmeditation schafft Verdienste, die selbst den Seelen im Fegefeuer zugute kommen können (ebd. 100,1f.).

[161] Es sei hier der Spruch Alberts nach dem Rosetum des Mauburnus zitiert (Rosetum, Alph. XLVIII,L): „Albertus magnus ait: Simplex, inquit, recordatio passionis Christi multoplus homini valet, quam si integrum annum ieiunaret in pane et aqua vel si quotidie virgis aut flagellis caederetur usque ad sanguinis effusionem vel si quotidie legeret integrum psalterium. Haec ille."

[162] Vgl. die Anmerkung zu Z. 10 in Cl. 1,155.

[163] WA 2,137,10–141,7.

[164] WA 2,137,10–139,31.

[165] WA 2,139,32–141,7.

[166] WA 1,342,37ff.

[167] WA 1,340,2–10.

[168] Vgl. o. S. 105; auch u. S. 149, 173.

[169] WA 9,145,31f. Der Text stammt aus der „Auslegung und Deutung des heiligen Vaterunsers" von 1518 in der Bearbeitung Agricolas. Vgl. in dieser Schrift zur Passionsmeditation bes. S. 143–146.

der doppelten Erkenntnis kann, wie wir sahen, nicht aus menschlicher Kraft erzwungen, sondern nur im Gebet erfleht werden. Daneben aber haben wir die Passion Christi auch als exemplum zu meditieren, d.h. wir bedenken ihre Auswirkung auf unser eigenes Handeln[170]. Obwohl sacramentum und exemplum untrennbar zusammengehören[171], werden wir auf die Passion als exemplum im nächsten Abschnitt eigens zu sprechen kommen.

Das Begriffspaar sacramentum–exemplum hat Luther schon früh bei der Lektüre von Augustins De trinitate kennengelernt[172] und zeitlebens immer wieder benutzt[173]. M. Elze hat die Bedeutung dieses Schemas im Rahmen der Passionsmeditation Luthers untersucht[174]. Er kam zu dem Schluß, daß Luther damit das herkömmliche Schema von affectus und effectus[175], durch welches die Passion vornehmlich unter dem Gesichtspunkt einer vom Menschen erst noch zu vollziehenden Nachfolge meditiert wurde, ablösen und in bezeichnender Weise kritisieren wollte. Eindrucksvoller Beleg dafür ist die Tatsache, daß Luther die Stelle 1.Petr 2,21[176], die von Jordan im Sinne von affectus und effectus gedeutet worden war, nun zum Beleg für das Schema von sacramentum und exemplum heranzieht[177]. Strittig ist dabei zwischen Luther und der Tradition nicht die Ansicht, daß die Passion Christi ihre Auswirkung im konkreten Lebensvollzug haben müsse. Das Problem ist zunächst vielmehr, *wie* die Passion bedacht werden muß, damit es zu einer sinnvollen Nachfolge kommen kann. Dementsprechend konzentrieren sich Luthers Überlegungen in den lateinischen Sermonen und im Sermon von 1519 auf die Meditation der Passion als sacramentum. Seine Frage, deren Lösung wir nachzeichnen müssen, war die, wie sich diese Form der Meditation zu der traditionellen affektiven compassio verhalte.

M. Elze sieht ein Nebeneinander, das Luther – zumindest bis 1519 – nicht zu einem konsequenten Ausgleich gebracht habe. Einerseits sei die neue Ausrichtung der Passionsmeditation auf die cognitio sui deutlich herausgestellt, andererseits aber fänden sich immer noch traditionelle Elemente, so vor allem die Übung des Affekts angesichts der Passion[178].

[170] WA 2,141,8–13 (Zit. u. S. 137 A.244). [171] Vgl. zu dem Begriffspaar u. S. 136f.

[172] Vgl. WA 9,18,19–23 (Randbemerkungen zu Augustinus, De trinitate IV,3. 1509).

[173] Vgl. Iserloh, Sacramentum, bes. S. 249.

[174] Elze, Passion Jesu 142–150. Vgl. auch Bayer, Promissio 78–100. Auf die vielfältigen Probleme, die mit dem Schema verbunden sind, können wir hier nicht näher eingehen. Wir meinen gegen Bayer (aaO. 283 u.ö.; vgl. dagegen unsere von der Meditationspraxis ausgehende Argumentation u. S. 141f.), daß im Rahmen der Praxis der Passionsmeditation das Schema seit dem Sermo II de passione (vgl. WA 1,337,14) eine im wesentlichen gleichbleibende Funktion besitzt.

[175] Vgl. o. S. 120.

[176] 1.Petr 2,21 Vulg.: „Christus passus est pro vobis vobis relinquens exemplum, ut sequamini vestigia eius."

[177] WA 1,339,17–21; vgl. Elze, Passion Jesu 144,145 A.87.

[178] Vgl. Elze, aaO. 134–145. Elze sieht dabei eine Entwicklung in den lateinischen Passionssermonen bis zum Sermon von 1519, die sich durch zunehmend klare Ausbildung des neuen Prinzips

An Elzes Interpretation ist zunächst eine Unschärfe zu bemerken, nämlich daß er die Doppelheit der cognitio in Selbsterkenntnis und Erkenntnis der Liebe Gottes nicht genügend zur Geltung bringt. Im Sermo II ist die doppelte cognitio ausdrücklich entfaltet, was Elze auch notiert[179]. Nun spricht Luther aber im folgenden[180] Sermo I nicht von der cognitio Dei. So bestimmt Elze als Thema der Predigt lediglich die cognitio sui[181]. Das ist vom vorliegenden Text her natürlich nicht falsch. Insgesamt richtiger jedoch dürfte es sein, Luthers Beschränkung auf die Selbsterkenntnis als Abhängigkeit vom gegebenen Bibeltext (Jes 53,2 bzw. das Ecce homo Joh 19,5[182]) zu werten. Zudem klingt der nicht eigens entfaltete Punkt am Ende der Predigt wenigstens an[183], und in der Kurzfassung der Predigt erscheinen beide Punkte in dem Begriffspaar miseria – misericordia[184]. Im Sermon von 1519 bestimmt Elze als „eigentliches Thema" die Selbsterkenntnis[185], während Luther in schöner Parallelität unsere Sündhaftigkeit und Gottes Liebe als Thema der Passionsmeditation im Sinne des sacramentum entfaltet[186]. Angesichts dieser Sachlage bestimmen wir an der Stelle der Selbsterkenntnis die Buße als das eigentliche Thema des Sermons von 1519, weil diese beide Pole umfaßt[187].

Dem eigentlichen Problem der Passionssermone aber stellen wir uns mit dem zweiten Einwand gegen Elzes Interpretation: Wir können seine Aufteilung in verzichtbare traditionelle Elemente (compassio) und neue Zielsetzung (Selbsterkenntnis, genauer: Buße) so nicht nachvollziehen. Unsere These dagegen lautet: Luther konnte für sein neues Konzept auf die affektive Brücke zwischen historia und cognitio sui et Dei nicht verzichten, so daß er die traditionelle compassio aufgriff, sie aber in bezeichnender Weise umprägte.

Zur Erklärung dieses Einwands und zu einer Lösung des Problems gehen wir von den formalen Gegebenheiten des Sermons von 1519 aus. Deutlicher als die früheren lateinischen Sermone, die in ihrer Form als Predigten von biblischen Texten ihren Ausgang nehmen, hat dieser Sermon die Praxis der Passionsmeditation zum Gegenstand. Es handelt sich um einen Traktat De *meditatione* passionis Christi[188], der ohne leitenden Bibeltext in 15 Punkten zuerst Mißstände benennt und dann eine eigene Lösung bietet[189]. Die Frage des Sermons lautet

und durch ein Abnehmen der traditionellen Elemente auszeichnet. Jedoch sei auch im Sermon von 1519 „eine Anlehnung an die traditionellen Formen der Frömmigkeit" nicht zu verkennen (ebd. 144).

[179] Elze, aaO. 137,140.

[180] Zur Datierung vgl. o. S. 118, bes. A.112.

[181] Elze, aaO. 141.

[182] Vgl. Heintze, Luthers Predigt 214.

[183] WA 1,339,8–14 (zu beachten ist die Einleitung „At tum . . .").

[184] WA 1,340,1–14.

[185] Elze, aaO. 145.

[186] WA 2,137,10–139,31 und 139,32–141,7.

[187] Vgl. o. S. 104f.

[188] Vgl. Luthers Brief an Spalatin vom 13. 3. 1519: „habeo sermonem in mente de meditatione passionis Christi. Sed nescio an tantum superfuturum sit ocii, ut in literas referam. Dabo tamen operam" (WA BR 1, Nr. 161/S. 359,26ff.). Vgl. auch im Titel der lateinischen Ausgabe von 1521: „. . . de Meditatione Dominice Passionis . . ." (Angaben zu dieser Ausgabe s. WA 2,134f.).

[189] Mit „Traktat" bezeichnen wir den Sermon in seiner vorliegenden Form. Das bedeutet natürlich nicht, daß der Sermon nicht aus einer Predigt herausgewachsen sein oder in einer solchen

also: *Wie* kann ich das *Geschehen* der Passion, wie es die Evangelien berichten[190], so meditieren, daß es *für mich* fruchtbar wird? Anders gesagt: Luther schreibt keinen Traktat über die Buße und ihre theologische Begründung in der Passion Christi, sondern eine Abhandlung über das Geschehen der Passion, seine Meditation und die daraus erwachsenden Früchte. Somit besteht das Problem, das der Schrift zugrunde liegt, in der Kette historia – modus – fructus.

Aber gerade das Wie, der Modus, wird bei Elze, wenn er die affektive compassio als traditionelles und so doch wohl verzichtbares Element interpretiert, unklar. Letztlich verschwindet damit auch das Geschehen der Passion selbst aus den Augen zugunsten ihres existentiellen Nachvollzugs; übrig bleibt das Ziel, nämlich die Buße bzw. Bußbewegung des Menschen[191]. Mit den traditionellen Termini könnte man sagen: Elze erkennt dem fructus der Passionsmeditation reformatorische Qualität zu, während der modus als traditionelles Relikt anzusehen ist[192]. Wir meinen dagegen, daß mit dem modus das Thema des gesamten Sermons auf dem Spiel steht.

Freilich sieht auch Luther das Problem, daß durch einen bestimmten Modus, mithin durch menschliche Anstrengung, die Früchte der Passionsmeditation qualifiziert werden könnten. Eben deshalb bringt er das vorgängige Gebet um Gnade so eindrücklich zur Geltung. Wenn somit der fructus eindeutig Gottes Wirken entspringt, so ist doch ein gewisser modus nicht hinfällig geworden. Diesen Sachverhalt vertritt Luther zeitlebens mit großer Selbstverständlichkeit, wie die vielen Ratschläge und Regeln zur Meditation, auf die wir bisher gestoßen sind, beweisen. In unserem Sermon deutet auf diesen selbstverständlichen Zusammenhang die Mahnung, auch bei Erfolglosigkeit, also bei einem Ausbleiben des fructus, nicht von der Meditation abzulassen[193]. Ebensowenig schlie-

---

wieder Verwendung gefunden haben könnte (vgl. die Predigt WA 9,649–656 von 1521 aus der Sammlung Polianders, bei der allerdings das Maß an Bearbeitung nicht zu erkennen ist.).

[190] Natürlich verbanden sich mit der Kenntnis der wortmäßigen Passionsgeschichte untrennbar auch bildliche Vorstellungen, wie sie durch die unzähligen Darstellungen der Passion in Kirchen und anderswo genährt wurden. Luther tadelt in unserem Sermon nicht die Bilder an sich, sondern eine Haltung, die auf der Stufe solcher Darstellungen verbleibt, ohne davon im Gewissen zutiefst erschüttert zu werden (vgl. WA 2,136,17; 142,7f.). Es ist auch zu bedenken, daß fast alle frühen Drucke des Sermons einen Holzschnitt, meist Christus am Kreuz mit Maria und Johannes, enthielten (vgl. WA 2,131–135).

[191] Ähnlich scheint Elze beim „exemplarischen" Teil der Meditation zu interpretieren. Letztlich bleibt die Bewährung in Anfechtungen, ohne daß die meditative Bezugnahme auf das Geschehen der Passion klar zum Ausdruck käme. Vgl. Elze, Passion Jesu 145: „... in ihnen (scil. den Anfechtungen) sich zu üben, heißt Christi Leiden recht bedenken."

[192] Besonders deutlich wird dies, wenn Elze im Sermon von 1519 die Abschnitte 4–7 als traditionelle Elemente und lediglich als „Hinführung zu dem eigentlichen Thema" bezeichnet (aaO. 145). Dabei handelt es sich in den Punkten 4–7 vornehmlich um den modus, in den Punkten 8–11 vor allem um den fructus der Passionsmeditation. Eine Praxis aber ohne modus ist nicht vorstellbar. – Zur Angabe von fructus bzw. utilitates und modi meditandi im Zusammenhang mit Passionsmeditation vgl. etwa Paltz, Coelif. 98–106 (fructus) und 106–137 (modi).

[193] WA 2,139,19ff. (Zit. o. S. 125 A.153). Es erscheint nicht als sinnvoll, diesen Text nur auf das Gebet zu beziehen, wie es die lateinische Übersetzung von 1521 tut (EA var III,414f.: „... non

ßen sich in Punkt 14, wo es um die rechte Einsicht in die Liebe Gottes geht, die Bitte um den fructus und bestimmte modi meditandi aus[194].

Wenn also die ganz in Gottes Hand liegende Frucht der Passionsmeditation bestimmte Weisen des Umgangs mit der historia passionis nicht ausschließt, so ist nun im folgenden zu fragen, wie solcher Umgang bei Luther näherhin bestimmt ist.

Wenn es sich um fruchtbare Meditation handeln soll, ist sie notwendig an den Affekt gebunden. Nach allem, was wir bisher über Luthers Lebenspraxis des Meditierens ausgeführt haben, besteht kein Grund, die Beteiligung des Affekts als verzichtbares traditionelles Element zu werten. Im Gegenteil, Meditation würde ohne Einbeziehung des Affekts ihr Wesen verfehlen. Freilich ist Luthers Verständnis des Affekts schon frühzeitig von der Tradition unterschieden, und zwar vor allem dadurch, daß dieser von dem nicht stufenmäßig ausgeglichenen Spannungsfeld aus Sünde und Gnade bzw. Anfechtung und Trost bestimmt wird[195]. Gerade dies läßt sich an Luthers Passionsmeditation gut beobachten.

Bevor wir uns dem Leittext unserer Ausführungen, dem Sermon von 1519, zuwenden, stellen wir die affektive Meditation der Passion Christi nach den lateinischen Sermonen dar, weil die in Rede stehende Sache hier vollständiger und terminologisch klarer zum Ausdruck kommt.

Wir müssen davon ausgehen, daß die in allen Einzelheiten vor Augen stehende Passion Christi den Menschen nicht ungerührt lassen kann. Im Sermo I sagt Luther präzisierend, daß der spiritualis homo bzw. der Mensch, in dem Christus wohnt, nicht anders kann, als tiefes Mitleid mit dem so furchtbar leidenden Christus zu empfinden[196]. Damit verdeutlicht er, daß es letztlich Christus selbst ist, der dieses Mitleiden wirkt. Gleichwohl kann man stärker von diesem Affekt erfaßt werden, wenn man sich bemüht, möglichst drastisch mit Christus die einzelnen Stationen seiner Passion mit-zuleiden[197]. Jedoch ist mit der skizzierten compassio noch nicht das Ziel der Passionsmeditation erreicht, da es sich nicht um irgendein Leiden, sondern um Christi Leiden für mich handelt. Somit

---

ideo statim desperandum aut intermittenda oratio erit."). Und selbst wenn man sich grammatikalisch in dieser Weise entscheidet, so ist doch das Gebet in unserem Fall einleitendes Gebet zur Meditation (WA 2,139,1–7; vgl. o. S. 124ff.), so daß die aus Gebet *und* Meditation bestehende geistliche Übung gemeint sein muß. Daß Christi Leiden in uns auch ohne greifbaren Zusammenhang mit Passionsmeditation die Frucht der Buße wirken kann (aaO. 139,21–31), steht auf einem anderen Blatt.

[194] WA 2,140,27–141,7; bes. 140,27–30: „Wan du nu nit magst gleuben, ßo soltu, wie vorhynn gesagt, Gott drumb bitten, dann dißer punct ist auch alleyn in gottis hand frey ... Magst dich aber da zu reitzen ..." Es folgt dann das Meditationsschema Herz Christi – Herz Gottes (vgl. u. S. 133). Die lateinische Übersetzung überträgt treffend: „Sunt autem quaedam viae, quibus ad hanc fidem nos invitemus" (EA var III,416).

[195] Vgl. zur Mühlen, Art. Affekt, bes. S. 608f.; auch o. S. 93.

[196] WA 1,336,20–25.

[197] Vgl. WA 1,336,26f.: „Ideo qui vult fructuose passionem Christi audire, meditari, legere, oportet eum induere affectum talis compassionis." Vgl. auch ebd. 336,27f.: „ac si sociatus Christo in passione".

muß das Mitleiden mit Christus zugleich ein Mitleiden mit mir selbst sein[198]. Dies geschieht durch die Einsicht, daß ich alles, was Christus unschuldig erlitten hat, auf Grund meiner Sünden tatsächlich verdient habe[199]. Gesteigert wird dieses Erschrecken über meine miseria der Sündhaftigkeit durch die bei der Betrachtung der Passion sich ständig erneuernde Einsicht, daß mein Elend wahrhaftig unermeßlich sein muß, wenn Gott selbst seinem einzigen Sohn solches Leid zu meiner Erlösung auferlegt hat[200].

Andererseits sieht der Mensch in der Passion Christi ebenso deutlich die Liebe Gottes, die den Sünder tröstet und ihn vor Verzweiflung bewahrt[201]. Auch die Liebe Gottes trifft den Menschen im Bereich des Affekts. Umgekehrt kann der Mensch durch affektives Meditieren der Passion dieser Liebe begegnen[202]. Solche Meditation ist unerschöpflich; der Mensch kann immer neue Entdeckungen der Liebe Gottes machen, eben weil diese Liebe selbst ohne Ende ist[203].

Im Sermon von 1519 nun spricht Luther nicht mit derselben Deutlichkeit von der Rolle des Affekts, wohl weil sich die affektive compassio im Rahmen der zeitgenössischen Frömmigkeit von selbst versteht und weil sie in einer Form, die vom Erschrecken über die eigene Sündhaftigkeit absieht, ein Mißstand ist, gegen den Luther sich mit seiner Schrift ausdrücklich wendet. Gleichwohl ist auch hier derselbe Sachverhalt gegeben.

Ausgangspunkt ist ebenfalls die Geschichte der Passion Christi. Luther benützt sie – wie seine Leser – in geläufigen Einteilungen[204]. So ist etwa von den Nägeln die Rede, die durch Christi Hände und Füße dringen[205]. Dieser Szene

---

[198] Vgl. WA 1,338,12–16: „. . . Christi passionem nondum intelligit, qui non se ipsum in illa depingi cernit, et vane Christo compatitur, qui sibi ipsi ex illa non discit compati. Stultus enim es, si Christo super te dolente et patiente tu securus de te eas velut compassione tui minus egens. In Christi enim compassione personaliter agas: ille pro te dolet, et tu non pro te sed pro illo doles?"

[199] Vgl. WA 1,338,27ff.: „Nam homo sensatus in omni malo quod videt, in quacunque miseria prius se ipsum in illo deplorat, timens et sciens se talibus et maioribus dignum."

[200] Vgl. WA 1,338,30–35: „. . . hic intelligit homo miseriam suam, quae, qualis, quanta sit, quia, si pro nostra miseria talis ac tantus patitur, scilicet unigenitus Dei filius, incomparabilis persona, innocentissimus, dignissimus, nec nostra potuit miseria auferri nisi infinita et inaestimabilis esset persona, Quis non terreatur ac penitus contremiscat, tantam suam esse miseriam, nempe infinitam et aeternam?"

[201] Vgl. WA 1,340,7–14. In Z. 8 muß es wohl miseriam heißen statt misericordiam.

[202] Vgl. WA 1,342,3f.: „Ideo iste affectus maxime in illa (scil. passione) est exercendus, omnibus modis (statt malis; vgl. Elze, Passion Jesu 137) et similitudinibus fovendus his applicatis . . ." Es folgt ein Vergleich zur Beförderung des Affekts: Man soll sich in einen vornehmen und reichen Mann hineinversetzen (sodann auch in dessen Sohn), der seinen Sohn – das muß man wohl nach WA 1,342,32–36 ergänzen – für seine Feinde dahingibt, um Gottes Güte ermessen zu können (WA 1,342,5–8). Solche Vergleiche aus dem überschaubaren Bereich benutzt Luther gerne zur Anregung des Affekts, vgl. etwa auch WA 1,343,36–40.

[203] Vgl. WA 1,344,2–11; bes. 344,7: „. . . semper restat videre novum aliquid . . ."

[204] Zur Notwendigkeit solcher Einteilungen und zu den verschiedenen Möglichkeiten vgl. Paltz, Coelif. 12,6–19.

[205] WA 2,137,28.32; 141,15.

entsprechen bei Jordan von Sachsen die Artikel 48–51. Ähnlich findet sich die Verspottung mit der Dornenkrone[206] bei Jordan im 33. Artikel. Deutlicher noch betont Luther freilich in den anderen Passionssermonen, daß man die Passion in kleine Einheiten zergliedern, diese Einheiten der Reihe nach durchmeditieren und so die ganze Passion in den Blick bekommen müsse[207]. Dabei ist es nicht nötig, daß dies in einem Zuge geschieht, sondern man kann sich, wie es dem Wesen der ruminatio entspricht, jeden Tag ein Stück vornehmen und dieses gründlich „kauen“[208].

Aus der Betrachtung dieser Einzelszenen erwächst nun die Buße, d.h. zunächst deren einer Teil, die Selbsterkenntnis. Zwei Beispiele führt Luther aus. Es handelt sich dabei um die schon erwähnten, durch Nägel und Dornenkrone bezeichneten Szenen. Der Betrachter sieht das Leiden Christi und verbindet es sofort mit seiner eigenen Situation als Sünder in einer doppelten Weise[209]:

a) Ich habe getan und verschuldet, was Christus leidet.

b) Ich habe solches und noch schlimmeres Leiden, letztlich die ewige Pein als Strafe für meine Sünden verdient.

So geschieht es, daß Christi körperliches Leiden unter meinen Sünden zu meinem gewissensmäßigen Leiden unter meinen eigenen Sünden führt[210].

Auf die affektive compassio als Brücke zwischen Christi und meinem Leiden weist mit großer Deutlichkeit ein Hilfsmittel, das Luther hier wie schon im Sermo I gibt[211]: Die Vorstellung der Unermeßlichkeit der Person, die für mich leidet, steigert das Erschrecken über mein Elend[212]. Es handelt sich dabei um ein traditionelles Hilfsmittel zur Steigerung des Affekts, das in der oder jener Form

[206] WA 2,137,29.30; 141,15.

[207] Vgl. WA 1,341,20f.: „discerne per singula“. Es folgen als Beispiele das Schwitzen von Blut im Garten Gethsemane, Backenstreich, Geißelung, Dornen und Nägel (341,21–26). Luther schließt diese Reihe von Beispielen mit der Aufforderung „et sic de ceteris singulis prosequendo“ (341,26). WA 1,344,36 heißt es, man müsse „per totam Christi passionem“ auf Christus achten. Beispiele für kleine Einheiten als Gegenstand der Betrachtung auch WA 1,336,25–33; 339,24f. Vgl. insges. Bayer, Promissio 97f.

[208] WA 9,146,31–36: „Daraus volget, das wir alle tage nicht das gantze leyden, leben adder werck Christi vor uns nemen sollen tzubetrachten, sunder alle tag eyn stuck, itzt wy er auszgefurtht wirth, itz wy er gekront, vorspottet, vorspeyet etc. darnach der mensch meer andacht findt, dardurch er gereitzt moge werden, und gee also in seyn hertz, kawe das selbst, auff das es bey im erwarmme und krafft und sussikeit dem menschen eyngebe.“ Vgl. o. S. 58f.

[209] WA 2,137,27–34.

[210] WA 2,138,19–22: „... das eygene naturlich werck des leydens Christi ist, das es yhm den menschen gleych formig mache, das wie Christus am leyb unnd seel jamerlich in unsern sunden gemartert wirt, mussen wir auch ym nach alßo gemartert werden im gewissen von unßernn sunden.“ Zur Gleichförmigkeit mit Christus vgl. u. S. 139f.

[211] Vgl. WA 1,338,30–35 (Zit. o. S. 131 A.200).

[212] WA 2,137,17–21: „Es muß eyn unsprechlicher, untreglicher ernst da seyn, dem ßo eyn große unmeslich person entgegen geht und da fur leydet und stirbt, und wan du recht tieff bedenckst, das gottis sun, die ewige weyßheyt des vatters, selbst leydet, ßo wirstu wol erschrecken, unnd yhe mehr yhe tieffer.“ Vgl. auch im Sermon von 1519 wieder das Hilfsmittel des Vergleichs aus dem überschaubaren Bereich: WA 2,138,24–32 (vgl. o. S. 131 A.202).

in allen Passionsbüchern seinen Platz hat[213]. Allerdings wird – bei gleicher „Methode“ – zugleich der Unterschied in der Art der compassio deutlich: Bei Gerhard Zerbolt handelt es sich um ein Mit-leiden, d.h. letztlich um die Einfühlung in fremdes Leiden[214], während bei Luther das Mit-leiden sofort und untrennbar eigenes Leiden ist. Man könnte also mit aller Vorsicht sogar von einer Steigerung des Affekts bei Luther gegenüber der Tradition reden.

Das Pendant zur Selbsterkenntnis bildet auch hier, im Sermon von 1519, die Erkenntnis der Liebe Gottes. Luther bezeichnet diesen Abschnitt der Meditation als „Ostertag“[215]. Dennoch handelt es sich kaum um ein Bedenken der Osterereignisse, sondern um ein Bedenken der Passion im Lichte von Ostern. Eine wichtige Rolle spielen dabei biblische Sprüche[216], die den Erlösungscharakter der Passion deutlicher formulieren als die evangelischen Berichte: „Auff diße unnd der gleychenn spruch mustu mit ganntzem wag dich vorlassen, ßo vil mehr, ßo herter dich deynn gewissen martert.“[217] Es ist nun freilich nicht so, daß die Erkenntnis unserer Sündhaftigkeit aus der Betrachtung des Leidens Christi käme, daß aber der Glaube an die Vergebung der Sünden sich allein auf verschiedene biblische Sprüche stützen würde. Diese bilden vielmehr nur den Schlüssel für die Betrachtung der Passion unter dem Gesichtspunkt der Liebe Gottes. Dafür sprechen die lateinischen Sermone[218]; dafür spricht auch unser Sermon in seinem 14. Abschnitt. Dort rät Luther, zur Beförderung des Glaubens an die Liebe Gottes[219] das Herz Christi anzusehen, das voll von Liebe gegen den Sünder ist, sodann vom Herz Christi weiterzusteigen zum Herzen Gottes, der damit dem Menschen nicht mehr in seiner erschreckenden Gewalt, sondern in seiner Güte und Liebe faßbar wird[220]. Wir stehen hier vor Anklängen an die spätere Herz-Jesu-Frömmigkeit, deren Anfänge tatsächlich in der mittelalterlichen Passionsmeditation zu suchen sind[221]. Um die praktische Be-

---

[213] Vgl. etwa Gerhard Zerbolt, Sp. asc., c. 32 (ed. Mahieu 174): „Cum igitur legis Christum talem poenam sustinuisse, vel sic et sic respondisse, vel tacuisse, cogita semper, et in conceptu sic forma, ut nomen Jesus tibi Deum et hominem repraesentet et sic Christum devotius et majori reverentia aspicias, multoque amplius compatieris. Si enim humano affectu bruto animali compateris intense afflicto, quanto magis compatieris Christo, si eum non solum ut hominem piissimum, dulcissimum, mitissimum, nobilissimum, amantissimum, gratiosum et decorum in conceptu assumeres, verum insuper ut Deum omnipotentem, metuendum, reverendum, adorandum creatorem et judicem tuum, mentis tuae oculis repraesentares.“

[214] Auch bei Gerhard Zerbolt kommt im Rahmen der Passionsmeditation die eigene Sündhaftigkeit als Ursache des Leidens Christi zur Sprache, ebenso das Erschrecken über die Sünde, so etwa Sp. asc., c. 32 (ed. Mahieu 186). Diese Anweisungen stehen jedoch deutlich von der compassio mit Christus getrennt und nehmen auch wesentlich weniger Raum ein. Vgl. unsere Ausführungen zum Verhältnis von Buß- und Passionsmeditation o. S. 123f.

[215] WA 2,139,33 (im Kontrast zum vorangegangenen „karfreytag“).

[216] WA 2,140,6–26. Genannt sind dort Jes 53,6; 1.Petr 2,24; 2.Kor 5,21; Röm 4,25.

[217] WA 2,140,11ff.

[218] Vgl. o. S. 131.

[219] Man soll sich dadurch zum Glauben „reitzen“, vgl. o. S. 130 A.194.

[220] WA 2,140,27–141,7.

[221] Vgl. Vernet, Spiritualité 84.

deutung von Luthers Rat zu verstehen, wenden wir uns zwei Beispielen aus der Tradition zu.

Will man den Blick auf das Herz Jesu im Rahmen der Passionsmeditation lokalisieren, so ist zunächst auf die Meditation der Seitenwunde zu verweisen. Bei Jordan von Sachsen ist diesem Thema der 63. Artikel gewidmet. Es heißt dort, die Seitenwunde sei zum Zeichen der überfließenden Liebe Christi so weit geöffnet, daß wir bis zu seinem Herzen sehen könnten[222]. Das Herz Jesu ist also bevorzugter Ort zur Erkenntnis der Liebe Gottes im Geschehen der Passion.

Jedoch ist das Bedenken der Liebe Christi nicht ausschließlich an die Seitenwunde gebunden. Prinzipiell kann in jedem Artikel der Passion diese Erfahrung gemacht werden[223]. Wir führen als Beispiel entsprechende Äußerungen Johanns von Staupitz in der ersten seiner Salzburger Predigten von 1512 an. Dort begegnet das Meditationsschema Leib – Seele[224] – Gottheit, das Ähnlichkeit mit Luthers Rat aufweist. Betrachtung des Leibes meint die compassio mit Christi Leiden; Betrachtung der Seele meint – freilich im Unterschied zu Luther – Einsicht in den Leidensgehorsam Christi mit dem Ziel der Nachfolge; Betrachtung der Gottheit läßt das Leiden Christi als Ausfluß von Gottes Güte und Barmherzigkeit deutlich werden[225]. Wichtig ist, daß dieses Schema auf alle Teile der Passion angewandt werden kann: „Wellet ir wol und recht betrachten das leiden Christi, so müest ir ansechen dreu stuck heut und auch in allem leiden, von dem ich sagen wirt."[226]

Aus den Bezugnahmen auf die Tradition ziehen wir folgende Schlüsse: Erstens bewegt sich Luther mit seinem Hinweis auf Christi Herz nach wie vor im Rahmen der Passionsmeditation; es handelt sich nicht um einen von der Meditationspraxis abgelösten Gedanken. Zweitens dürfte das Schema Herz Christi – Herz Gottes nicht auf die Meditation der Wunden, zumal der Seitenwunde,

---

[222] Jordan, Meditationes, art. 63, doc. 1: „Unde etiam in signum supereffluentissimi amoris Christi ad nos ita grande fuit illud vulnus lanceae, ut latus eius apertum videretur etiam usque ad cor."

[223] Vgl. etwa auch die scala meditatoria dominicae passionis des Mauburnus (dazu o. S. 121f.).

[224] Die „Seele" entspricht sachlich dem „Herz"; zu ihr sind ebenso wie zum Herzen die Wunden ein möglicher Zugang. Vgl. Salzburger Predigten 1512, Nr. 9 (f.41v): „Es ist nindert (= nirgends) ain so klains wündlein noch löchlein, du mügst wol dadurch eintringen zu der sel und durch die sel zu der gothait. Da soltu smecken und kosten die allersüessisten parmherzikait."

[225] Staupitz, aaO., Nr. 1 (f.3r): „Und in dem stee nit still, tring hinein durch das leiden der sel und lueg, was die gothait darzu tue –das drit –; so findestu, das das leiden des leibs und di gehorsam der sel fliessen her aus dem prunn der parmherzikait gots: ‚O mein got, nun sich ich dein lib, dein genad und dein parmherzikait erkenn ich, wann da ich dein feint was, da hastu das getan. Wer ist ie gewesen, der für sein feindt den tod hiet geliten? Wer mocht das umb dich verdienen, so wir all dein feint warn?' Da fleust es heraus, da ist nichts dann parmherzikait, da ligst an den end (= darauf kommt es hier an; cj.: „ligts" statt „ligst"/W. Schneider-Lastin, Bearbeiter im Rahmen der Staupitz-Ausgabe), und hat di parmherzikait die sündt verschlickt, die hoffnung di forcht, di frölichait das trauern, der triumpf das leiden und trübnüß, di sterk di krankhait, das leben den tod und got den menschen." Die Einführung des gesamten dreistufigen Meditationsschemas findet sich ebd., f.2v.

[226] Ebd., f.2v.

beschränkt sein; vielmehr kann man jeden Teil der Passion nach diesem Schema meditieren[227].

Eine Bemerkung, das Verhältnis von Selbsterkenntnis und Gotteserkenntnis betreffend, ist noch anzufügen. Nach dem Sermon von 1519 hat es nämlich den Anschein, als sei das Nacheinander beider Pole der Buße bindend. Demgegenüber ist festzuhalten, daß sie zwar sachlich untrennbar zusammengehören, daß Reihenfolge und Gewichtung im Rahmen der Meditation aber von dem zu meditierenden Abschnitt der Passion sowie von der persönlichen Situation dessen abhängen, der sich der Meditation widmet[228]. Dabei gilt prinzipiell, daß die aus der Passion Christi entspringende Buße „auß liebe, nit auß furcht der peyn"[229] geschieht, daß folglich die Erkenntnis der Liebe Gottes sachlichen Vorrang hat; schon die Passion als Gegenstand der Meditation setzt im Grunde das Vorzeichen der Liebe Gottes. Dem kann ein Vorrang in der Abfolge der Meditation entsprechen, wie es im Sermo II der Fall zu sein scheint[230]. Dabei ist aber mit Überschneidungen zu rechnen, etwa wenn am Übermaß der Liebe Gottes die eigene Undankbarkeit erkannt wird[231]. Natürlich kann im Vollzug des Meditierens auch die Selbsterkenntnis der Gotteserkenntnis vorausgehen. Am ehesten dürften wir Einblick in die tatsächliche Praxis Luthers bekommen, wenn wir ein Beispiel wie etwa seine Meditation der Weihnachtsgeschichte von 1521 ansehen[232]. Selbsterkenntnis und Gotteserkenntnis entspringen dort unmittelbar und in enger Verknüpfung einem Meditieren, das einfühlend dem Duktus der Erzählung folgt.

Wir halten nun das Ergebnis dieses Teiles der Untersuchungen fest: Gegenstand der Meditation ist die Geschichte des Leidens Christi in allen Einzelheiten. Von ihr wird der Mensch vor allem in seinem Affekt ergriffen. Diese affektive Versenkung in Christi Passion ist aber nur dann fruchtbar, wenn sie den Betrachter unausweichlich einbezieht. Einerseits nämlich wird er sich im Leiden Christi des ganzen Ausmaßes seiner Sündhaftigkeit bewußt; andererseits sieht er darin die Liebe Gottes am Werk, die den Sünder rechtfertigt. Weil also in solcher compassio der Mensch *zugleich* auf Christus und auf sich selbst blickt, kann diese ein Zweifaches bewirken: Sie läßt das Geschehen der Passion Christi für mich als Buße fruchtbar werden und sie läßt mich in meinem Elend

---

[227] Vgl. WA 1,341,20–26. Dort sagt Luther, man solle aus jeder Einzelheit der Passion unter anderem die caritas herauslesen. Vgl. auch WA 9,146,31–36 (Zit. o. S. 132 A.208): Wenn beim Meditieren eines beliebigen Stückes der Passion dem Menschen „Süßigkeit" erwächst, so kann dies nur auf die auch in Details erkennbare Liebe Christi bzw. Barmherzigkeit Gottes zurückzuführen sein.

[228] Es dürfte für die Meditation ähnliches gelten wie für die Predigten, vgl. Heintze, Luthers Predigt 220.

[229] WA 2,141,9. Zum Gesichtspunkt der Liebe Gottes als Mittelpunkt der Passionspredigten vgl. Heintze, aaO. 231. Vgl. auch o. S. 133.

[230] WA 1,341,36–342,36 (cognitio Dei); 342,37–(ca.)343,28 (cognitio nostra).

[231] Vgl. WA 1,342,27–30; auch WA 1,576,10–13 (Zit. o. S. 105 A.24).

[232] WA 10 I,1,62,17–70,4; vgl. u. S. 145ff.

nicht allein, indem sie es in die Passion Jesu einbindet. Solches die Existenz des Menschen zutiefst betreffende Mit-leiden mit Christus ist ungeachtet aller Ratschläge zum Vollzug der Meditation sacramentum, also allein Christi Werk.

3. Nachfolge

Die Meditation der Passion, wie sie im vorhergehenden Abschnitt beschrieben wurde, stand unter dem Oberbegriff des sacramentum. Bevor wir uns nun dem zweiten, mit exemplum bezeichneten Teil zuwenden, gilt es kurz den Zusammenhang zwischen beiden Gliedern des Schemas ins Auge zu fassen.

Grundsätzlich gehören sacramentum und exemplum aufs engste zusammen[233]. Formal zeigt sich dies daran, daß beide Teile zwei Seiten ein und desselben Textes zum Ausdruck bringen[234]. Inhaltlich äußert sich die Zusammengehörigkeit so, daß einerseits Christi Wirken an uns als sacramentum notwendig zur Auswirkung als exemplum im konkreten Leben führt und daß umgekehrt menschliches Handeln im Sinne Christi (exemplum) nicht gelingen kann, wenn nicht Christus in uns wirkt (sacramentum). Durch diesen Zusammenhang unterscheiden sich die Worte des Evangeliums von allen menschlichen Worten und Erzählungen. Sie stellen uns nämlich nicht Tugenden und Vorbilder in der Weise vor Augen, daß wir aus eigener Kraft ihnen nachstreben müßten, sondern Gott wirkt durch die Worte das, was sie sagen[235]. Auf Grund dieser Kraft, die Gott seinem Wort beigibt, kommt der Meditation als Umgang mit diesem Wort die hohe Bedeutung zu, daß sich durch sie Gnade und Heil ereignet[236].

Die „sakramentale" Meditation der Passion haben wir beschrieben. In ihr wirkt Christus dadurch, daß er uns durch Sündenerkenntnis und Erkenntnis der Liebe Gottes in seine Passion hineinzieht und daß er uns so seinem Leiden und damit ihm selbst „gleych formig"[237] macht, den geistlichen Tod[238] und die

---

[233] Vgl. dazu insges. Ebeling, Evangelienauslegung 439–446; Loewenich, Luther als Ausleger 86, 121f. Vgl. auch o. S. 126f.

[234] Vgl. WA 9,439,19ff. (Zit. o. S. 117 A.107).

[235] Vgl. WA 9,440,2–5: „Atque hoc est, quod dico sacramentaliter, hoc est, omnia verba, omnes historie Euangelice sunt sacramenta quedam, hoc est sacra signa, per que in credentibus deus efficit, quicquid ille historie designant." Vgl. im Kontext ebd. 439,19–440,19 und 442,23ff. Vgl. zum Problem des Wortes Gottes als sacramentum Bayer, Promissio 78–100.

[236] Vgl. WA 9,440,16–19: „Ecclesie Euangelium est in salutem omni (nach Röm 1,16 Vulg. statt omnia) credenti, sicut proculdubio per baptismum gratia, item per absolutionem condonatio peccati est, ita proculdubio per meditationem verbi Christi gratia est et salus." Entsprechend heißt es in unserem Sermon (WA 2,139,14f.): „. . . dißes bedenken wandelt den menschen weßenlich und gar nah wie die tauffe widderumb new gepiret."

[237] WA 2,138,19f.: „. . . das eygene naturlich werck des leydens Christi ist, das es yhm den menschen gleych formig mache . . ." Vgl. ebd. 138,35f.; auch u. S. 139f.

[238] WA 2,139,15–18: „Hie wircket das leyden Christi seyn rechtes naturlich edels werck, erwurget den alten Adam, vortreybt alle lust, freud und zuvorsicht, die man haben mag von creaturen, gleych wie Christus von allen, auch von got vorlaßen war."

geistliche Wiedergeburt[239] des Menschen. Ist dies ein Vorgang, der zunächst den inneren Menschen ergreift und umgestaltet, so muß er doch auch nach außen, in den Werken, greifbar werden. Wir betreten damit den zweiten Teil der Meditation, in dem Christi Leiden als exemplum meditiert wird. In der Tradition wäre dies dasjenige Meditieren, das unmittelbar zur tätigen Nachgestaltung des Lebens Christi, d.h. zur imitatio, führt. Dem dort im Vordergrund stehenden Imperativ des Handelns[240] ist bei Luther durch die sachliche Vorordnung des sacramentum vor das exemplum gewehrt[241]. Aus der Wirksamkeit der Passion Christi an uns als sacramentum folgt mit einer gewissen Selbstverständlichkeit die Nachfolge im Sinne des exemplum[242]. Auch die konkreten Lebensvollzüge in der Nachfolge bleiben dabei Christi Werk, das unser Handeln umfaßt und trägt[243].

Wir untersuchen nun die „exemplarische" Bedeutung der Passion Christi für den Vorgang des Meditierens am Beispiel des Sermons von 1519.

Zunächst ist festzuhalten, daß Christi Leiden als exemplum nicht einfach die aus der „sakramentalen" Meditation entspringenden Lebensvollzüge meint, sondern daß es tatsächlich Gegenstand der Meditation ist. In dem Textstück, das zum exemplum überleitet, ist dementsprechend das Verbum „bedenken" auf den Meditationsvorgang selbst zu beziehen und nicht auf ein anderweitiges Nachdenken Luthers und seiner Leser über die an Christi Leiden orientierte Lebenspraxis[244]. So wird auch in den folgenden praktischen Beispielen nicht direkt zum Handeln aufgefordert, sondern meist zum Denken (was derselbe Wortstamm wie „bedenken" ist), aber auch zum Sehen, Stärken des Herzens oder Sprechen[245]. Von der Veränderung der Lebensvollzüge selbst, die solcher Meditation entspringt, ist nur andeutungsweise im Anschluß an die Beispiele die Rede[246].

---

[239] WA 2,141,3–7: „Das heist dann got recht erkennet, wan man yhn nit bey der gewalt ader weyßheit (die erschrecklich seynd), sundernn bey der gute und liebe ergreifft, da kan der glaub und zuvorsicht dan besteen und ist der mensch alßo warhafftig new ynn got geporen." Vgl. auch ebd. 139,14f. und WA 1,337,14–19.

[240] Vgl. Elze, Passion Jesu 128.

[241] Zur Absetzung Luthers von der Tradition vgl. Ebeling, Evangelienauslegung 233–239.

[242] Vgl. WA 1,340,2–5.

[243] Vgl. WA 1,309,18–21: „. . . vita Christi est simul sacramentum et exemplum, Sacramentum primo modo, dum nos iustificat in spiritu sine nobis, Exemplum, dum nos similia facere monet etiam in carne, et operatur cum nobis." Vgl. nächste Anm.

[244] WA 2,141,8–13: „Wan alßo deyn hertz in Christo bestetiget ist unnd nu den sunden feynd worden bist auß liebe, nit auß furcht der peyn, ßo soll hynfurter das leyden Christi auch eyn exempel seyn deynes gantzen lebens und nu auff eyn anderweyß dasselb bedencken. Dan biß her haben wir es bedacht als eyn sacrament, das yn unß wirkt und wir leyden, Nu bedencken wyr es, das wir auch wircken, Nemlich alßo: . . ." Es folgen die sechs Beispiele. Wir vermerken, daß die lateinische Übersetzung von 1521 den eben zitierten Text in der angegebenen Weise versteht. Sie übersetzt „bedenken" mit meditari, was im Zusammenhang mit dem Titel De meditatione dominicae passionis nur den Meditationsvorgang selbst meinen kann (EA lat. var. III,417).

[245] WA 2,141,14–29.31.34. [246] Vgl. WA 2,141,30f.

Sodann ist an den sechs von Luther aufgeführten Beispielen „exemplarischer“ Meditation das Schema zu beachten, nach denen sie aufgebaut sind. Sie beginnen jeweils mit der Nennung einer konkreten Situation und fordern dann auf, Christi Leiden (bzw. passende Szenen desselben) im Hinblick auf ebendiese Lebenssituation zu meditieren[247]. Inhaltlich sind die Situationen und damit auch die Funktion des Leidens Christi in ihnen zunächst einmal verschieden. Im ersten und im zweiten Beispiel geht es um Krankheit und andere Widerwärtigkeiten. Hier tröstet und stärkt die Meditation des Leidens Christi durch die Einsicht in die Relativität der eigenen Beschwernisse. Anders liegt der Fall in den Beispielen 3–5, welche die Ausgangssituation durch Untugenden wie Hochmut, Unkeuschheit, Haß oder Neid beschreiben. Ihnen gegenüber wirkt Christus in bestimmten Stationen seines Leidens als positives Gegenbild. Das sechste Beispiel bringt eigentlich nichts Neues, sondern ist vielmehr als Zusammenfassung der vorangehenden Beispiele zu verstehen. In diesen handelt es sich nämlich ohne Ausnahme um Situationen der Anfechtung. Dies wird teils durch die Verwendung des Verbums „anfechten“ deutlich gemacht, teils handelt es sich, wie aus dem Kontext der Theologie Luthers zu ersehen ist, sachlich um Anfechtungen[248]. Somit also kann im letzten Beispiel zusammenfassend und vertiefend gesagt werden, daß wir in allen äußeren und inneren Anfechtungen Christus ansehen sollen, wie er im Garten Gethsemane angefochten war[249]. Der Verweis auf diese Szene der Passion, die für Luther zeitlebens „die absolute Anfechtungseinsamkeit“[250] bedeutete, berechtigt uns zusätzlich, die genannten „trubsal adder waßerley widderwertickeyt leyplich adder geystlich“[251] als Summe der Anfechtungen zu verstehen.

Wenn wir somit Nachfolge als Nachfolge in Anfechtungen beschreiben müssen, so wäre in weitergehender Weise, als es bisher geschehen ist, nach dem Verhältnis von Anfechtung und Passionsmeditation, nunmehr in ihrem „exemplarischen“ *und* „sakramentalen“ Teil, zu fragen. Luther selbst erörtert im Sermon diese Frage nicht mit aller Deutlichkeit. Wir meinen jedoch, daß die Linien leicht zu einer vollständigeren Skizze ausgezogen werden können.

Wir konzentrieren unsere Beobachtungen auf das erste Beispiel für die Nachfolge, nämlich die Nachfolge in der Anfechtung durch Krankheit und Leiden[252]. Wäre Christi Leiden an den durch Dornenkrone und Nägel verursachten Wunden *nur* – wie wir im ersten Gedankendurchgang dieses Abschnittes

---

[247] Wir zitieren das erste Beispiel: „So dich eyn weetag oder kranckheyt beschweret, dencke, wie gringe das sey gegen der dornenn kronen und negelnn Christi“ (WA 2,141,14f.).

[248] Vgl. die Aufzählung und Einteilung der Anfechtungen WA 2,123,29–125,26; auch o. S. 94f.

[249] WA 2,141,25–29: „Szo dich trubsal adder waßerley widderwertickeyt leyplich adder geystlich bekummert, sterck deyn hertz und sprich: Ey worumb solt ich dan nit auch eyn kleyn betrubnis leyden, ßo meyn herr ym garten blut vor angst und betrubnis schwitzt, Eyn fauler, schendlicher knecht were das, der auff dem bett liegenn wolt, wan seyn herr yn todts nöten streytten muß.“

[250] Vogelsang, Der angefochtene Christus 24; vgl. Heintze, Luthers Predigt 234–239.

[251] WA 2,141,25.

[252] WA 2,141,14f. (Zit. o. A.247).

gesagt haben – dadurch hilfreich, daß es uns Einsicht in die relative Geringheit unseres eigenen Leidens schenkt, so könnte prinzipiell auch ein Märtyrer der Kirche als exemplum dienen. Es muß da, wo Christus selbst exemplum ist, um mehr gehen.

Blicken wir auf den „sakramentalen“ Teil der Meditation, so finden wir dort dieselben Szenen des Leidens Christi, Dornenkrone und Nägel, in ganz anderer Funktion[253]. Wie wir gesehen haben[254], erkennt der Mensch bei diesen Szenen, daß er selbst Ursache des Leidens Christi ist und daß er solches Leiden in unendlichem Maße als Strafe selbst verdient hat. Somit muß er sein eigenes, aktuelles Leiden zunächst auch als Strafe für seine Sünde ansehen. Auf der anderen Seite jedoch erkennt er, daß Gott im Leiden Christi seine Rechtfertigung gewirkt hat und daß dem eigenen Leiden damit der Stachel der Sünde genommen ist. In dieser doppelten Erkenntnis hat das eigene Leiden seine Funktion als Anfechtung erfüllt, die darin besteht, daß „der mensch sich und got erkennen lerne, Sich erkennen, das er nichts vormag, dan sundigen und ubel thun, Got erkennen, das gottis gnaden stercker sey, dan alle creaturen, und also lerne sich vorachten und gottis gnaden lobenn und breysen“[255].

Wenn ich sehe, wie Gott im Leiden Christi heilsam am Werk ist, dann ist unmerklich Christus als exemplum schon in den Blick gekommen[256]. Das ist nicht verwunderlich, denn im Grunde ist da, wo Gott und Mensch in der Buße ins rechte Verhältnis zueinander gekommen sind, schon sozusagen der Rücken frei für Handeln und Leiden in der Nachfolge Christi. Nun erscheint mir mein eigenes Leiden tatsächlich als relativ gering, wenn ich es mit dem vergleiche, was ich entsprechend dem Leiden Christi eigentlich verdient hätte. Aus dem Blick auf den leidenden Christus erwachsen mit Mut und Kraft, die mir von Gott auferlegten Anfechtungen durchzustehen. Anfechtung und Leiden führen mich nicht immer weiter von Gott weg und damit immer tiefer in die Sünde, sondern ich erkenne, daß Gott darin heilsam am Werk ist mit dem Ziel, mich seinem Sohn gleichförmig zu machen[257].

Diesem Wirken Gottes im Sinne der conformitas Christi müssen wir uns nun noch kurz zuwenden[258]. Luther spricht in unserem Sermon von der conformitas ausdrücklich nur im Zusammenhang der „sakramentalen“ Meditation,

---

[253] WA 2,137,27–33. [254] Vgl. o. S. 132.

[255] WA 2,125,19–22. Luther gibt damit Antwort auf die Frage nach dem Ziel, das Gott mit den Anfechtungen verfolgt.

[256] Der Meditationsvorgang kann nicht immer in strenger Einteilung nach sacramentum und exemplum erfolgen. Vgl. das Beispiel einer Meditation der Weihnachtsgeschichte u. S. 145ff.

[257] Wir haben unsere Überlegungen am Beispiel der Anfechtung durch Leiden durchgeführt. Sie gelten jedoch auch für die anderen Arten der Anfechtung. Für die Anfechtung durch Hochmut beispielsweise könnte man den Weg folgendermaßen skizzieren: Hochmut – Erkenntnis desselben und Erschrecken – Erkenntnis der Liebe Gottes in der Niedrigkeit der Passion Christi – Nachfolge in Niedrigkeit.

[258] Vgl. Vogelsang, Der angefochtene Christus, bes. S. 52–62; Tarvainen, Conformitas, pass.; Rost, Gleichförmigkeit, pass.

genauer in deren auf Selbsterkenntnis zielendem Teil[259]. Jedoch dürfte sich in dieser Beschränkung Luthers rückhaltlose Einbeziehung des eigenen Gewissens in die Passionsmeditation ebenso ausdrücken wie seine Kritik an der Tradition, in welcher die Gleichförmigkeit mit Christus dem in der imitatio zu vollziehenden Handeln vorbehalten war[260]. Aus anderen Äußerungen Luthers wird deutlich, daß zur conformitas auch der Teil der „sakramentalen“ Meditation gehört, der Gottes Liebe zum Gegenstand hat[261]; wie Tod und Auferstehung Christi nicht zu trennen sind, so gehören auch geistlicher Tod und geistliche Wiedergeburt des Menschen zusammen[262]. Sachlich zählen sodann, da sie dem sacramentum als notwendige Folge zugeordnet sind, auch die Meditation der Passion Christi als exemplum und die daraus entspringende tatsächliche Nachfolge in der Anfechtung unter das Stichwort der conformitas Christi; das Kreuz ist die Form, nach der Gott den inneren *und* äußeren Menschen formt[263].

Wir fassen nun die Ergebnisse dieses Teils der Untersuchungen zusammen und ziehen dann die Linien aus zu der späten Trias oratio – meditatio – tentatio.

In allen Beispielen der Nachfolge hatten wir es mit vorgängigen, als Anfechtungen zu beschreibenden Lebenssituationen zu tun, in welche die Meditation der Passion als sacramentum und exemplum trifft. Darin ereignet sich eine tiefgreifende innere Wandlung des Menschen, durch die er dazu befreit wird, jene Lebenssituationen handelnd und leidend im Blick auf den für ihn leidenden Christus zu bestehen.

Dieser Prozeß von Anfechtung – Passionsmeditation – Nachfolge in Anfechtungen entspricht genau dem, was bei der Besprechung der späten Trias oratio – meditatio – tentatio zum Verhältnis von meditatio und tentatio zu sagen war[264]. Einerseits kommt die Meditation nicht im Bereich der Innerlichkeit zum Ziel, sondern sie führt den Menschen notwendig in die Lebensvollzüge der angefochtenen Existenz. Andererseits steht die Anfechtung auch unabdingbar als Erfahrungshorizont am Anfang des Meditierens. Auch hier könnte man von einer Verflechtung aus Worterfahrung und Existenzerfahrung sprechen[265]. Wenn wir

---

[259] WA 2,138,20.35.

[260] Zum Unterschied von Luthers conformitas gegenüber der imitatio der Tradition vgl. die Ausführungen bei Tarvainen, Conformitas 26–35.

[261] Vgl. WA 1,112,37–113,3: „Igitur opus Dei alienum sunt passiones Christi et in Christo, crucifixio veteris hominis et mortificatio Adae, Opus autem Dei proprium resurrectio Christi et iustificatio in spiritu, vivificatio novi hominis, Ut Rom. 4. Christus mortuus est propter peccata nostra et resurrexit propter iustificationem nostram (Röm 4,25). Ista itaque conformitas imaginis filii Dei includit utrumque illud opus“ (Predigt 1516). Die umfassende Bedeutung der conformitas muß gegen Rost, Gleichförmigkeit 11f., behauptet werden. Nach seiner Ansicht bezeichnet in unserem Sermon der Konformitätsgedanke „nur einen Durchgang und soll der Sünden- und Selbsterkenntnis des Menschen dienen. Er hat jetzt rein gesetzliche Funktion, und jede evangelische Bedeutung ist ihm genommen.“

[262] Vgl. o. S. 136f.

[263] Vgl. etwa Loewenich, Theologia crucis 164ff.; Vogelsang, Der angefochtene Christus, bes. S. 55ff.

[264] Vgl. o. S. 99f.

[265] Vgl. o. S. 100.

nun das der Meditation vorgängige Gebet hinzunehmen, so erweist sich die Passionsmeditation Luthers, wie sie im Sermon von 1519 zum Ausdruck kommt, als konkrete Durchführung jenes durch die Trias von 1539 formulierten Programms.

3.4.2.3. *Die Kontinuität von Luthers Passionsmeditation*

Unsere bisherigen Untersuchungen haben es nahegelegt, die im Sermon von 1519 intendierte Praxis der Passionsmeditation von ihrer Struktur her als konkrete Durchführung der Trias von 1539 zu beschreiben. Die damit angedeutete These der Kontinuität soll nun an einigen Punkten zusätzlich erhärtet werden. Zugleich kommen dabei noch einige Aspekte in den Blick, die bei der Interpretation des Sermons nicht zur Geltung gebracht werden konnten.

Zuerst ist darauf hinzuweisen, daß Luther seinen Sermon weiterhin als gültige Aussage zu dem in Rede stehenden Problem betrachtete. Das geht daraus hervor, daß er ihn 1523 bei der zweiten Bearbeitung des Betbüchleins in dasselbe aufgenommen hat[266]. Von da an findet sich der Sermon in so gut wie allen Ausgaben des Betbüchleins[267]. Auch der Fastenpostille von 1525 hat Luther ihn zugefügt[268]. Möglicherweise spielt Luther in seiner Schrift gegen die Antinomer von 1539 auf den – wie wir eben gezeigt haben – weitverbreiteten Sermon an. Er stellt es dort als beständigen Zug seiner Lehre heraus, daß die Passion zur Buße reizen solle, wobei dies geschehe „durch die predigt oder betrachtung des leidens Christi“[269]. Sollte der Sermon damit nicht gemeint sein, so hat Luther doch an dieser Stelle die Buße als Ziel des öffentlichen *und* privaten Umgangs mit der Passion, also das sachliche Anliegen des Sermons, im Blick.

Auch die durch die Begriffe sacramentum und exemplum bezeichneten Leitlinien der Meditation finden sich immer wieder in den Predigten der späteren Jahre. Freilich sagt Luther zuweilen lieber donum statt sacramentum[270], weil er einen Begriff vermeiden wollte, der im Sinn der allegorischen Auslegung vorgeprägt war[271]. Oder aber Luther verwendet gar keinen zusammenfassenden Begriff, sondern bezeichnet die zwei Teile, welche die „sakramentale“ Meditation konstituieren, einfach als die beiden usus der Passion[272]. Wenn man von

---

[266] Vgl. F. Cohrs in dem auf ihn entfallenden Teil der editorischen Vorbemerkungen zum Betbüchlein (WA 10 II,341 u. 345).

[267] Vgl. die Übersicht über die verschiedenen Ausgaben WA 10 II,368f.

[268] Vgl. G. Buchwald in der Einleitung zur Fastenpostille 1525 (WA 17 II,XVIII). Vgl. auch WA 17 II,246.

[269] WA 50,471,1–4: „Ich hab freilich gelert, lere auch noch, das man die sunder solle zur busse reitzen durch die predigt oder betrachtung des leidens Christi, damit sie sehen, wie gros der zorn Gottes uber die sunde sey, Das da kein ander hülfe wider sey, denn das Gottes son musse dafur sterben ...“

[270] Vgl. etwa WA 10 I,1,11,1–13,2 (Ein kleiner Unterricht, was man in den Evangelien suchen und erwarten soll. Wartburgpostille 1522); WA 15,778,1–8.

[271] Vgl. Ebeling, Evangelienauslegung 120f., 425.

[272] Vgl. etwa WA 27,105,5.6.12.

allen Benennungen und ihren jeweiligen Problemen absieht, so geht es Luther – wie es G. Heintze in seiner umfassenden Untersuchung für die Passionspredigten festgestellt hat – „immer wieder um diese drei Stücke: Erkenntnis der Sünde, Ergreifen des Trostes und Leidensnachfolge“[273].

Nachfolge Christi war in unserem Sermon Nachfolge in Anfechtungen. Daran hat sich in den späteren Jahren nichts geändert: Christi Kreuz führt uns in die Kreuzesnachfolge[274]. Als Beispiel führen wir den „Sermon vom Kreuz und Leiden“ von 1530 an[275]. In ihm will Luther über die Passion nur als exemplum predigen[276]. Dabei beschreibt er eindrücklich das Christenleben als Leben in Anfechtungen, durch welche Gott den Menschen seinem Sohn „gleichförmig“ macht[277]. Wenigstens anmerken wollen wir an dieser Stelle, daß „exemplarische“ Auslegung bzw. Meditation durchaus nicht auf die Gestalt Christi allein beschränkt ist. Gerade die eben angeführte Predigt zeigt deutlich, daß sogar Heilige, wie etwa Christophorus, zum exemplum, freilich niemals zum sacramentum[278], werden können[279]. Solche Heiligen, vor allem natürlich biblische Gestalten, positive wie negative, sind aber exempla auch nur als „Beispiele einer von Christus so oder so getroffenen Existenz, durch die Christus unsere Existenz trifft“[280].

Ein Problem verdient besondere Beachtung, nämlich die Art und Weise, in der die Erzählung von der Passion in den Meditationsvorgang eingefügt ist. Wir haben schon auf die enge Verknüpfung von historia und meditatio im Sermon von 1519 und in den ihm vorausgehenden Passionssermonen hingewiesen[281]. Als Ergebnis hatte sich herausgestellt, daß Luther zwar eine verdienstliche compassio mit Christus ohne die Einbeziehung des eigenen Gewissens scharf ablehnt, daß aber andererseits die compassio zu unserem tiefen Erschrecken über die eigene Sündhaftigkeit, das dennoch nicht zur Verzweiflung führen soll, notwendig ist: Es handelt sich um die Klage *über uns* selbst *in Christus*.

Dieser Zusammenhang besitzt für Luther bleibende Bedeutung. Bei allen Warnungen vor einem falschen Umgang mit der historia Christi hat diese doch

---

[273] Heintze, Luthers Predigt 220. Heintze gliedert seine Erörterungen zu Luthers Passionspredigt (S. 212–256) sogar nach diesem Dreischritt (zu den verschiedenen Benennungen vgl. bes. S. 219f.). Er bietet in vielen Zitaten eine Fülle von Einzelheiten, die Luthers Verhältnis zur Passion Christi schön verdeutlichen. Vgl. auch Preuß, Christenmensch 51f.

[274] Vgl. Vogelsang, Der angefochtene Christus 90f.; Heintze, Luthers Predigt 245–255.

[275] WA 32,28–39.

[276] Vgl. WA 32,28,25.

[277] Vgl. WA 32,29,5; 39,4. Auch die anderen Erzählungen von Jesus, etwa die Geburtsgeschichte, führen notwendig zur Nachfolge in Anfechtungen; vgl. WA 10 I,1,73,10ff. (zu Lk 2,1–14): „Da folgt denn eynn recht williger mutt tzu thun, lassen und leyden allis, was gott wol gefellet, es sey am leben odder sterben, wie ich viel mal gesagt hab.“

[278] Vgl. etwa WA 15,778,2.

[279] WA 32,32,18–34,10.

[280] Loewenich, Luther als Ausleger 86; vgl. Ebeling, Evangelienauslegung 442–445.

[281] Vgl. o. S. 130–135.

ihre unmittelbar anrührende Kraft auf Luther niemals eingebüßt. Dies soll mit einigen Beobachtungen belegt werden.

Zunächst ist mit H. Steinlein ganz grundsätzlich auf „Luthers Anlage zur Bildhaftigkeit“[282] hinzuweisen, die sich bis in den Sprachgebrauch hinein verfolgen läßt[283]. Wie sehr gerade die Passion Christi bildhaft im Inneren Luthers wirkte, soll die schöne Stelle aus seiner Schrift „Wider die himmlischen Propheten, von den Bildern und Sakrament“ von 1525 belegen:

„So weys ich auch gewiss, das Gott wil haben, man solle seyne werck hören und lesen, sonderlich das leyden Christi. Soll ichs aber hören odder gedencken, so ist myrs unmüglich, das ich nicht ynn meym hertzen sollt bilde davon machen, denn ich wolle, odder wolle nicht, wenn ich Christum hore, so entwirfft sich ynn meym hertzen eyn mans bilde, das am creutze henget, gleich als sich meyn andlitz naturlich entwirfft yns wasser, wenn ich dreyn sehe.“[284]

Luther weiß, daß auch andere Menschen eine solche Anlage zur Bildhaftigkeit besitzen. Deshalb befürwortet er bildliche Darstellungen der Geschichte Jesu, sofern sie dem Wort Nachdruck verschaffen[285]. In die Ausgabe seines Betbüchleins von 1529 hat er eine biblische Geschichte in 50 Holzschnitten mit jeweils kurzem Text aufgenommen[286]. Mit dem Titel „Passional“ macht er deutlich, daß er den Schwerpunkt der gesamten biblischen Geschichte im Leben Jesu, besonders aber in seiner Passion sieht[287]. In seiner Vorrede hebt er den pädagogischen Nutzen solcher und ähnlicher Darstellungen hervor[288].

Sodann ist auffällig, wie sehr Luther sich in Leben und Leiden Christi bis in Details hinein versenken konnte[289], ja daß er – wie es dem mittelalterlichen Umgang mit der Vita Christi entsprach[290] – auch diesen oder jenen Strich dazumalte[291]. Dies empfiehlt er auch wieder seinen Hörern. In einer Predigt des

[282] So der Titel des Aufsatzes von Steinlein.

[283] Zu „malen“, „bilden“ etc. vgl. Steinlein, aaO., bes. S. 17–20. Der gesamte Aufsatz verzeichnet reiches Material zum Nachweis der Bildhaftigkeit von Luthers Denken.

[284] WA 18,83,6–12.

[285] Zur Höllenfahrt Christi vgl. WA 37,62,34–63,29, bes. 63,25–29: „Sondern weil wir ja müssen gedancken und bilde fassen des, das uns jnn worten fürgetragen wird, und nichts on bilde dencken noch verstehen können, So ist fein und recht, das mans dem wort nach ansehe, wie mans malet, das er mit der fahn hinunter feret, die Helle pforten zu bricht und zu storet, und sollen die hohen unverstendlichen gedancken anstehen lassen.“ Vgl. auch die Beispiele bei Preuß, Künstler 57–61.

[286] WA 10 II,458–470; vgl. dazu die editorischen Bemerkungen von F. Cohrs ebd. 341 f.

[287] In der Tradition bezeichnete „Passional“ über die eigentliche Leidensgeschichte hinaus die Lebensgeschichte Christi sowie Marias und der Heiligen. Solche Passionale waren herkömmlich mit Holzschnitten ausgestattet. Vgl. dazu WA 9,687 A.1.

[288] WA 10 II,458,16–459,11.

[289] Vgl. Köhler, Wie Luther den Deutschen das Leben Jesu erzählt hat. Es handelt sich bei diesem Buch um eine Sammlung von Texten Luthers. Zu beachten ist auch die kurze Einleitung (S. 1–5) mit Hinweisen auf die mittelalterliche Tradition. Vgl. auch Köhler, Luther und die Kirchengeschichte 340. Reiches Material findet sich auch bei Loewenich, Luther als Ausleger, bes. S. 132–139 (Jesus) und S. 255–267 (Einzelgestalten wie Maria, Joseph u. a.).

[290] Vgl. o. S. 121.

Jahres 1528 meint er, man müsse sich die Gefangennahme Jesu und das, was unmittelbar darauf geschah, wesentlich deutlicher ausmalen, als es die Evangelisten tun[292]. Aber noch bevor man sich in dieser Weise mit der Geschichte Jesu befaßt, soll man jedes von den Evangelisten überlieferte Detail ernst nehmen und aufmerksam bedenken[293].

Es versteht sich eigentlich von selbst, daß der Mensch von einer derart genau beobachteten historia mit Verstand und Herz, also auch im affektiven Bereich, angerührt wird. Daß eine solche Beteiligung des Affekts bei rechter Einbindung in ein reformatorisches Meditieren der Geschichte Jesu von Luther nie verworfen, sondern vielmehr gewünscht wurde, zeigt die spätere Verwendung derselben Hilfsmittel, auf die wir im Sermon von 1519 und in der mittelalterlichen Tradition gestoßen waren[294]: die Vorstellung der Unermeßlichkeit der Person Christi und der Vergleich aus dem überschaubaren Bereich[295].

Aus den angeführten Beobachtungen schließen wir, daß die Betrachtung des Leidens Christi als sacramentum und exemplum unablösbar mit der Meditation der historia Christi verknüpft bleibt. Wenn Luther nun immer wieder betont, diese Geschichte sei nicht eindeutig, so spricht er damit nicht gegen ihre Funktion beim Meditieren. Vielmehr geht es ihm darum, den Punkt zu zeigen, von dem aus diese Geschichte eindeutig zu einer für uns heilsamen Geschichte wird. Dahinter steht die Tatsache, daß die Evangelien vornehmlich die Geschichte Jesu berichten, während andere Schriften des Neuen und auch des Alten Testa-

---

[291] Vgl. etwa die Bemerkungen über den Knaben Jesus WA 37,256,32–258,5. Luther wendet sich kritisch gegen die unbiblischen Kindheitsgeschichten, versucht aber dennoch, sich ein Bild jener Jahre zu machen, indem er vom Gebot des Gehorsams gegen die Eltern ausgeht.

[292] Vgl. WA 28,256,16–29 (Zit. nach Poachs Druckbearbeitung P1, die sich zutreffend an Rörers Nachschrift orientiert): „Da sey einem iglichen in sein eigen hertz gegeben und befolhen zubetrachten, wie sie mit Jhesu werden gehandelt haben, Sonderlich weil es solche Leute gewesen sein, bey denen keine barmherzigkeit war. Es ist kein zweivel, es wird unfreundlich und grewlich gnug zugangen sein, Denn iederman wie zugedencken hat in diesem Spiel wollen der beste sein und den Hohenpriestern und dem Heubtman hofiren und lieb dienen. Die Euangelisten schweigen solchs und zeigen schlecht und einfeltig an, das Jhesus gefangen und gebunden sey worden. Wer aber Christus leiden von Stück zu stück und nach allen umbstenden auslegen wil, der kan dieses nicht umbgehen, Sondern mus auch anzeigen, das sie bald im anfang seiner gefengnis unsauber mit jm umbgangen seien. Es macht aber dis Leiden deste höher und grösser die hoheit und grösse der Person."

[293] Vgl. etwa WA 28,235,5–9. [294] Vgl. o. S. 131, 132f.

[295] Vgl. WA 28,222,2–223,4 (Predigt 1528. Nachschrift Rörers): „Nos ideo Christum debemus considerare: quis, qualis, quantus Christus. Hoc servit ad hoc, ut discrimen faciamus inter passionem Christi et aliorum et tum haec passio wirt etwas gelten. Et talis vir est, qui paulo ante dixit: pater, omnia tua mea sunt . . . (223,3) Sic die person zu bedencken horet uns zu et hoc movet nos." Vgl. Ludolf, Vita Christi II,58 (ed. Rigollot IV,464): „Sed jam qualis et quantus sit, qui haec passus est, videamus . . ." Im Anschluß an seine eben zitierten Sätze gebraucht Luther denselben Vergleich wie schon im Sermo II (WA 1,343,36–40), nämlich die Vorstellung vom unschuldigen Tod eines *Menschen*, zumal eines vornehmen Menschen (WA 28,223,4–224,5). Ebenso (vgl. o. S. 133ff.) findet sich auch in späterer Zeit wieder der Rat, Christus ins Herz zu sehen, um dort seine und seines Vaters Liebe zu erkennen; vgl. etwa WA 17 I,353,23–354,1 (Predigt 1525).

ments von dieser Geschichte fast nichts, dagegen viel von ihrer Heilsbedeutung schreiben. Dementsprechend meint Luther, wir dürften es nicht bei der bloßen Erzählung von Fakten belassen, sondern müßten sie im Sinne von verschiedenen Propheten des Alten Testaments (gedacht ist vor allem an Jes 53), von Petrus, Paulus und der Apostelgeschichte auf uns beziehen[296]. Dieses pro nobis aber konkretisiert sich eben dadurch, daß wir die historia nicht an sich, sondern in der doppelten Weise der Selbst- und der Gotteserkenntnis meditieren[297].

Freilich kann das Wort, welches die historia eindeutig als pro nobis geschehen erklärt, auch in der Erzählung selbst seinen Platz haben. Wir verweisen auf eine Weihnachtspredigt von 1521 über Lk 2,1–14, die von Luther in die Wartburgpostille von 1522 aufgenommen wurde[298]. Damit soll zugleich beispielhaft belegt werden, daß das Meditationsschema des Sermons von 1519 nicht nur für die Passion, sondern für die gesamte Geschichte Jesu seine Gültigkeit besitzt.

In dieser Predigt ist der theologische Angelpunkt der Erzählung von der Geburt Jesu die Rede des Engels auf dem Feld vor den Hirten (Lk 2,10f.), denn in ihm wird eindeutig gesagt, daß das Geschehen im Stall von Bethlehem unserem Heil gilt[299]. Dementsprechend konzentrieren sich Luthers Überlegungen in demjenigen Teil der Predigt, der die theologischen Erörterungen enthält[300], auf die Bedeutung der Geburt Christi für den Glauben, was sachlich der Wirkung Christi als sacramentum bzw. donum entspricht. Ebenso ist dann von Christus als exemplum die Rede, womit unser bekanntes Schema zumindest sachlich vollständig präsent ist[301].

Wir fragen nun, wie sich diese theologischen Überlegungen zum ersten Teil der Predigt verhalten. Dort gibt Luther nach einigen Erklärungen zu den historischen Angaben Lk 2,1–3 eine der schönsten Beschreibungen von Verlauf und Wesen des Meditierens:

„Das Euangelium ist ßo klar, das nitt viel außlegens bedarff, ßondern es will nur wol betracht, angesehen und tieff tzu hertzen genummen seyn. Und wirt niemant mehr nutz

[296] Vgl. WA 27,104,7–11 (Nachschrift Rörers): „Hodie audistis textum 4 Euangelistarum de passione Christi. Non satis scire est historiam ut facta et omnes stucke quae Christus passus, sed qui utendum et quare audiatur ista historia. Quamquam taceant hoc Euangelistae und lassens bleiben bey der geschicht, tamen prophetae, Petrus, Paulus et Acta Apostolica non tacent." Luther kommt dann auf Stellen der genannten Schriften zu sprechen, die das pro nobis deutlich zur Sprache bringen. Vgl. zu entsprechenden Ausführungen und Stellenangaben im Sermon von 1519 o. S. 133.

[297] Vgl. WA 27,104,11–105,15 (Fortgang des in der voranstehenden Anmerkung gegebenen Zitates).

[298] WA 10 I,1,58–95.

[299] WA 10 I,1,71,12–16: „Jnn dißen wortten (= Lk 2,10f.) sihestu klar, das er unß geporn ist. Er (scil. der Engel) spricht nit schlecht hynn, Es sey Christus geporn, sondern: Euch, Euch ist er geporn. Item spricht nit: vorkundig ich eyn freud, ßondern: Euch, Euch vorkundige ich ein große freud."

[300] Ab WA 10 I,1,70,23.

[301] Vgl. WA 10 I,1,75,11–16. Luther berührt in seinen theologischen Erörterungen noch andere Themen wie etwa Christus als Mitte der Schrift oder die Aufgaben des Predigers. Für unseren Zusammenhang müssen wir darauf nicht weiter eingehen.

dauon bringen, denn die yhr hertz still hallten, alle ding außschlahen und mit vleyß dreyn sehen, gleych wie die ßonne ynn eynem stillen wasser gar eben sich sehen lessit und krefftig wermet, die ym rauschenden lauffenden wasser nit alßo gesehen werden mag, auch nitt alßo wermen kan. Drumb willtu hie auch erleucht und warm werden, gottlich gnade und wunder sehen, das deyn hertz entprant, erleucht, andechtig und frolich werde, ßo gang hynn, da du stille seyest und das bilde dyr tieff ynß hertz fassest, da wirstu finden wunder ubir wunder; doch anfang und ursach tzu geben den eynfeltigen, wollen wyr desselben eyn teyls furbilden, mugen darnach weyter hyneynfaren."[302]

Wie der letzte Satz ankündigt, bietet Luther im folgenden eine Meditation der Weihnachtsgeschichte[303]. Diese ist ausdrücklich nur eine beispielhafte Hilfe für den Anfang; jeder kann und muß seine eigenen Erfahrungen in der Meditation machen[304]. An dem von Luther durchgeführten Beispiel ist für uns aufschlußreich, daß sich darin alle Merkmale, die wir für den meditativen Umgang mit der historia Christi herausgestellt haben, finden: die durchgehende, einfühlende Versenkung in das Geschehen, die Selbsterkenntnis[305], die Erkenntnis der Liebe Gottes[306], Ansporn zur Nachfolge[307]. Bemerkenswert ist, daß sich alle diese Merkmale in unauflöslicher Verknüpfung zeigen. Sie wachsen aus der Betrachtung der Geschichte heraus, ohne daß eine strenge Einteilung, etwa historia – sacramentum – exemplum, notwendig wäre. Merkwürdigerweise streicht Luther die entscheidenden Punkte, nämlich Selbsterkenntnis, Gotteserkenntnis und Nachfolge, nicht deutlicher heraus. Wir vermuten, daß Luther den Charakter seines Beispiels als Hilfe für den Anfang im Meditieren ernst nimmt. Er kann und will die Erfahrungen, die jeder einzelne unter Beachtung der im theologischen Teil ausgeführten Grundsätze selbst machen wird, nicht vorwegnehmen. Zudem ist der konkrete Verlauf einer Meditation letztlich mit Buchstaben nicht wiederzugeben. So können wir es als der Sache angemessen werten, wenn Luther trennt: hier, von der lebendigen Erzählung ausgehend, eine behutsame Hinführung zum eigenen und eigentlichen Meditieren; dort, in theologischer Sprache, die Ziele reformatorischen Meditierens der Vita Jesu Christi. Die eindrucksvolle Beschreibung vom Wesen des Meditierens, die wir zitiert haben[308], wäre dann als Niederschlag einer Meditation zu werten, die auf

[302] WA 10 I,1,62,5–16. [303] WA 10 I,1,62,17–70,4.

[304] Vgl. WA 10 I,1,70,5f.: „Das sey gnug tzur ursach der betrachtung fur die eynfeltigen. Eyn iglicher trachte bey sich selb weytter."

[305] Etwa WA 10 I,1,65,11ff.: „Es ist nit gellt noch gewallt da geweßen, drumb haben sie ym stall bleyben mussen. O wellt wie toll, o mensch wie blind bistu!"

[306] Etwa WA 10 I,1,68,11ff.: „Wie hett gott seyne gute groߵlicher mocht ertzeygenn, denn das er sich so tieff yn fleysch und blutt senckt . . ."

[307] Etwa WA 10 I,1,70,1–4: „Wie gar furwirfft doch gott was hoch ist, und wyr tobenn und rasen nit denn nach eyttler hohe, auff das wyr ya nit ym hymel zu ehren werdenn, ymer unnd ymer tretten wyr gott auß seynem gesicht, das er unß yhe nit ansehe ynn der tieffe, da er alleyn hynnsihet." Freilich ist auf die Änderung des Verhaltens nicht direkt und konkret hingewiesen. Sie gehört zu den Früchten des Glaubens (vgl. ebd. 95,8), auf dessen Weckung und Stärkung alles Gewicht der vorliegenden Meditation gesetzt ist.

[308] WA 10 I,1,62,5–16 (Zit. o. S. 145f.).

den im Beispiel angezeigten Linien auf das im theologischen Teil bezeichnete Ziel zugegangen ist.

Nun wurde mit besonderem Bezug auf diese Predigt, insbesondere auf die Bemerkungen Luthers zu den das Heil eindeutig artikulierenden Engelworten, die These vertreten, Luther habe von der Meditationsfrömmigkeit, wie sie auch in unserem Sermon von 1519 zum Ausdruck kommt[309], Abstand genommen. O. Bayer ist der Ansicht, in dieser Weihnachtspredigt zeige sich die neue Auffassung Luthers vom Umgang mit dem Wort „in idealtypischer Schärfe“[310]. Die These, die Bayer im Zuge seiner Untersuchungen zum Promissio-Begriff bei Luther vorträgt, besagt im einzelnen, daß es bei Luther einen Einschnitt gebe zwischen der „frühen Meditationsfrömmigkeit“ und dem „reformatorischen Promissiobegriff“[311] bzw. eine „Korrektur der Meditationsfrömmigkeit durch die Promissiotheologie“[312]. In dem überwundenen Stadium handele es sich bei der Begegnung des Menschen mit dem Wort Gottes um einen „Verstehensprozeß, der sich konstitutiv keineswegs im Raum des mündlichen und verbindlichen Wortes vollzieht“[313]. Das Wort bleibe somit auf die „Andacht“ des Menschen angewiesen[314], auch wenn von einem eigentlichen Synergismus nicht gesprochen werden könne[315]. Da das Wort als Bild begegne[316], bestehe die meditatio lediglich in „andächtiger Betrachtung eines Anschaulichen“[317]. Demgegenüber, so Bayer, spricht sich Christus in der neuen, nunmehr reformatorischen Promissiotheologie „in das Wort der Predigt eingebunden, allein in diesem zu und wird in diesem als heilsam erkannt. Der Glaube kommt nicht im Bild und in der Anschauung, sondern im Wort und im Hören . . .“[318]

Bayer hat sicher dies richtig gesehen, daß diejenigen Worte, die das pro nobis klar und unmißverständlich artikulieren, für Luther zunehmend an Bedeutung gewonnen haben. Wir können aber nicht der These zustimmen, es habe sich dadurch an Luthers Meditationsfrömmigkeit Entscheidendes geändert. Die Gewichte erscheinen uns als einseitig verteilt, wenn Bayer feststellt: Das reformatorische pro me „bildet . . . sich allein aus dem wort-wörtlichen ‚pro te‘ prädikatorischen Zuspruchs und bleibt auch allein in ihm bestehen“[319]. Es konkretisiert sich – so müssen wir einwenden – auch weiterhin in einer den ganzen Menschen erfassenden Meditation. Den eben zitierten Satz belegt Bayer

[309] Zur Einordnung unseres Sermons s. Bayer, Promissio 214. Von Bedeutung für unseren Zusammenhang sind vor allem die korrespondierenden Abschnitte ebd. 78–100 (Die sakramentale Textmeditation) und ebd. 274–297 (Promissio und meditatio).

[310] Bayer, aaO. 287. [311] Ebd. 286.

[312] Ebd. 291. Wir merken an, daß eine – wie Bayers Formulierungen nahelegen – Ablösung von Frömmigkeit durch Theologie mehr als unwahrscheinlich ist.

[313] Ebd. 99. [314] Ebd. 97.

[315] Vgl. ebd. 93f. u. 275. Daß bei Tauler, auf den Bayer Bezug nimmt, von einer Meditationsfrömmigkeit „ohne jeden Synergismus“ (ebd. 94) gesprochen werden kann, ist so eindeutig nicht (vgl. etwa Appel, Anfechtung 106f.).

[316] Vgl. Bayer, aaO. 277, 283.

[317] Ebd. 283. [318] Ebd. 289. [319] Ebd. 198.

im übrigen mit einem Zitat aus Luthers Schrift „Wider die himmlischen Propheten" von 1525. Die Stoßrichtung dieser Aussage[320] richtet sich jedoch gegen eine Spiritualisierung des Sakraments, gegen seine Entwertung zugunsten innerer Erfahrungen[321]. Die Passionsmeditation in ihrer reformatorischen Form ist, sofern sie dem Sakrament nicht entgegensteht, nicht fraglich[322].

Keinesfalls können wir in der Weihnachtspredigt von 1521 die besagte neue Auffassung erkennen. Bayer widmet bezeichnenderweise dem gesamten ersten Teil mit dem Meditationsbeispiel nur einen einzigen Satz, der diese „andächtige Betrachtung der Geburtsgeschichte" offenbar nur als Pflichtübung Luthers für die „Einfältigen" gelten lassen will[323]. Alles Gewicht legt er auf Luthers Ausführungen zu den Engelworten Lk 2,10f.[324] Darin, daß es sich bei diesen das Heil unmittelbar zusprechenden Worten um den „Angelpunkt des Ganzen"[325] handelt, haben wir Bayer bei unserer eigenen Analyse der Predigt zugestimmt. Jedoch kamen wir bei einer angemessenen Einbeziehung des ersten Predigtteiles zu dem Schluß, daß die Engelworte die Meditation nicht ausschließen, sondern sie vielmehr im Sinne der reformatorischen Akzentsetzungen qualifizieren.

Auch aufs Ganze gesehen wird die These Bayers der Tatsache von Luthers Meditationsfrömmigkeit nicht gerecht[326], wobei freilich zu beachten ist, daß Bayer aus dem zunächst ganz anders geleiteten Interesse der Bestimmung des Promissio-Begriffs dann eben auch auf Luthers Meditationsfrömmigkeit zu sprechen kommt. Wir meinen, daß durch den Verlauf unserer Untersuchungen, die das Phänomen der Meditation bei Luther erstmals ausführlich zum Gegenstand haben, sowohl die Kontinuität der Meditationsfrömmigkeit allgemein als auch die Kontinuität der besonderen Form der Passionsmeditation hinreichend belegt worden ist.

3.4.2.4. *Zusammenfassung*

Es sollen nun die Ergebnisse unserer Untersuchungen zur Passionsmeditation zusammengefaßt und dabei insbesondere die Punkte, in denen sich Luthers Meditieren von der Tradition absetzt, herausgestellt werden.

---

[320] WA 18,202,34–203,2.

[321] Vgl. etwa Kriechbaum, Theologie Karlstadts 102ff.; auch Bornkamm, Luther in der Mitte seines Lebens 159f.

[322] Vgl. WA 18,83,6f.: „So weys ich auch gewiss, das Gott wil haben, man solle seyne werck hören und lesen, sonderlich das leyden Christi." Vgl. den Fortgang des Zitates o. S. 143.

[323] Bayer, aaO. 287. Zu bemerken ist, daß „einfältig" für Luther kein in irgendeiner Weise negativer Begriff ist. Wir verweisen nur auf die Schrift für Meister Peter, die eine „einfältige Weise zu beten" (vgl. den Titel: WA 38,351) bietet und dabei ausdrücklich Luthers eigene Praxis beschreibt. Zudem ist an unserer Stelle (WA 10 I,1,70,5f.; Zit. o. S. 146 A.304) nicht daran gedacht, daß die „eynfeltigen" sich mit der angegebenen Meditation begnügen sollen, daß fortgeschrittene Christen aber sich an die theologischen Ausführungen halten sollen. Vielmehr will Luther allen, die schwer ins rechte Meditieren finden, eine Hilfe für den Anfang geben.

[324] Vgl. Bayer aaO. 288f.

[325] Ebd. 288.

[326] Vgl. etwa auch Bayers Bemerkungen zum Begriff meditatio/meditari (aaO. 275ff.).

Dem „Sermon von der Betrachtung des heiligen Leidens Christi" von 1519 entnahmen wir die Umrisse von Luthers Praxis der Passionsmeditation, die sich als konstant auch für die späteren Lebensabschnitte des Reformators erwiesen. Diese Form der Passionsmeditation, die über die Passion hinaus auch für die gesamte Vita Christi zutrifft, fassen wir auf als konkrete Gestalt dessen, was die Trias von 1539 programmatisch formuliert. Es ergab sich folgendes Schema der Meditation:

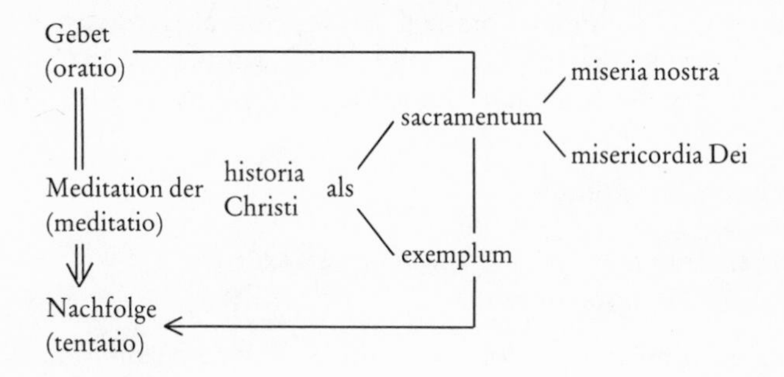

Was die Praxis betrifft, so darf das Schema von sacramentum und exemplum nicht als Stufenschema aufgefaßt werden. Es handelt sich vielmehr um die Angabe von Leitlinien (usus), welche dem der Geschichte einfühlend folgenden Meditieren (compassio) das Ziel (fructus), wie es dem Anliegen reformatorischer Theologie entspricht, vor Augen stellen. Die theologische Unumkehrbarkeit der Reihenfolge sacramentum – exemplum ist davon nicht betroffen.

Inhaltlich wäre die Meditation der Passion als sacramentum so zu beschreiben, daß hier Gott an uns handelt, indem er uns im Geschehen der Passion zur Erkenntnis unserer selbst, d.h. unserer Sündhaftigkeit, und zur Erkenntnis seiner selbst, d.h. seiner Liebe, führt. Die Meditation der Passion als exemplum faßt die Auswirkungen einer solchen inneren Wandlung auf unser konkretes Leben in Handeln und Leiden ins Auge.

Gegenüber der Tradition profiliert sich Luthers Passionsmeditation vor allem in dreifacher Weise:

Erstens: Rein formal kann man von einer entschlossenen Vereinfachung sprechen. Die teilweise sehr komplizierten Stufungen und diesbezüglichen Anweisungen der Tradition werden von Luther ersetzt durch ein Schema, das sich auf die theologisch unverzichtbaren Punkte beschränkt.

Zweitens: Charakteristisch für Luthers Konzeption des geistlichen Lebens ist das simul zwischen Sündhaftigkeit und Gerechtigkeit des Menschen. Dementsprechend gibt es bei ihm keine Stufung des geistlichen Lebens etwa in dem Sinn, daß – wie in der Tradition – die Bußmeditation der Passionsmeditation vorauszugehen habe. Buße ist vielmehr für Luther die wichtigste Frucht der Passionsmeditation.

Drittens: Die mittelalterliche einfühlende Versenkung in die Passion Jesu (compassio) zielte in jedem Fall auf die Gestaltung des Lebens nach dem Vorbild Christi (imitatio). Im Verlauf solchen Meditierens konnte es zu Erlebnissen mystischer Prägung (unio) kommen. Bei Luther ist die mystische Gotterfahrung in radikaler Umprägung in die Meditation aufgenommen, nämlich als Erfahrung der Liebe Gottes im Zustand der auf Sündenerkenntnis zielenden Anfechtung[327] bzw. als „Einswerden mit Christus in dem schuldigen und doch freigesprochenen Gewissen“[328]. Ohne solches Handeln Gottes an uns kann es nicht zu sinnvoller Nachfolge kommen. Wenn Gott aber dergestalt wandelnd nach uns greift, ergibt sich mit Notwendigkeit Nachfolge Christi, deren wichtigstes Kennzeichen die Annahme von Kreuz und Anfechtung ist.

3.4.3. *Katechismusmeditation*

3.4.3.1. *Vorbemerkungen zur Sache und zu den Quellen der Katechismusmeditation*

Unter „Katechismusmeditation“ verstehen wir eine Meditationsübung, die sich vornehmlich auf die im Katechismus versammelten Texte von Dekalog, Credo (Apostolicum) und Vaterunser richtet.

Diese Form der Frömmigkeit begegnet uns als Luthers eigene, klar bezeugte Praxis, darüber hinaus auch als diejenige Meditationsweise, die Luther, soweit wir sehen, am nachdrücklichsten anderen Menschen, Pfarrern und „Laien“, ans Herz gelegt hat.

Die Bedeutung der Katechismusmeditation beruht einerseits natürlich auf dem sachlichen Gewicht von Dekalog, Credo und Vaterunser, andererseits aber auf der Tatsache, daß diese Stücke durch Luthers Katechismen Verbreitung und Erklärung als die tragenden Säulen des christlichen Glaubens gefunden haben. Die Meditation kann sich also in diesem Fall auf kurze, zentrale, auswendig gelernte[329] sowie in Haus, Schule und Gottesdienst vielfältig erklärte Texte richten, so daß sich Lehre und Frömmigkeit mit einer gewissen Selbstverständlichkeit ergänzen. Zumindest Luther selbst hat, wie wir sehen werden, den Katechismus nicht nur als Lehrbuch, das Information vermittelt, sondern auch als Gebet- und Meditationsbuch verstanden[330].

Luther betont immer wieder, vor allem in Predigten, daß er sich selbst täglich um den Katechismus mühe und daß er solches auch von der Gemeinde erwarte[331]. Zu den einzelnen Stücken seiner Katechismusmeditation (also vor allem

[327] Vgl. unsere Ausführungen zur Anfechtung als Dimension religiöser Erfahrung: o. S. 91–96.

[328] Vogelsang, Unio mystica 74.

[329] Vgl. etwa WA 30 I,349,9 (Vorrede zum Kl. Kat.).

[330] Dieser Aspekt gewinnt neuerdings wieder an Bedeutung: Vgl. Evang. Gemeindekatechismus 424; Peters, Vermittler 34; Viebig, Gottes Wort lernen, pass.

[331] Vgl. etwa WA 32,65,4; WA 40 III,192,4 bzw. 18; WA 46,361,11f. bzw. 21f.; WA TR 5, Nr. 5517 (S. 209,21–24).

zu Dekalog, Credo und Vaterunser) weist er darauf hin, daß sie prinzipiell unerschöpfliche Worte enthalten, an denen man ein Leben lang zu lernen, zu meditieren und zu beten habe[332].

Aus einer Fülle von Aussagen zur Katechismusmeditation wollen wir zwei Texte herausheben. Es handelt sich zum ersten um die Neue Vorrede von 1530 zum Großen Katechismus[333]. Hier fordert Luther an herausragendem Ort den betenden und meditierenden Umgang mit dem Katechismus an der Stelle des herkömmlichen Breviergebetes[334]. Zum zweiten – und darum werden wir uns im folgenden ausschließlich bemühen – handelt es sich um die Schrift „Eine einfältige Weise zu beten für einen guten Freund“ von 1535[335]. Luther hat sie zunächst für seinen Freund Peter Balbier aus Beskendorf geschrieben, sie darüber hinaus aber, wie die Tatsache der Drucke zeigt, allen evangelischen Christen zugedacht. Die Anrede „Lieber Meister Peter“[336] bleibt freilich in fast allen Ausgaben stehen. Wo dies nicht der Fall ist, kann Luther selbst nicht dafür verantwortlich gemacht werden[337]. Diese scheinbar nebensächliche Beobachtung gibt in Verbindung mit der Biographie Meister Peters einen wichtigen Hinweis auf Luthers Verständnis vom Wesen geistlicher Übung. Peter Balbier hatte nämlich kurz nach Erscheinen der Schrift, offenbar im Rausch, seinen Schwiegersohn Dietrich erstochen, einen Soldaten, der im Ruf der Unverwundbarkeit stand. Er wurde dafür mit Verbannung und Einziehung des Besitzes relativ mild bestraft, was unter anderem auf Luthers Fürsprache zurückzuführen war. Bezeichnend ist nun, daß Luther diesem Mann weiterhin seine Anleitung zur Katechismusmeditation widmet. Das ist zunächst natürlich „ein Hinweis darauf, daß diese Schrift nicht für Heilige, sondern für Sünder geschrieben ist“[338]. Aber auch innerhalb der Sünder werden keine Unterscheidungen oder gar Stufungen vorgenommen: Die in der Schrift dargestellte Elementarübung des Gebets und der Meditation gilt für Luther selbst ebenso wie für den des Mordes schuldig gewordenen Freund und für jeden beliebigen Christen. Die

---

[332] Vgl. etwa WA 50,470,27 (Dekalog); WA TR 1, Nr. 122/hier: S. 49,13ff. (Credo); WA 26,78,32 (Vaterunser).

[333] WA 30 I, 125–129.

[334] WA 30 I, 125,17–21 (Zit. o. S. 69 A.39) und 126,14–21: „Das sage ich aber für mich: Ich bin auch ein Doctor und prediger, ia so gelert und erfaren als die alle sein mügen, die solche vermessenheit und sicherheit haben (scil. Geringschätzung des Katechismus): Noch thue ich wie ein kind, das man den Catechismon leret, und lese und spreche auch von wort zu wort des Morgens und wenn ich zeit habe das Vater unser, zehen gepot, glaube, Psalmen etc. Und mus noch teglich dazu lesen und studieren, Und kan dennoch nicht bestehen wie ich gerne wolte, Und mus ein kind und schüler des Catechismus bleiben und bleibs auch gerne.“

[335] WA 38,358–373 bzw. 375.

[336] WA 38,358,2.

[337] Vgl. dazu und zum Folgenden K. Aland in LD 6 (2. Aufl.), 333f. Aland verweist darauf, daß die Weglassung dieser Anrede in Nachdrucken zu konstatieren ist, die *nicht* in Wittenberg erfolgten (aaO. 334). Zu Peter Balbier vgl. auch WA 38,351f.

[338] Aland, LD 6 (2. Aufl.), 334.

grundlegende Sicht des Menschen als simul iustus et peccator wirkt sich also im Bereich der Formen der Frömmigkeit greifbar aus.

Zur Interpretation der Schrift für Meister Peter greifen wir auch auf die lateinische Übersetzung zurück, die 1537 im Druck erschien[339]. Ihr Wert liegt für uns darin, daß wir an ihr sehen, wie verschiedene schwer verständliche deutsche Wendungen Luthers von den Zeitgenossen verstanden worden sind. Angefertigt wurde diese Übersetzung durch Johann Freder[340] in offenbar gelungener Weise. Jedenfalls lobt ihn Justus Jonas für seine Arbeit in einem Brief, welcher dem Wittenberger Druck von 1537 beigefügt wurde[341]. In diesem Brief berichtet Jonas auch von dem Gefallen, das Luther selbst an Freders Übersetzung gefunden habe[342].

Die Schrift für Meister Peter ist deshalb für uns von so großer Bedeutung, weil sie selten deutlich Einblick in Luthers Gebets- und Meditationspraxis gewährt. Das ist freilich in der Forschung schon immer gesehen worden. Aber wie Luthers Frömmigkeit bisher nie umfassend zum Gegenstand historisch genauer Untersuchungen gemacht worden ist, so hat man sich auch bei unserer Schrift in der Regel damit begnügt, auf Luthers Ausführungen mit kurzer Umschreibung des Inhalts hinzuweisen[343]. Dabei hätte gerade die Schrift für Meister Peter den Weg zu einer solchen historisch genauen Wertung der Frömmigkeit Luthers weisen können, da hier das methodische Element und zugleich die Wurzeln in der Tradition so klar zutage treten. Dies ist jedoch nicht geschehen, und so wollen wir die vielfältigen Bemerkungen zu unserer Schrift wenigstens als Hinweis auf ihre herausragende Stellung werten.

Bevor wir uns jedoch ihrer genauen Interpretation zuwenden, wollen wir einige Ergebnisse zur Katechismusmeditation, die im Verlauf der Untersuchungen schon erzielt wurden und die zu einem großen Teil auf der Schrift für Meister Peter beruhen, zusammenfassen:

---

339 Vgl. die Angaben in WA 38,354. Diese Übersetzung hat offenbar in spätere Ausgaben der Werke Luthers keinen Eingang gefunden, so daß wir ein in der Erlanger Universitätsbibliothek befindliches Exemplar des Druckes von 1537 heranziehen.

340 Vgl. zu seiner Biographie Enders 11,116 A.5.

341 Abgedruckt bei Kawerau, Briefwechsel Jonas I,410f. Selbstverständlich enthält auch unser Erlanger Exemplar des Druckes von 1537 diesen Brief. Die von Kawerau übernommene Datierung auf den 1. 1. 1541 ist also falsch, worauf er selbst in A.1 hinweist. Wir können sagen, daß entsprechend dem Inhalt und wegen der Aufnahme in die Druckausgabe von Freders Übersetzung der Brief noch während des Druckvorganges 1537 entstanden sein muß.

342 „... comperi hanc lucem, perspicuitatem et nitorem, quem in reddendis germanicis praestas, ipsi Luthero et aliis doctis et piis valde placere ..." (Kawerau, Briefwechsel Jonas I,410).

343 Einige Stimmen zum Teil sehr verschiedener Zielrichtung seien angeführt: Köstlin-Kawerau, Luther II,297ff.; Grisar, Luther II,604 (positive Würdigung trotz der Durchsetzung der Schrift Luthers „von den Sonderideen seines öffentlichen Kampfes"); Otto, West-Östliche Mystik 348ff. (genauere, aber durch mangelnde Absetzung von der Mystik nicht immer zutreffende Analyse); Jacob, Gewissensbegriff 44 A.3; ders., Meditation 159; Schmidt, K. D., Luther lehrt beten, pass.; Ludolphy, Luther als Beter 139f.; Carr, Prayer 623f.; Seitz, Christliche Meditation 202f.; Ruhbach, Meditation als Meditation der Hl. Schrift 105f.; Stuhlmacher, Verstehen des Neuen Testaments 222; Peters, Vermittler 39.

- Es handelt sich bei dieser Art von geistlicher Übung tatsächlich um *meditatio* im Sinne von Ps 1,2[344].
- Bevorzugter *Ort* dieser Meditation ist ein ruhiger, das Alleinsein ermöglichender Raum[345].
- Bei Gelegenheit kann das einsame Meditieren durch gottesdienstliche, zumindest aber gemeinschaftliche Sammlung um Gottes Wort ersetzt werden[346]. Wir konzentrieren unsere Überlegungen jedoch auf die *Übung des einzelnen*.
- Was die *Zeit* betrifft, so bilden Morgen und Abend den festen Rahmen. Daneben konnte sich Luther auch am Mittag und zu anderer beliebiger Zeit der Katechismusmeditation widmen[347].
- Als *Gesten des Körpers* ergaben sich vor allem das Knien und das Stehen[348].
- Die Beteiligung der *Stimme* ist vor allem an denjenigen Punkten der Übung gegeben, an denen geprägte Texte ins Bewußtsein gerückt werden sollen; sie ist aber auch etwa bei freien Gebeten möglich[349].
- Im Verlauf der Übung muß mit einem plötzlich einsetzenden *Sprechen des Heiligen Geistes* gerechnet werden, angesichts dessen alle eigene, menschliche Aktivität zu verstummen hat[350].
- Solche Einbrüche des Heiligen Geistes sind als eine den ganzen Menschen umfassende *Erfahrung* zu deuten[351].

Nachdem wir nun auf diese in anderen Zusammenhängen dargestellten und begründeten Ergebnisse verwiesen haben, können wir uns der Interpretation der Schrift für Meister Peter in zweifacher Hinsicht widmen: Wir wollen zuerst den Aufbau der gesamten Übung ins Auge fassen und uns dann dem speziellen Meditationsschema vom vierfachen Kränzlein zuwenden.

3.4.3.2. *Darstellung der Katechismusmeditation nach der Schrift für Meister Peter (1535)*

3.4.3.2.1. *Der Aufbau der geistlichen Übung*

Die geistliche Übung[352], die Luther als eigene Praxis an Meister Peter weitergibt[353], besteht aus zwei großen Teilen, nämlich aus einer Einleitung, die der inneren Bereitung auf den Hauptteil dient, und dem eigentlichen Hauptteil, im wesentlichen gebildet durch das Vaterunser. Diese Aufteilung gilt, obwohl

---

[344] S. o. S. 66.
[345] S. o. S. 67f.
[346] S. o. S. 68.
[347] S. o. S. 68–72.
[348] S. o. S. 72f.
[349] S. o. S. 76–81.
[350] S. o. S. 77f., 80, 88–91.
[351] S. o. S. 88 u. insges. 88–91.
[352] Vgl. die Charakterisierung von Luthers Katechismusmeditation durch Justus Jonas in seinem schon erwähnten Brief (vgl. o. S. 152 A.341): „exercitia perpetua tractandi verbi et orandi" (Kawerau, Briefwechsel Jonas I,410).
[353] WA 38,358,2f. (Zit. u. S. 157).

Luther die ausführliche Behandlung des Vaterunsers, also des Hauptteiles[354], *vor* diejenige des bereitenden Teiles[355] setzt[356]. Deutlich wird dies besonders an den Nahtstellen, somit auch an dem Satz, der den Bereitungsteil einleitet: „Wenn ich aber zeit und raum habe fur dem Pater noster, so thu ich mit den Zehen geboten auch also ...“[357] In diesem Satz, der im übrigen nicht vom möglichen Wegfall des Bereitungsteiles, sondern lediglich von seiner mehr oder weniger ausführlichen Gestaltung spricht[358], ist das Wörtchen „fur“ genauer zu bestimmen, als es die Weimarer Ausgabe mit „außer“[359] oder etwa K. Aland in Luther Deutsch mit „neben“[360] tun. Es muß präzise als „vor“ im zeitlichen Sinne verstanden werden. Darauf weist eindeutig Freders lateinische Übersetzung, die „ante“ schreibt[361]. Es ist also unbestreitbar, daß ein Bereitungsteil *vor* den Teil mit dem Vaterunser zu stehen kommt. Dies wird noch deutlicher, wenn wir uns dem Bereitungsteil genauer zuwenden.

Von der Notwendigkeit der Bereitung auf das Vaterunsergebet spricht Luther mit großer Selbstverständlichkeit. Er geht aus von der Beobachtung aller im geistlichen Leben erfahrenen Menschen, daß das Herz zum Beten nicht immer willig und fähig ist: „Erstlich, wenn ich füle, das ich durch frembde geschefft oder gedancken bin kalt und unlüstig zu beten worden, wie denn das fleisch und der teuffel allwege das gebet wehren und hindern ...“[362] Dieser vom Teufel verursachten Unlust zum Gebet darf man keinesfalls nachgeben und auf vermeintlich günstigere Zeiten warten. Vielmehr muß man gerade in solchen Situationen die Ordnung eines vom Gebet gerahmten geistlichen Tageslaufes beharrlich einhalten[363]. Was nun den Ablauf der Übung betrifft, so kommt gerade dem Bereitungsteil große Bedeutung zu, weil er den Menschen von seiner Unlust zu einem aufrichtigen Beten und Meditieren führen soll. In ihm geschieht es, daß das Herz warm und zum Beten „lüstig“ wird[364], daß es zu sich

---

[354] WA 38,360,1–364,27. Zur „Methode“ dieser Vaterunsermeditation vgl. o. S. 76 und u. S. 167.

[355] WA 38,364,28–373,7 (Dekalog), dazu in den vermehrten Ausgaben 373,10–375,8 (Credo).

[356] Gegen Peters, Theologie der Katechismen 10 A.10, der den Unterschied zwischen sachlicher und darstellungsmäßiger Reihenfolge nicht beachtet. Vgl. bei Luther die Aufzählung verschiedener Stücke in der Neuen Vorrede zum Großen Katechismus: „ein blat odder zwey aus dem Catechismo, betbüchlin, New testament odder sonst aus der Biblia lesen *und* ein Vaterunser ... betten“ (WA 30 I,125,19ff.). Das Vaterunser ist durch das Wörtchen „und“ sowie durch die Stellung am Ende deutlich von den übrigen Texten abgesetzt.

[357] WA 38,364,28f. Vgl. auch 360,1f.

[358] Vgl. u. S. 156f.

[359] WA 38,364 A.10: „wenn mir außer für das PN. (= Paternoster) noch Zeit und Gelegenheit wird“.

[360] LD 6 (2. Aufl.), 211.

[361] Vgl. auch Dietz, Wörterbuch, a.v. „für“, bes. „für“ u. Dat. in zeitlicher Bedeutung (aaO. 739f.). Vgl. bei Luther die Korrespondenz: „erstlich“ (WA 38,358,5; es folgt eine Skizze des Bereitungsteiles) – „nu“ (360,1 in der Einleitung zum Vaterunsergebet).

[362] WA 38,358,5ff.

[363] Vgl. WA 38,359,4–34.

[364] WA 38,363,4f.; vgl. 360,1; 363,18.

selbst kommt[365], daß es ledig wird von fremden Geschäften und Gedanken[366], daß es in Einklang mit Gottes Wort gebracht wird[367]. Ohne solche Bereitung gerät man in Gefahr, Gott zu versuchen durch ein zerstreutes Geplapper[368]; sie ist geradezu Voraussetzung für einen sinnvollen Umgang mit dem Vaterunser[369].

Wir achten nun auf die Inhalte dieses einleitenden Teiles. Luther nennt zu Beginn seiner Schrift „die Zehen Gebot, den Glauben und, darnach ich zeit habe, ettliche sprüche Christi, Pauli oder Psalmen“[370]. Nach dieser Formulierung sind Dekalog und Credo deutlich von den biblischen Sprüchen und Psalmen[371] abgesetzt. Die beiden Katechismusstücke scheinen unverzichtbar zu sein, während die anderen Texte nach den Gegebenheiten hinzugenommen werden können. Freilich erscheint am Ende der Schrift eine Aufzählung der möglichen Texte, aus der hervorgeht, daß Dekalog, Credo, Psalmen oder Schriftstellen wahlweise als Textgrundlage des Bereitungsteiles dienen können[372]. Ein klärendes Licht fällt auf diese Inkonsequenz durch Betrachtung der Überlieferungsprobleme unserer Schrift. Es finden sich nämlich kürzere und vermehrte Ausgaben[373]. Davon sind die kürzeren Ausgaben ursprünglicher. Jedoch erschien schon im Ersterscheinungsjahr 1535 eine Ausgabe, die am Schluß um eine Erklärung des Credo vermehrt war. Wahrscheinlich geht diese Vermehrung auf Luther selbst zurück. Zumindest aber hat sie seine Billigung erfahren. Darauf deutet erstens die Drucklegung bei Hans Lufft in Wittenberg, zweitens die Tatsache, daß Luther die lateinische Übersetzung Johann Freders, die dem vermehrten Text folgt, lobt[374]. Zudem hat es von dem kürzeren Text

[365] Vgl. WA 38,360,1f.; 372,28.

[366] Vgl. WA 38,373,2f.; auch 363,18; 364,30.

[367] Vgl. WA 38,373,2: „also mit Gottes wort gereimet“.

[368] Luther parodiert mit beißendem Spott das herzlos-mechanische Breviergebet vieler Pfarrer seiner Zeit (WA 38,363,17–364,6).

[369] Vgl. WA 38,363,4f.: „das hertz (*wenns* recht erwarmet und zu beten lüstig ist)“.

[370] WA 38,359,1f.

[371] Wenigstens in einer Anmerkung wollen wir auf Luthers „Pselterlein“ eingehen, das Buch, welches er zu Gebet und Meditation mit in die Kammer nahm (WA 38,358,8). Wir haben darunter ein Exemplar des Psalters zu verstehen, in das Luther handschriftlich biblische Sprüche, die ihm lebenswichtig geworden waren, sowie andere Bemerkungen, besonders solche zu den Psalmen selbst, eintrug. Luther hat im Laufe seines Lebens verschiedene Psalmbücher in dieser Weise benutzt. Am eindrücklichsten berichtet Justus Jonas in seiner Leichenrede über das zuletzt von Luther benutzte Exemplar. Vgl. Albrecht, Quellenkritisches, bes. S. 292f.,299–306. Weitere Literaturhinweise bei Volz, Lutherpredigten 266.

[372] WA 38,373,4–7: „Vom Glauben oder heiliger Schrifft ist hie nicht zu sagen, denn das were ein unendlich ding. Wer geubt ist, kan hie wol einen tag die zehen gebot, den andern einen Psalm oder ein Capitel aus der Schrifft zu solchem feurzeug nemen und jnn seinem hertzen damit feur auffschlahen.“ Luthers Formulierungen sind in bezug auf das Credo nicht klar. Wir müssen annehmen, daß er nachlässig formuliert und daß das Credo auch zu den wahlweise verwendbaren Stücken gerechnet werden muß.

[373] Vgl. zu den Ausgaben WA 38,352–355.

[374] Vgl. o. S. 152.

überhaupt nur die drei Drucke im Jahr 1535 gegeben, während die folgenden Ausgaben offenbar alle den vermehrten Text bieten[375].

Interessant ist es nun, wie sich das Bild der dargestellten geistlichen Übung in der vermehrten Fassung verändert. Durch die Anfügung am Ende der Schrift fällt nämlich der ursprüngliche Schlußabschnitt[376] weg, somit auch jene Aufzählung der Texte, die wahlweise im Bereitungsteil verwendet werden können. Die von uns bemerkte Inkonsequenz Luthers in der Kurzfassung ist damit beseitigt. Es entsteht ein straffer und eindeutiger Aufbau der Schrift wie auch der zugrunde liegenden geistlichen Übung, welcher mit den einleitenden Wendungen zum Stoff des Bereitungsteils[377] in Einklang steht. Die Zufügung der Credo-Auslegung ist also aus der Schrift selbst zu erklären. Sie ist keineswegs willkürlich und steht im Einklang mit Luthers ursprünglicher Intention. Freilich fällt dieser Straffung ein Stück Freiheit in der Textwahl zum Opfer.

Man kann nun den durch die Vermehrung verdeutlichten Aufbau der geistlichen Übung durch folgende Übersicht veranschaulichen:

I. Bereitung
DEKALOG
CREDO
zusätzliche Möglichkeiten: Bibelsprüche
Psalmen

II. Hauptteil
Einleitung: Bekenntnis der Unwürdigkeit und
Berufung auf Gottes Gebot und
Verheißung bezüglich des Betens
VATERUNSER
Beschluß: „Amen" in der Gewißheit der Erhörung[378]

Zu den beiden Katechismusstücken des Bereitungsteiles, Dekalog und Credo, ist zu bemerken, daß Formulierungen, die sie unter den Vorbehalt des Möglichen stellen[379], wohl kaum so verstanden werden dürfen, als könnten sie überhaupt wegfallen. Zumindest der Dekalog und Bereitung zugleich einleitende Satz[380] kann nicht den Fortfall des Dekalogs meinen, denn damit würde Luther auf die gesamte Bereitung, deren Wert er so ausdrücklich betont[381],

---

375 Vgl. WA 38,352ff.

376 Es handelt sich um WA 38,372,26–373,7. In WA 38 ist in diesem Zusammenhang ein Druckfehler zu korrigieren: Es muß S. 373,9 heißen S. 373,*7* statt S. 373,*1*. Offenbar gibt es auch Ausgaben, die durch Anfügung des vermehrten Schlusses lediglich WA 38,373,4–7 wegfallen lassen: vgl. EA (1. Aufl.) 23,235; W (1. Aufl.) 10,1708.

377 WA 38,359,1f. (Zit. o. S. 155).

378 WA 38,362,30–36.

379 WA 38,364,28; 373,10. Vgl. auch 365,28f., wo die Meditation der Gebote 2–10 unter den Vorbehalt des Möglichen gestellt wird. Daß Luther möglicherweise nur das erste Gebot meditieren kann, muß bei der herausragenden Bedeutung, die er dem ersten vor allen anderen Geboten zumißt, nicht verwundern (vgl. etwa WA 30 I,180,37f.).

380 WA 38,364,28f. (Zit. o. S. 154).

381 Vgl. o. S. 154f.

verzichten. So bezieht sich dieser Satz, wie auch seine Fortführung zeigt, auf die ausführliche Meditation des Dekalogs nach dem vierfachen Kränzlein im Gegensatz zu einem weniger aufwendigen Sprechen und Bedenken. Nicht ganz so deutlich sind die Formulierungen, die das Credo und dann auch die Gebote 2–10 betreffen. Da auch sie von der Meditation nach dem vierfachen Kränzlein sprechen, meinen wir den Vorbehalt des Möglichen darauf beziehen zu können. Es ist jedoch nicht völlig auszuschließen, daß Luther diese Stücke wegfallen lassen kann, so daß letztlich, wenn man von den nicht weiter behandelten Psalmen und Bibelsprüchen absieht, nur die Meditation des ersten Gebotes als Bereitung zum Vaterunser übrigbliebe. Wir müßten dann in diesen Formulierungen einen Niederschlag jener Freiheit sehen, welche der ursprüngliche Schluß[382] zum Ausdruck brachte, nämlich daß Bereitung zwar unumgänglich ist, daß Wahl und Begrenzung des Stoffes aber dem Geübten freistehen.

Eine weitere, grundsätzliche Bemerkung zu solcher Freiheit ist notwendig, bevor wir uns wieder dem Gesamtaufriß der Übung zuwenden. Schon die ersten beiden Sätze der Schrift setzen das Vorzeichen der Freiheit: „Lieber Meister Peter, Ich gebs euch so gut als ichs habe und wie ich selber mich mit beten halte. Unser Herr Gott, gebes euch und jdermann besser zu machen, AMEN."[383] Eine prinzipielle Freiheit in der Auswahl der Stoffe des Bereitungsteiles kommt, wie wir sagten, auch im ursprünglichen Schluß der Schrift zum Ausdruck[384]. Zwei Punkte sind es jedoch, auf die im Zusammenhang mit dieser Freiheit hingewiesen werden muß:

1. Es besteht volle Freiheit, was die Wahl der Form der geistlichen Übung betrifft. Keinesfalls aber gibt es eine Alternative zu einem geistlich strukturierten Tageslauf als solchem[385].

2. Freiheit in der Form bedeutet nicht, daß man auf begründete Modelle geistlicher Übung verzichten soll. Gerade für den ungeübten Menschen ist ein festes Schema als Hilfe für den Anfang gut. Die rechte Freiheit erwächst wohl erst aus solcher Übung. Die um die Credo-Auslegung vermehrten Ausgaben unserer Schrift verstärken deren Modellcharakter, indem der Hinweis auf die Freiheit des *geübten* Beters[386] entfällt, dafür aber durch die Heraushebung des Glaubensbekenntnisses der Dreischritt Dekalog – Credo – Vaterunser klarer erkennbar wird.

Nach diesen Bemerkungen wollen wir den Versuch machen, die Struktur der modellhaften Katechismusmeditation, wie sie in der oben gegebenen Übersicht zum Ausdruck kommt, zu erklären. Das Problem ist, daß wir zu einer solchen

[382] WA 38,373,4–7 (Zit. o. S. 155 A.372).

[383] WA 38,358,2ff. Vgl. zur Freiheit in der Übernahme von Luthers Formulierungen 362,37f.; 365,4; 371,2ff. (vgl. o. S. 76).

[384] S. o. S. 155. Vgl. auch Aufzählungen der verschiedenen Stoffe einschließlich des Vaterunsers, die eine feste Ordnung nicht erkennen lassen, in anderen Schriften: etwa WA 30 I,125,19f.; 126,18; WA 32,65,4; WA TR 5, Nr. 5517 (hier: S. 209,23f.). Freilich ist die Überlieferung der einzelnen Belege nicht von gleicher Qualität.

[385] Vgl. WA 38,359,4–34; vgl. o. S. 154.

[386] WA 38,373,5ff. (Zit. o. S. 155 A.372).

Erklärung nicht allein die Zuordnung der Katechismusstücke ins Auge fassen dürfen, da die beiden Stücke des Bereitungsteiles austauschbar – so nach der Kurzfassung – oder doch ergänzungsfähig sind durch Psalmen und andere biblische Texte. Andererseits muß, da sich die Reihenfolge Dekalog – Credo – Vaterunser zumindest im Modellfall ergibt, die Frage des Katechismusaufbaues dennoch berührt werden.

Wir gehen aus von den zwei großen Teilen der Übung, also von Bereitung und Gebet. Wenn wir einmal nur auf die Katechismusstücke abheben, dann wäre zu fragen, inwiefern Dekalog und Credo als Bereitung zum Beten des Vaterunsers dienen können. Für die Antwort stützen wir uns auf Aussagen Luthers, die Dekalog und Credo in das Verhältnis von Gesetz und Evangelium setzen. Demnach zeigen uns die Zehn Gebote, was wir Gott gegenüber schuldig sind und auch schuldig bleiben, mithin unsere Sündhaftigkeit. Die Aussagen des Glaubensbekenntnisses dagegen zeigen uns Gottes gnädiges Handeln in Schöpfung, Erlösung und Heiligung[387]. Diese Doppelheit aber entspricht genau der Doppelheit von miseria nostra und misericordia Dei, welche für die Bußmeditation insgesamt kennzeichnend war[388]. Sodann beschrieb das Begriffspaar miseria – misericordia auch den Bereitungsteil des Gebetes in der mittelalterlichen Tradition und bei Luther[389]. Wie wir im nächsten Abschnitt sehen werden, erwächst auch Luthers Meditationsschema vom vierfachen Kränzlein, das im Rahmen der Katechismusmeditation zur Anwendung gelangt, aus dieser mittelalterlichen Tradition. Wir scheinen uns also mit dem Hinweis auf den alten modus orandi als Strukturprinzip der Katechismusmeditation durchaus im Bereich des Möglichen zu befinden. Diese Spur verfolgen wir weiter und stellen fest, daß Hugo v. St. Viktor die doppelte Betrachtung von miseria und misericordia durch den Begriff meditatio zusammenfassen kann. Die meditatio habe, so meint er, einem rechten Gebet vorauszugehen[390]. Somit könnten wir die beiden großen Teile der Katechismusmeditation auch mit dem Begriffspaar meditatio – oratio beschreiben.

Im Einklang damit steht es, wenn im Bereitungsteil das Herz „warm“ werden soll zum Gebet[391]. Genau dies, nämlich die Ausrichtung des Affekts auf Gott hin, war schon in dem 1516 von Luther entfalteten Gebetsmodus die Funktion solcher meditatio[392].

Wir können nun auch genauer bestimmen, was es für Luther bedeutet, durch solche vorbereitende meditatio „ledig“[393] zu werden zum Gebet. Es ist damit nicht nur Ruhe vor störenden äußeren Einflüssen gemeint. Vielmehr liegt die

---

[387] Vgl. etwa WA 30 I,94,19–22: „Haec doctrina (scil. des Credo) est alia quam praeceptorum, quae docet, quid nos facere debeamus, Ista, quid nos acceperimus a deo. Igitur fides dat ea, quibus indiges. Haec est Christiana fides: scire, quid faciendum sit et quid tibi donatum sit.“ Vgl. dazu Peters, Theologie der Katechismen 17.

[388] Vgl. o. S. 102–105. [389] Vgl. o. S. 112ff. [390] Vgl. o. S. 112.

[391] Vgl. etwa WA 38,360,1; auch 372,32; 373,7.

[392] Vgl. etwa WA 55 II,1,48,5f.; 52,1; 54,12. [393] WA 38,363,18; 364,30; 373,2.

theologische Bedeutung solcher „Ledigung" darin, daß vom Menschen all das abfällt, was die Spannung zwischen seiner miseria und Gottes misericordia verdeckt, was ihn also über seine Sündhaftigkeit und über sein Angewiesensein auf Gottes Gnade hinwegtäuscht. Genau das ist es, was „frembde geschefft oder gedancken"[394] so gefährlich macht. Gegen diese Gefahr empfiehlt Luther zunächst mehr äußerlich das regelmäßige Beten und Meditieren[395], sodann – auf den Inhalt bezogen – eine Meditation, die miseria und misericordia, Gesetz und Evangelium, klar heraustreten läßt. Letzteres leistet im übrigen nicht nur die Wahl von Dekalog und Credo als Gegenstände der Meditation, sondern – wie wir sehen werden – auch schon die Meditation eines der beiden Stücke, vor allem aber des Dekalogs, nach dem vierfachen Kränzlein.

Nunmehr wird auch verständlich, warum Luther zusätzlich zu Dekalog und Credo (oder aber – nach der Kurzfassung – auch an deren Stelle) Psalmen, biblische Sprüche oder ganze Kapitel der Heiligen Schrift für den Bereitungsteil empfehlen kann. Die Heilige Schrift als Wort Gottes steht insgesamt unter der Dialektik von Gesetz und Evangelium und kann niemals anders als in dieser Spannung verstanden werden[396]. Somit führen uns alle Schriftworte, soweit man sie nicht völlig aus dem Gesamtzusammenhang des Wortes Gottes löst, unsere Sündhaftigkeit und Gottes Gnade vor Augen. Sie können also in dem beschriebenen Sinn der das Vaterunsergebet vorbereitenden meditatio dienen. Freilich weiß Luther als Exeget zu Genüge, welche Schwierigkeiten oft Schriftstellen dem sich um ihr Verständnis mühenden Christen bieten können. So mag es seinen guten Grund haben, daß die Katechismusstücke Dekalog – Credo – Vaterunser, mit denen der Christ von Jugend auf in Schule, Haus und Gottesdienst vertraut gemacht werden soll, der geistlichen Übung, wie Luther sie modellhaft empfiehlt, als vornehmlicher Stoff dienen.

Wir wollen nun nicht behaupten, wir hätten durch die Rückführung der Katechismusmeditation auf den alten modus orandi auch die Reihenfolge Dekalog – Credo – Vaterunser im Großen und im Kleinen Katechismus Luthers hinreichend erklärt. Für die Katechismen, die zwar auch Meditations- und Gebetbuch, in erster Linie aber wohl doch Lehrbuch sein sollen, werden andere Faktoren zusätzlich wirksam sein. Die Katechismusforschung hat, wenn man ihre Einsichten vereinfacht benennen will, zwei Positionen vertreten[397]: Einerseits sah man den Aufbau der Katechismen als eine dogmatisch bestimmte Ordnung, die den Heilsweg Gottes angeben soll[398]; andererseits wollte man der Anordnung der Stücke in den Katechismen einen solchen systematischen Sinn

---

[394] WA 38,358,5f. [395] Vgl. o. S. 154f.

[396] Vgl. etwa Althaus, Theologie 227–232.

[397] Vgl. Peters, Theologie der Katechismen 8ff. (Skizzierung der Positionen mit Angaben zu den entsprechenden Arbeiten).

[398] So v.a. G. v. Zezschwitz und Th. Harnack. Vgl. etwa Zezschwitz, Christenlehre I,11: „Moses, Christus, der Geist (und die Kirche) ist der innerliche Fortschritt des Katechismus Luthers."

nicht zusprechen, sondern in ihr lediglich eine Zusammenstellung der für den Christen fundamentalen Überlieferungsstücke ohne besondere theologische Motivierung sehen[399].

Demgegenüber meinen wir, daß wir nicht einseitig nur dogmatischen oder nur katechetischen Gesichtspunkten Raum geben dürfen. Der Katechismus hat seinen Sitz im Leben *auch* im geistlichen Leben des Christen, d. h. in Meditation und Gebet. Von daher wird man gegen die zweite von uns genannte Position der Forschung sagen müssen, daß die Reihenfolge der ersten drei Hauptstücke in ihrer Orientierung auf das Vaterunser als Gebet tatsächlich einen inneren Sinn besitzt[400]. Zu der anderen Position wird man anführen müssen, daß für die Anordnung Dekalog – Credo – Vaterunser neben und vielleicht sogar vor allen Erwägungen dogmatischer Art die innere Dynamik des geistlichen Lebens von Bedeutung ist.

3.4.3.2.2. *Das Meditationsschema vom vierfachen Kränzlein*

Für die Meditation der Zehn Gebote im Bereitungsteil bietet Luther ein Modell, das er mit einem vierfachen Kränzlein vergleicht[401]. Dasselbe Meditationsschema findet in den vermehrten Ausgaben Anwendung auch auf das Credo[402]. Ob auch Psalmen und andere Bibelstellen nach dem vierfachen Kränzlein bedacht werden können, geht aus den diesbezüglichen Formulierungen im Schluß der Kurzfassung nicht eindeutig hervor[403]. Wir meinen, daß sie dieser Möglichkeit zumindest nicht widersprechen. Die parallele Nennung der Zehn Gebote, die von Luther vorher ausführlich in der vierfachen Weise behandelt worden sind, mit Psalmen und anderen Schriftstellen läßt sogar eher an eine auf alle Texte anwendbare Meditationsmethode denken. Man mag auch die Tatsache in Betracht ziehen, daß Luther in der Kurzfassung das Credo zwar erwähnt, es aber mit dem vierfachen Kränzlein nicht in Verbindung bringt, während es in der kurz darauf erfolgten vermehrten Ausgabe schon nach diesem Schema behandelt wird. Auch sachlich steht u. E. einer Anwendung des Meditationsschemas vom vierfachen Kränzlein auf beliebige biblische Texte nichts entgegen.

Was es mit dem Bild vom vierfachen Kränzlein auf sich hat, werden wir noch

---

[399] Vgl. etwa K. Frör, Grundfragen 482: „eine blockartige, inselförmige Zusammenstellung der für die elementare und exemplarische Unterweisung wichtigsten Texte der Überlieferung". Und ebd.: „Die vorfindliche Reihenfolge im KK (= im Kleinen Katechismus) ist nicht eine sachlich vorgegebene und notwendige."

[400] Vgl. die Beobachtung von Peters, Theologie der Katechismen 10: „Einerseits variiert er (= Luther) dort, wo er jene drei Hauptstücke lediglich aufzählt, unermüdlich auch deren Reihenfolge, andererseits hält er dort, wo er die Texte zusammenhängend auslegt, unbeirrt an der Ordnung Dekalog – Credo – Vaterunser fest."

[401] WA 38,364,28–372,28.

[402] WA 38,373,10–375,8.

[403] Vgl. WA 38,373,4–7 (Zit. o. S. 155 A.372).

sehen. Sachlich ist Luthers Vorgehen völlig klar. Man soll, so sagt er, jedes Gebot[404] in einer vierfachen Weise bedenken:

„Ich neme ein jglich Gebot an zum ersten als eine lere, wie es denn an jm selber ist, Und dencke, was unser Herr Gott darinn so ernstlich von mir fordert, Zum andern mache ich eine dancksagung draus, Zum dritten eine beicht, Zum vierden ein gebet ..."[405]

Als Beispiel für eine solche vierfache Meditation führen wir Luthers Behandlung des ersten Gebotes an[406]:

Die *Lehre* dieses Gebotes, formal natürlich eine Forderung, ist es, daß ich auf Gott allein mein Vertrauen setze und ihn so meinen Gott sein lasse. In der *Danksagung* bedenke ich, daß Gott sich mir väterlich zuwendet, obwohl ich es nicht verdient habe. Die *Beichte* umfaßt das Bekenntnis meiner Undankbarkeit, die sich im Dienst an fremden Göttern zeigt, und die Bitte um Gnade und Vergebung. Im *Gebet* endlich bitte ich um wachsende Einsicht in den guten Sinn des Gebotes und um die Kraft zu einem dementsprechenden Handeln.

Diese und die Ausführungen zu den anderen Geboten versteht Luther keineswegs als bindend[407]. Jeder kann nach dem angegebenen Schema vom vierfachen Kränzlein selbständig die Gebote meditieren.

Wir fragen nun, ob dieses außerordentlich einprägsame, klare Schema möglicherweise aus der mittelalterlichen Tradition auf Luther gekommen ist[408]. Zur Klärung der Frage beachten wir zuerst die Möglichkeiten für die Benennung der vier Teile des Schemas:

Luther 1535 *WA 38,365,1–4*	*Lat. Übers. 1537* *durch J. Freder*	*Luther 1535* *WA 38,372,26f.* *Kurzer Schluß;* *von Freder nicht übersetzt*
lere	doctrina et praeceptum	lerebüchlin
dancksagung	gratiarum actio	sangbüchlin
beicht	confessio	beicht büchlin
gebet	oratio	Betbüchlin

Die Benennungen im Schluß der Kurzfassung, die vier „Büchlein" aufzählen, wollen vielleicht deutlich machen, daß die Meditation der auswendig gewußten Zehn Gebote nach dem vierfachen Schema mehrere Andachtsbücher verschiedener Art ersetzen kann. Auffällig ist dabei, daß Luther an zweiter Stelle vom

[404] Wir beziehen uns mit unseren Ausführungen von nun an nur auf Luthers Dekalogauslegung. Die Meditation des Glaubensbekenntnisses verläuft analog.

[405] WA 38,365,1–4.

[406] WA 38,365,5–27.

[407] Vgl. in der Einleitung zu der beispielhaften Auslegung: „nemlich also oder mit der gleichen gedancken und worten" (WA 38,365,4). Vgl. auch o. S. 157 A.383.

[408] Vgl. R. Otto, West-Östl. Mystik 350f., wo auch auf Hugo v. St. Viktor verwiesen wird.

„sangbüchlin" spricht[409]. Wir deuten diese Benennung so, daß dadurch der Lobcharakter der Danksagung zum Ausdruck kommt. Wenn wir selbst eine lateinische Benennung finden müßten, könnten wir deshalb wohl sachgemäß die Danksagung als confessio laudis bezeichnen. Es legt sich nahe, dann von der Beichte als der confessio peccatorum zu sprechen. Damit befinden wir uns wieder auf der Spur des alten modus orandi, die von Hugo v. St. Viktor über den frühen Luther auf unseren Text zuläuft[410]. Wir vergleichen also Luthers vierfaches Meditationsschema mit dem Gebetsmodus, wie er bei Hugo v. St. Viktor greifbar wird:

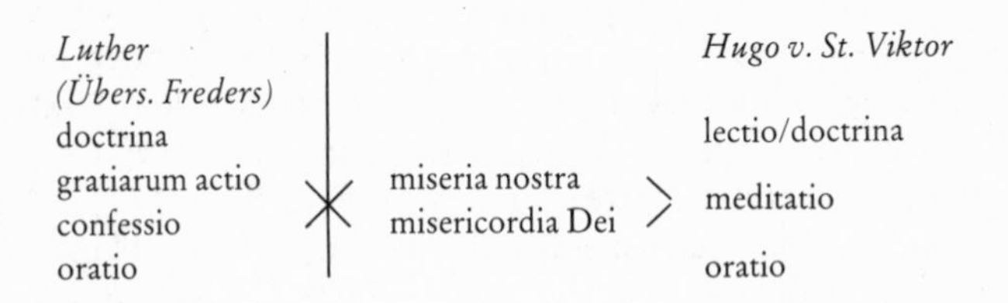

Zur Terminologie bei Hugo ist zu bemerken, daß eigentlich nur die zweifache meditatio mit der folgenden oratio den modus orandi darstellt[411]. Es ist jedoch sachgemäß, der meditatio die Stufe der lectio voranzustellen, wenn die Meditation aus einem Text erwachsen soll. Dies entspricht dem gemeinmittelalterlichen Schema lectio – meditatio – oratio – contemplatio[412], das in etwas veränderter Ausprägung auch bei Hugo anzutreffen ist[413]. Die Umstellung der beiden Pole der meditatio bei Luther muß nicht verwundern, wenn wir an seine bei der Bußmeditation zu beobachtende Intention denken, die Erkenntnis der eigenen Schuld aus der Erkenntnis der Wohltaten Gottes folgen zu lassen[414].

---

[409] Bei der Lesart „Dankbüchlein" der Erlanger Ausgabe (EA/1. Aufl. 23,235) scheint es sich um eine vereinheitlichende Korrektur zu handeln (vgl. ebd. A.33, wo auf die ursprüngliche Lesart „sangbüchlin" hingewiesen wird). Vgl. auch W (1. Aufl.) 10,1708 („Dankbüchlein").

[410] Vgl. o. S. 158.

Als ein Beispiel dafür, wie dieser modus orandi ausgeformt und mit anderen Schemata geistlicher Übung verbunden werden kann, führen wir eine Vaterunserauslegung an, die sich bei Mauburnus unter dem Namen des Johannes Nider findet (Rosetum, Alph. XVI,Y). Sie ist, abgesehen von der mystischen Ausrichtung, unserem vierfachen Kränzlein sehr ähnlich. Demnach soll das Vaterunser (bzw. Teile desselben) unter vier Gesichtspunkten bedacht werden:

	1) textus utpote materia
(via purgativa)	2) defectus noster
(via illuminativa)	3) gratitudo et laus
(via unitiva)	4) noster ad deum affectus ad viae unitivae correspondentiam cum desiderativa aspiratione et suspirio cordis.

[411] Vgl. Hugo v. St. Viktor, De modo orandi, c. 1 (PL 176,977ff.).

[412] Vgl. o. S. 19.

[413] Hugo v. St. Viktor, Eruditionis didascalia, L. V, c. IX (PL 176,797f.): lectio sive doctrina – meditatio – oratio – operatio – contemplatio.

[414] Vgl. o. S. 105.

Freilich findet sich bei Luther im Vergleich mit dem mittelalterlichen Schema die Stufe der contemplatio nicht. R. Otto[415] wollte sie in jener Geisterfahrung finden, die nach Luther in beiden Teilen der Gesamtübung, d. h. im Bereitungsteil und beim betenden Bedenken des Vaterunsers, eintreten kann[416]. Gegenüber dieser etwas voreiligen Ineinssetzung haben wir in unserer zusammenhängenden Untersuchung solcher Geisterfahrung[417] darauf hingewiesen, daß tatsächlich Ähnlichkeiten in der Art des Erlebnisses bestehen, daß sich jedoch inhaltlich Luthers Geisterfahrung von der spezifisch mystischen Erfahrung vor allem durch ihre Bindung an das Wort und die bleibende Bezogenheit auf den angefochtenen Glauben unterscheidet. Mit dieser Einschränkung meinen wir R. Otto zustimmen zu können. Die Sache der contemplatio ist damit in reformatorischer Umprägung auch in Luthers geistlicher Übung berücksichtigt. Daß sie weder sachlich noch terminologisch in Luthers vierfachem Kränzlein Platz findet, muß nicht verwundern, denn die contemplatio ist grundsätzlich nicht methodisierbar[418], während Luthers Meditationsschema einen vollständig zu praktizierenden modus meditandi et orandi bieten will.

Nachdem Luthers vierfaches Kränzlein von der Sache und von seinen geschichtlichen Wurzeln her beleuchtet worden ist, muß nun der Begriff selbst untersucht werden. Wir stellen zu diesem Zweck alle diesbezüglichen Wendungen Luthers in seiner Schrift für Meister Peter[419] einschließlich der jeweiligen Übersetzung Johann Freders zusammen:

Beleg 1

Luther (WA 38,364,30f.)

Ich „mache aus einem jglichen Gebot ein gevierdes oder ein vierfaches gedrehetes krentzlin . . .“

Übersetzung

„Singula . . . praecepta quadrifariam excutio et inde veluti ordine quadruplici distinctum variegatumque sertum concinno . . .“

Beleg 2

Luther (WA 38,365,28f.)

„Darnach . . . das ander Gebot auch also jnns gevierde gedrehet . . .“

Übersetzung

„Hinc . . . secundum praeceptum itidem quadrifariam apud animum meum verso.“

---

415 Otto, West-Östl. Mystik 350f.

416 Vgl. WA 38,366,10–15 und 363,9–16.

417 S. o. S. 77f. u. S. 88–91.

418 Vgl. o. S. 19.

419 An keiner anderen Stelle in Luthers Schriften konnten wir den Terminus vom vierfachen bzw. vierfach gedrehten Kränzlein nachweisen.

Beleg 3

Luther[420] (WA 38,373,10ff./vermehrte Fassung)

„... der mag mit dem glauben auch also thun und ein vier gedrehets krentzlein daraus machen."

Übersetzung

„... is ad eundem modum et Symbolum fidei quadrupliciter tractet et corollam quattuor variatam ordinibus inde conficiat."

Das Problem besteht nun zunächst in dem Verbum „drehen". Zwei Möglichkeiten des Verständnisses bieten sich an[421]: Es kann sich um „drehen" im Sinne von „flechten" oder im Sinne von „wenden" handeln. Im einen Fall müßten wir etwa an ein Kränzlein denken, das aus vier Strängen geflochten ist, im anderen Fall an die viermalige Drehung eines Kränzleins um die eigene Achse.

Wir halten letztere Möglichkeit für zutreffend und gehen zur Begründung von Luthers Sprachgebrauch aus. In Beleg 2 sagt er, das Gebot werde „jnns gevierde" gedreht. Das Substantiv „gevierde" meint in der Regel ein Quadrat[422]. Unser Ausdruck wäre dann zu übersetzen etwa mit „nach (allen) vier Seiten gedreht"[423]. Wenn man eine waagerechte Lage des Kränzleins nicht annehmen will, könnte man allgemein an eine vierfache Drehung im Sinne von vier Vierteldrehungen denken. Auch Freder denkt offenbar bei „drehen" an ein Wenden, wenn er es – ebenfalls in Beleg 2 – mit versare wiedergibt. Darüber hinaus ist zu beachten, daß in Beleg 2 zwar das Bild vom Kränzlein im Hintergrund steht, daß aber streng grammatikalisch das Gebot Subjekt ist und somit auch „gedreht" wird. Diese Vertauschung des Gegenstandes der Drehung ist leichter möglich, wenn „drehen" ein Wenden und nicht ein Flechten meint. Das Flechten ist nämlich an das Bild vom Kranz gebunden, während dagegen grundsätzlich jeder Gegenstand, darüber hinaus auch im übertragenen Sinn ein Gedanke oder eben ein Gebot nach verschiedenen Seiten „gewendet" werden kann. In Freders Übersetzung kommt dieser übertragene Sinn stärker als bei Luther zur Geltung[424].

Dieser unserer Deutung, die das „Drehen" des Kränzleins als ein Wenden auffaßt, widersprechen die anderen Belege in Luthers eigener Fassung nicht[425].

[420] Luther bzw. derjenige, der den vermehrten Schluß im Sinne Luthers angefügt hat; vgl. o. S. 155.

[421] Vgl. Grimm 2, a. v. „drehen", bes. Sp. 1362 zu 1b und 1c.

[422] Vgl. etwa Götze, Glossar 97, a. v. „gefierde"; Dietz, Wörterbuch 111, a. v. „Gevierde".

[423] Vgl. Luthers Übersetzung von Ez 42,20: „Also hatte die maur, die er gemessen, jns gevierde, auff jder seiten herumb, funffhundert ruten ..." (WA DB 11 I,552).

[424] Vgl. „apud animum meum" (Beleg 2).

[425] Merkwürdig ist der Ausdruck „vier gedrehet" (Beleg 3). Er ist wohl in Analogie zu Ausdrükken wie „viergeteilt", „viergewinkelt", „viergespannt" etc. zu sehen (vgl. die Beispiele bei Grimm 12,297f., wo „viergedreht" jedoch nicht verzeichnet ist). Zu Beleg 1 ist zu bemerken, daß das Partizip Präteritum Passiv „gedreht" keineswegs einen abgeschlossenen Vorgang bezeichnen muß. Ein von Pferden „gezogenes" Gespann beispielsweise ist auch nicht nur einmal in der Vergangenheit gezogen worden; der Ausdruck beschreibt einen gegenwärtigen Vorgang.

Freders Übersetzung vermeidet in den Belegen 1 und 3 eine genaue Wiedergabe von „drehen" und trägt somit zu einer Klärung des Sachverhalts nichts bei[426].

Wir fragen nun nach dem vierfachen Charakter des Kränzleins. Das Bild ist deutlich, wenn wir die Sachebene, d. h. die Betrachtung *eines* Gebotes unter *vier* Aspekten dazuhalten: Es handelt sich um *einen* Kranz mit *vier* Teilen oder Gliedern[427].

Diese Vorstellung entspricht der Funktion, die Luther auch an anderen Stellen dem Bild vom Kranz zuweist. Zwei Gesichtspunkte sind dabei einzeln oder kombiniert von Bedeutung: das Moment der sinnvollen Reihung der Glieder und das Moment der Zusammenfügung von Anfang und Ende[428]. Beide Momente kommen in unserem Fall zur Geltung, wenn einerseits die vier Aspekte (Lehre, Danksagung, Beichte, Gebet) sinnvoll aufeinanderfolgen und wenn andererseits das Kränzlein des nächsten Gebotes von neuem vierfach gedreht werden soll, sobald der Vorgang mit einem Gebot zum Ende gekommen ist.

Nach diesen Überlegungen können wir Luthers Wendung in Beleg 1 besser verstehen: „ein gevierdes oder ein vierfaches gedrehetes krentzlin". Ein „gevierdes" Kränzlein meint ein Kränzlein mit vier Teilen, Segmenten oder Gliedern. Wie auch immer man sich das vorstellen mag, es dürfte jedenfalls – entsprechend der Sachhälfte des Vergleiches – in dem Partizip „gevierd" das Moment der Teilung im Gegensatz zum Moment der Vervielfältigung zutreffen[429]. Was die Zusammengehörigkeit der Wörter der gesamten Wendung betrifft, so empfiehlt es sich nicht, in folgender Weise zu trennen: „ein gevierdes oder ein vierfaches/ gedrehetes krentzlin". Luther hätte in diesem Fall lediglich dieselbe Sache durch zwei Wörter bezeichnet[430]. Eher dürfte es zutreffen, daß „vierfach" trotz seiner adjektivischen Form dem folgenden Partizip „gedreht" als adverbiale Bestimmung zugeordnet ist[431].

Dann will Luther mit dem gesamten Ausdruck sagen: Der vierfache Charakter des Kränzleins kommt durch Vierteilung bzw. Zusammenfügung von vier Teilen oder durch eine vierfache Drehung zustande. Da das Wörtchen „oder" an unserer Stelle wohl in einem einschließenden Sinn zu verstehen ist[432], kommen der Aspekt der Teilung und der Aspekt der Drehung zur Überlagerung. Dadurch entsteht der sachlich zutreffende Eindruck, daß es sich um eine in vier

---

426 Vgl. u. A.433.

427 Vgl. WA 38,364,30–365,4.

428 Vgl. WA 55 II,1,61,21.23f.; WA 30 I,85,8.20 u. 181,1; WA 31 II,536,13; WA 49,270,2; WA 54,93,27.

429 Zu beiden Momenten vgl. Grimm 4 I 3, a. v. „geviert", bes. Sp. 4685. Unsere Stelle wird hier allerdings wie auch von der Weimarer Ausgabe (WA 38,364 A.12) dem Moment der Vervielfältigung zugerechnet.

430 Auch in „vierfach" kann das Moment der Teilung zum Ausdruck kommen, vgl. Grimm 12 II,293 (s. v. „vierfach").

431 Vgl. etwa WA 50,660,13: „einen zimlichen guten Theologen".

432 Vgl. Grimm 7, a. v. „oder", bes. Sp. 1152f. Freder übersetzt mit nachgestelltem „-que".

Vierteldrehungen geteilte Gesamtdrehung handelt. Diese beiden in Beleg 1 zum Ausdruck kommenden Aspekte halten sich im folgenden durch, wobei der Aspekt der Teilung vor allem von der Sachhälfte des Vergleiches, der Aspekt der Drehung durch Luthers bildbezogene Formulierungen in den Belegen 1 und 2 getragen wird[433].

Zum Schluß ist zu fragen, warum Luther ausgerechnet das Bild vom vierfachen Kränzlein (wie wir es der Einfachheit halber nennen) einführt. Wir haben schon auf die Momente der Reihung der Glieder und der Zusammenfügung von Anfang und Ende hingewiesen, die Luther an anderen Stellen mit dem Bild vom Kranz verbindet[434]. Darüber hinaus halten wir es nicht für ausgeschlossen, daß der Rosenkranz als Modell wenigstens in der Ferne greifbar wird[435]. Immerhin klingt in der Schrift für Meister Peter neben der Kritik am gedankenlosen Breviergebet auch die Kritik am mechanischen Rosenkranzbeten ausdrücklich an[436], so daß die Vorstellung vom Rosenkranz naheliegt. Freilich gibt es vom Inhalt her keine Übereinstimmung, ist doch gerade das Vaterunser bei Luther nicht in die Meditation nach dem vierfachen Kränzlein einbezogen. Es bliebe für die Möglichkeit eines Vergleiches das Bild vom Kränzlein als solches und die Funktion des Rosenkranzes als „Gerät zum Zählen der Gebete"[437]. Luthers Bild vom vierfachen Kränzlein wäre als Aufnahme dieser beiden Elemente und zugleich als überbietende Kritik am Rosenkranz zu verstehen. Unter der Annahme einer solchen Beziehung würde sich das Bild vom Kränzlein sehr deutlich darstellen: Man läßt – natürlich im übertragenen Sinn – ein viergliedriges Kränzlein durch die Finger gleiten und bedenkt bei jedem der vier Glieder oder Teile einen Aspekt der in Rede stehenden Sache[438].

In jedem Fall jedoch hätten wir es nur mit einer schwachen Anspielung zu tun. Freder hat offenbar in seiner Übersetzung nicht daran gedacht[439]. Er hebt ab auf die Funktion des Bildes vom vierfachen Kränzlein, die auch ohne den Vergleich mit dem Rosenkranz hinreichend deutlich ist: die Betrachtung ein und derselben Sache unter vier Aspekten.

---

433 Freder läßt in den Belegen 1 und 3 offenbar das Moment der Drehung im Moment der vierfachen Teilung oder Ausgestaltung des Kränzleins aufgehen, sofern er überhaupt auf der Bildebene bleibt. „Variegare" (Beleg 1; Beleg 3: „corolla . . . variata") bedeutet lediglich „mannigfaltig/bunt machen" (so etwa Georges, Wörterbuch II,3367, s. v. „variego"). Vgl. auch Du Cange VIII,245, s. v. „variegare": „variare, ornatus varietate distinguere".

434 Vgl. o. S. 165.

435 Vgl. zu Luthers Einschätzung des Rosenkranzes, die schon früh negativ ausfällt: Düfel, Marienverehrung 223–226. Luthers Randglossen zum Marienpsalter des Marcus von Weida (1515) finden sich bei G. Kawerau, Randglossen.

436 WA 38,363,1.

437 Scherschel, Rosenkranz 97. Vgl. ebd. die Zusammenstellung von 11 Elementen des Rosenkranzes.

438 Man könnte auf einen, freilich späteren, Beleg für „Rosenkranz drehen" = „Rosenkranz beten" verweisen. Grimm 8,1206 (s. v. „Rosenkranz") zitiert aus dem Musenalmanach von 1798: „. . . dort, wo in der zelle man rosenkränze dreht".

439 Freder übersetzt Luthers „Rosen krentze" (WA 38,363,1) richtig mit rosaria. Beim vierfachen

3.4.3.3. *Zusammenfassung*

Die Katechismusmeditation, wie sie in der Schrift für Meister Peter von 1535 zur Darstellung gelangt, ist eine auf die zentralen Texte des christlichen Glaubens gerichtete Form der Meditation, die Luther Pfarrern und allen Christen zur regelmäßigen Durchführung empfiehlt. Bei aller Freiheit der Gestaltung, die Luther grundsätzlich jedem Menschen zugesteht, und unter Absehung von allen Modifikationen, die er selbst anbringt, kristallisiert sich ein klarer Aufbau der Übung als Modell heraus.

In einem ersten, der Bereitung dienenden Teil werden die Zehn Gebote und das Apostolische Glaubensbekenntnis sorgfältig bedacht. Als Hilfe der Meditation bietet Luther das Schema vom vierfachen Kränzlein an, welches besagt, daß einzelne Gebote oder Glaubensartikel unter den vier Aspekten von Lehre, Danksagung, Beichte und Gebet betrachtet werden. Zusätzlich zu den beiden Katechismusstücken kann man in diesem Bereitungsteil auch Psalmen und andere biblische Texte heranziehen. Es folgt der Hauptteil der Übung, welcher im wesentlichen durch das Beten des Vaterunsers gebildet wird. Praktisch geschieht dies so, daß zuerst das Vaterunser ganz gesprochen und sodann jede Bitte einzeln bedacht wird[440], wobei – im Gegensatz zum Bereitungsteil – die Form des Gebets durchgängig gewahrt bleibt.

Insgesamt findet sich für diese auf die ersten drei Hauptstücke des Katechismus bezogene geistliche Übung in der Tradition kein Vorbild. In ihren formalen Gegebenheiten aber, d.h. in ihrem aus Bereitung und Gebet bestehenden Aufbau sowie mit dem Meditationsschema vom vierfachen Kränzlein, und – damit eng verbunden – in ihrer inneren Dynamik erwächst sie aus einem mittelalterlichen modus orandi, den Luther in reformatorischer, auf Gesetz und Evangelium bezogener Zuspitzung übernimmt: Durch die Erkenntnis der eigenen Sündhaftigkeit, die im Lichte der Güte Gottes erfolgt, wird der Mensch bereit zu einem aufrichtigen, herz-lichen Gebet. Wenn diese Übung ernsthaft durchgeführt wird, kann es zu jener Geisterfahrung kommen, in welcher der Text und zugleich die Situation des Menschen vor Gott auf tiefgreifende Weise erhellt werden.

3.4.4. *Meditation der Heiligen Schrift*

3.4.4.1. *Vorbemerkungen*

Man mag fragen, ob es nicht überflüssig ist, nun noch in einem gesonderten Kapitel von der Meditation der Heiligen Schrift zu handeln, obwohl diese

Kränzlein aber verwendet er die allgemeinen Termini sertum und corolla (Belege 1 u. 3). Überhaupt hat er mit der Bildhälfte des Vergleiches seine Schwierigkeiten, was wohl auf Luthers nicht sehr präzise Formulierungen zurückzuführen ist (vgl. o. S. 166 A.433).

[440] Vgl. WA 38,360,12ff.

nahezu durchgängig den Gegenstand der Untersuchungen bildete. Auch die Katechismusmeditation mußte zu diesem Bereich gerechnet werden, da es sich zumindest bei Dekalog und Vaterunser ohnehin um biblische Stücke handelt und da für Luther der Katechismus insgesamt nichts anderes ist als „der gantzen heiligen schrifft kurtzer auszug und abschrifft"[441]. Eine gewisse Ausnahme bildete die Bußmeditation, welche zwar von Schriftworten ihren Ausgang nehmen konnte, aber in ihrer Durchführung nicht notwendig an die Heilige Schrift gebunden war. Nicht von ungefähr scheint jedoch diese Form der Meditation als selbständige Übung für Luther an Bedeutung verloren zu haben, so daß im wesentlichen nur das sie tragende Grundprinzip der duplex confessio beibehalten wird, indem es in Formen ausgesprochener Schriftmeditation eingeht.

Trotz dieser bereits ausführlich dargestellten Zusammenhänge, die wir als Hintergrund in diesem Kapitel ständig voraussetzen, halten wir es für notwendig, Luthers Schriftmeditation nun noch nach drei Richtungen klärend zu entfalten. In einem ersten Durchgang fragen wir nach Anleitungen zur privaten Bibellektüre, die Luther allen Christen, mithin auch den „Laien" unter ihnen, an die Hand gibt. Sodann wollen wir das Verhältnis von akademischer Schriftauslegung und privater Meditation etwas beleuchten, wobei wir uns dessen bewußt sind, daß wir damit einer im wesentlichen modernen Blickrichtung folgen. Zuletzt soll das als „Turmerlebnis" bezeichnete Ereignis in Luthers Leben, das für sein Verhältnis zur Heiligen Schrift von so fundamentaler Bedeutung geworden ist, auf dem Hintergrund unserer Untersuchungen zur meditatio gewürdigt werden.

3.4.4.2. *Des Christen Umgang mit der Heiligen Schrift nach Luthers Vorreden zur Bibel*

Wenn man fragt, wo Luther am vernehmlichsten und am greifbarsten über den Umgang eines jeden Christen mit der Heiligen Schrift gesprochen hat, so fällt der Blick auf die Vorreden, die Luther ab 1522 zu den einzelnen Büchern, aber auch insgesamt zum Alten und Neuen Testament der von ihm übersetzten Bibel verfaßt hat. In der Tat finden sich dort entsprechende Ausführungen, die freilich in charakteristischer Weise die Frage nach dem Modus eines solchen Umgangs verknüpfen mit der inhaltlichen Frage, *was* man in der Bibel suchen solle. Wenn letztere Frage auch im Vordergrund steht, so stoßen wir dennoch auf Äußerungen, die deutlich zeigen, daß Luther die Praxis der meditatio, wie wir sie aus anderen Texten erhoben haben, auch in seinen Vorreden voraussetzt bzw. weiterempfiehlt. Als Beleg zitieren wir die einleitenden Sätze der vielleicht berühmtesten Vorrede, nämlich derjenigen zum Römerbrief von 1522:

---

[441] WA 30 I,128,29f.

„Dise Epistel ist das rechte hewbtstuckt des newen testaments, vnd das aller lauterst Euangelion, Wilche wol wirdig vnd werd ist, das sie eyn Christen mensch nicht alleyn von wort zu wort auswendig wisse, sondern teglich da mit vmb gehe als mit teglichem brod der seelen, denn sie nymer kan zu viel vnd zu wol gelesen odder betrachtet werden, Vnd yhe mehr sie gehandelt wirt, yhe kostlicher sie wirt, vnnd bass sie schmeckt, Darumb ich auch meynen dienst da zu thun wil, vnd durch dise vorrhede eyn eyngang da zu bereytten, so viel myr Gott verliehen hat, damit sie deste bas von yderman verstanden werde, Denn sie biss her, mit glosen vnd mancherley geschwetz vbel verfinstert ist, die doch an yhr selb eyn helles liecht ist, fast[442] gnugsam die gantze schrifft zu erleuchten."[443]

Vier Gesichtspunkte zur Praxis der Meditation lassen sich aus diesem Text erheben:

- Adressaten von Luthers Ausführungen sind *alle Christen* (yderman), also keineswegs nur solche, die professionell mit Predigt oder theologischer Lehre betraut sind.
- Jeder Christ sollte den Text des Römerbriefs von Wort zu Wort *auswendig* parat haben.
- Man soll sich dem Römerbrief in *täglicher Meditation* widmen. Solch beharrliches Meditieren wird wegen der Unerschöpflichkeit gerade dieses biblischen Textes zu keinem Ende kommen.
- Die Termini aus dem Bereich der Nahrungsaufnahme weisen darauf hin, daß Luther die Meditation hier als *ruminatio* beschreibt. Sehr deutlich hat dies offenbar Justus Jonas gesehen, wenn er in seiner lateinischen Übersetzung der Vorrede noch ausführlicher als Luther selbst Vokabular verwendet, das der ruminatio zuzuordnen ist[444].

Nach den Sätzen, welche die formale Seite der Meditationspraxis ansprechen, geht Luther sofort zu inhaltlichen Fragen über. Der Römerbrief ist, so sagt er, ein Lichtquell für die gesamte Bibel. Sachlich ist dies damit zu begründen, daß der Zentralartikel der Reformation, die Rechtfertigung allein aus Glauben, und damit verbunden die rechte Unterscheidung von Gesetz und Evangelium in dieser Schrift besonders klar zum Ausdruck kommen. Freilich wird dieser Kern des Glaubens und der Theologie nicht nur im Römerbrief zutreffend formuliert. An anderer Stelle nennt Luther das Johannesevangelium, den Römerbrief und den 1.Petrusbrief als diejenigen biblischen Zeugnisse, welche die Rechtfertigung am klarsten zur Geltung bringen, und zieht daraus für die Praxis den

---

[442] „Fast" ist hier im Sinne von „völlig" zu verstehen. Vgl. Dietz, Wörterbuch, a.v. „fast", S. 634f.; auch LD 5 (2. Aufl.), 45.

[443] WA DB 7,2,3–16.

[444] Wir geben den ersten Satz dieser Übersetzung von 1524 wieder: „Cum epistola haec Pauli ad Rhomanos, unica totius scripturae sit methodus et absolutissima epitome Novi testamenti seu Euangelii, quod ipsa certe vel sola, breviter et purissime tradit, dignam sane existimo, quae non modo ab omnibus Christianis imbibatur a teneris, ediscaturque ad verbum, sed et quae assidua et perpetua, meditatione, ceu ruminata et concocta, haud aliter atque probe digestus cibus, in intima animi viscera traiiciatur" (WA DB 5,619,9–15).

Schluß, daß diese Texte zeitlich und sachlich an erster Stelle bedacht werden müssen[445]. Vom Zentrum der reformatorischen Theologie her ergibt sich also eine Reihenfolge und eine Gewichtung der zu meditierenden biblischen Texte.

Wenn wir noch einmal zu unserem Zitat aus der Römerbriefvorrede zurückkehren, so stellen wir fest, daß Luther seine eigene Rolle darin sieht, den Schutt verdunkelnder Interpretation wegzuräumen und so dem Licht der Rechtfertigung, wie es im Römerbrief beschlossen ist, zum Durchbruch zu verhelfen[446]. Er weiß, daß es ein Geschenk Gottes ist, daß gerade in seiner Zeit das Licht des Evangeliums, welches – so seine Geschichtskonzeption – über Jahrhunderte hinweg verdunkelt war, wieder zu leuchten beginnt[447]. Dieses Geschenk bedeutet für alle, die öffentlich mit dem Evangelium umgehen, die Verpflichtung, es rein, d. h. in rechter Unterscheidung vom Gesetz, zu predigen und zu lehren. Aus dieser geschichtlichen Verantwortung heraus schreibt Luther seine Vorreden zur Bibel. Sie sollen dem Menschen, der meditierend in die Heilige Schrift eindringen will, das Wissen vermitteln, das für ein reformatorisches Verständnis der Bibel unumgänglich ist. Die Formen, in denen dies jeweils geschieht, müssen hier nicht im einzelnen erörtert werden. Jedoch sei beispielhaft wieder auf die Römerbriefvorrede verwiesen, wo Luther zuerst eine kleine theologische Sprachlehre bietet[448]. D. h., er gibt zu allen biblischen Grundbegriffen der Rechtfertigungslehre, wie sie im Römerbrief vorkommen, eine auf gesamtbiblischem Kontext beruhende Erklärung und vermittelt so dem Bibelleser besser als mit abstrakten Lehrsätzen ein Werkzeug zu eigener Lektüre. Sodann skizziert er fortlaufend den Inhalt der einzelnen Kapitel als Leitlinie für den ungeübten Leser[449].

Wir halten fest: Privates Meditieren der Heiligen Schrift gehört für Luther zur Aufgabe eines jeden Christen. Neben den äußeren Regeln des Vollzugs, die durch die Frömmigkeit der Jahrhunderte geprägt sind, ist es in beherrschender Weise das inhaltliche Kriterium der Rechtfertigung bzw. der rechten Unterscheidung von Gesetz und Evangelium, dem Luthers Bemühen in seinen Vorreden zur Bibel gilt. Öffentliche, dem Wortlaut des Evangeliums verpflichtete Predigt bzw. Lehre muß dem privaten Nachsinnen über der Schrift solche inhaltliche Orientierung geben.

3.4.4.3. *Zum Verhältnis von Exegese und Meditation*

Wenn wir nach dem Verhältnis von Exegese und Meditation bei Luther fragen, so tun wir das bewußt von unserem modernen Standpunkt aus, für den beides als – um es einmal so zu sagen – wissenschaftlicher und erbaulicher

[445] WA DB 6,10,9–19 (Welches die rechten und edelsten Bücher des Neuen Testaments sind. 1522). Vgl. auch o. S. 133, 144f.

[446] Zit. o. S. 169.

[447] Vgl. WA 15,38,32–39,9 (An die Ratsherren. 1524).

[448] WA DB 7,2,17–12,26.

[449] WA DB 7,12,27–26,27.

Umgang mit der Bibel, bedingt durch unser die historische Methode tragendes Wirklichkeitsverständnis, oft unüberbrückbar weit auseinandergetreten ist. Wir dürfen also von Luther keine direkte Antwort auf unser modernes Problem erwarten. Gleichwohl könnte es für die gegenwärtige Situation zumindest anregend wirken, wenn man sieht, auf welche Weise Luther im Rahmen seiner akademischen und nach damaligen Maßstäben auch durchaus wissenschaftlichen Bibelauslegung das Anliegen meditativen Umgangs mit dem Text zur Geltung gebracht hat.

Bevor wir jedoch am Beispiel beobachten, wie Luther diesen Brückenschlag in der Praxis seiner Vorlesungen vollzogen hat, müssen wir die Tatsache deutlicher herausstellen, daß für ihn Exegese und Meditation prinzipiell auf das engste zusammengehören.

Wir haben schon gesehen, daß Luther mit meditatio zwar die deutlich konturierte Frömmigkeitsübung privaten Umgangs mit dem Wort bezeichnet, daß dieser Begriff darüber hinaus aber auch die öffentliche Predigt bzw. Lehre umfaßt[450]. Jede Weise des Umgangs mit dem Wort Gottes, also auch die Exegese, sofern sie Gottes Wort demütig und ehrfürchtig als solches achtet[451], ist folglich meditatio in dem weiten Sinn dieses Begriffs[452]. Freilich gebraucht Luther in der überwiegenden Zahl der Fälle meditatio/meditari nicht in dieser weiten Bedeutung. Vielmehr bringt die meditatio, eben als eine solche festumrissene Frömmigkeitsübung, in den Auslegungsvorgang ihr Proprium ein, indem sie auf die „Konformität der Affekte" abzielt[453]. Dieses hermeneutische Prinzip ist keineswegs, wie K. Holl noch meinte, „Luthers persönliche Errungenschaft"[454], sondern erklärt sich aus einer langen und selbstverständlichen Tradition[455]. Es besagt, daß für ein angemessenes Verstehen der Heiligen Schrift die Affekte des Schreibers und des Lesers zum Einklang kommen müssen[456]. Verstehen ist also mehr als nur ein intellektuelles Einsehen von Sachverhalten; man könnte es durchaus als ein geistgewirktes Einfühlen und Einleben in die Schrift bezeichnen. Diesen Grundsatz der Affektkonformität formuliert Luther klar und in einer Weise, welche die Verbindung mit der Tradition erkennen läßt[457].

---

[450] S. o. S. 61, 63.

[451] Vgl. WA 55 II,1,13,13–14,12 (dazu o. S. 47).

[452] Für meditatio als interpretierende Auslegung von biblischen Wörtern oder Texten vgl. etwa WA 1,526,15; WA 5,550,4; 552,1; WA 14,500,17.

[453] Vgl. dazu Holl, Auslegungskunst 547–550, 555–558, 575–578; Hahn, Auslegungsgrundsätze 167–173; Bühler, Anfechtung 200–204; Ebeling, Evangelienauslegung, bes. S. 435–439; Metzger, Gelebter Glaube 54–68, 200–217.

[454] Holl, Auslegungskunst 549.

[455] Vgl. Metzger, Gelebter Glaube 64–68; auch Köpf, Religiöse Erfahrung 203–213.

[456] Vgl. etwa Gerson, Myst. theol. spec., cons. 30 (ed. Combes 79, 49–52: „... numquam aliquis intelliget verba apostoli et prophetarum, quantumcumque illa resonent exterius, si non imbiberit affectum scribentium, neque enim aliter conceptus eorum verborum in animo generabit."

[457] Vgl. etwa WA 3,549,33ff.: „Nullus enim loquitur digne nec audit aliquam Scripturam, nisi

Freilich ist der Weg, auf dem es bei Luther zu einer solchen inneren Übereinstimmung mit der Heiligen Schrift kommt, charakteristisch von dem der Tradition unterschieden, so wie sich eben Luthers meditatio von der meditatio der Tradition unterscheidet. Bei aller Betonung des Grundsatzes, daß der Mensch mit Intellekt *und* Affekt um das Verständnis des Wortes Gottes ringen müsse, geht es ihm nicht um die traditionelle, aus Meditation und sittlichem Reinigungsstreben gewobene geistliche Übung, die sich als „methodisch durchgeführte Neuordnung der Affekte"[458] versteht. Vielmehr liegt ihm bezüglich des Verstehensvorgangs an der Einbeziehung der für ihn typischen Erfahrung, die den Menschen in seiner gesamten, der Situation der Anfechtung nie enthobenen Existenz ergreift und die im Verhältnis des hermeneutischen Zirkels an die Praxis der Meditation gebunden ist[459]. Auf dem Hintergrund einer solchen meditativen Erfahrung im Zeichen des Kreuzes entspringt ein angemessenes Verstehen der Heiligen Schrift. Man kann es auch christologisch formulieren: „Wo Christus als Wirklichkeit erfahren und anerkannt ist, da ist die Schrift verstanden."[460]

Gehören demnach Meditation und die mit ihr verbundene religiöse Erfahrung unabdingbar zu einer sachgemäßen Auslegung der Heiligen Schrift, so ist es nicht verwunderlich, daß Luther in seinen Vorlesungen eindringlich auf Meditation zu sprechen kommt. Als Beispiel wählen wir die Dictata-Scholien zu Ps 68(69),17, genauer zu dem Versteil quoniam benigna est misericordia tua[461].

Zunächst begründet Luther sein Vorgehen sachlich, nicht terminologisch, mit dem Prinzip der Affektkonformität: Was die misericordia Gottes, von welcher der Psalm spricht, bedeutet, kann nur derjenige Mensch wirklich verstehen und nachvollziehen, der sich zunächst seiner eigenen miseria, sei sie nun mehr äußerer oder mehr innerer Art, leidvoll bewußt ist[462]. Solch existentiellem Verstehen des Psalmwortes dienen die sich anschließenden Erörterungen. Sie sind ausdrücklich tropologische Auslegung[463], was zunächst bedeutet, daß Luther nach dem herkömmlichen Schema vom vierfachen Schriftsinn fachmännisch Exegese treibt. Dabei soll jedoch nicht übersehen werden, daß Luther in den Dictata über dieses mittelalterliche Schema, so sehr er sich immer wieder darauf bezieht, doch schon allenthalben hinausdrängt[464]. Von besonderer Be-

---

conformiter ei sit affectus, ut intus sentiat, quod foris audit et loquitur, et dicat: ‚Eia, vere sic est'." WA 4,305,11: „... nullus alium in scripturis spiritualibus intelligit, nisi eundem spiritum sapiat et habeat." Vgl. auch die letzte schriftliche Notiz vor seinem Tod WA TR 5, Nr. 5468 (S. 168,27–36) bzw. WA 48,241.

[458] Metzger, Gelebter Glaube 60.

[459] Zur Wechselbeziehung Meditation – Affekt – Erfahrung vgl. bes. o. S. 99ff.; auch Beintker, Glaube und Bibelverständnis 23, und ders., Verbum Domini, bes. S. 167f.

[460] Metzger, Gelebter Glaube 204; vgl. auch Beisser, Claritas 137–140.

[461] WA 3,428,25–434,6.

[462] Vgl. WA 3,428,25–429,15; auch WA 3,413,18–38 (Glossa). Vgl. dazu o. S. 106–109.

[463] Vgl. WA 3,432,2f.16.19.23ff.

[464] Vgl. Ebeling, Anfänge, bes. S. 61–68.

deutung sind die Veränderungen gerade beim sensus tropologicus, den Luther zum sensus primarius Scripturae erhebt[465] und den er – inhaltlich – von einer auf das Handeln des Menschen zielenden Auslegungsstufe zu einem Interpretationsschritt entwickelt, in welchem die den Kern der individuellen Existenz anrührende Aussage des Textes zum Tragen kommt[466].

Im Zusammenhang dieser tropologischen Auslegung von Ps 68(69),17 begegnet der Terminus meditatio in mehrfacher Weise:

a) Zum Stichwort misericordia des Textes bringt Luther eine ausgeführte Meditation nach dem Schema miseria nostra – misericordia Dei, die wir als Beispiel von *Bußmeditation* bereits dargestellt haben[467]. Er nennt sie mehrfach meditatio[468].

b) Meditatio und tropologia kommen zur Deckung, wenn tropologice durch affectu et meditatione erklärt wird[469]. Damit bezieht sich meditatio auf den *Vorgang der tropologischen Exegese* bzw. umgekehrt[470].

c) Seine Auslegung bezeichnet Luther als tropologia passionis[471]. Da, wie wir gesehen haben, tropologia und meditatio in dieselbe Richtung weisen, könnten wir auch von der meditatio passionis sprechen. Damit tritt die *Passionsmeditation* ins Blickfeld. Dies verwundert nicht, wird doch der gesamte Psalm literaliter als Gebet Christi in seiner Passion verstanden[472].

Zunächst ist zum Verhältnis von Buß- und Passionsmeditation festzuhalten, daß sich beide Meditationsformen offenbar schon hier, in den Dictata, sehr nahekommen. Wenn die Bußmeditation auch noch nicht ins Genus der Passionsmeditation eingebunden ist, wie das später zunehmend der Fall sein wird[473], so überlagern sie sich doch in der Weise, daß sich die persönliche Aneignung der Passion Christi, die tropologia passionis, eben in der Form der Bußmeditation vollzieht. Wir schließen nicht aus, daß die exegetische Arbeit am Psalter mit ihren hermeneutischen Umwälzungen Luther veranlaßte, entsprechende Korrekturen an den konkreten Formen seiner Frömmigkeit vorzunehmen. Vielleicht darf man auch Einflüsse in umgekehrter Richtung annehmen. In jedem Fall stünden die Entwicklung der Hermeneutik und die der konkreten Frömmigkeit in einem Verhältnis gegenseitiger Beeinflussung.

Darüber hinaus entnehmen wir Luthers Ausführungen zu Ps 68(69),17 in den Dictata vier Gesichtspunkte zum Verhältnis von Meditation und Exegese:

1. Es handelt sich nicht um ein Verhältnis von Exegese und Meditation in der Weise, daß Luther als meditatio lediglich einige erbauliche Gedanken zum ansonsten wissenschaftlich ausgelegten Text liefern würde. Vielmehr treibt er, schon langsam den Rahmen des ihm vorgegebenen Modells sprengend, metho-

---

465 Vgl. WA 3,531,34.

466 Vgl. Ebeling, ebd.

467 S. o. S. 106–109.

468 WA 3,431,31.37; 432,10.20.

469 WA 3,432,19f.

470 Vgl. auch die Gegenüberstellung in meditatione – literaliter (WA 3,432,10f.).

471 WA 3,432,16.

472 Vgl. WA 3,410,2f.21; auch 432,11.

473 Vgl. o. S. 105, 126, 149.

dische Exegese nach dem vierfachen Schriftsinn. Innerhalb dieses Auslegungsmodells hat die Meditation notwendig ihren Platz.

2. Die meditatio ist dem sensus tropologicus zugeordnet, dem bei Luther im Rahmen des vierfachen Schriftsinns das Hauptgewicht zukommt. Nun weist gerade die tropologische Auslegung in der vertieften Auffassung Luthers[474] notwendig über sich hinaus: Das Genus der Exegese mündet in das Genus der Meditation. Die tropologische Auslegung kann sich nicht in erbaulichen Gedanken *über* einen Text erschöpfen, sondern sie gibt Anleitung zum meditativen und damit zugleich existentiellen *Mitvollzug* dessen, worum es in dem Text geht[475]. Letztlich erreicht die Exegese erst in der Meditation, in diesem Fall der Bußmeditation, ihr Ziel, nämlich die erfahrungsmäßige Begegnung mit dem in der Schrift redenden Christus. Umgekehrt schafft erst die Meditation die Voraussetzung für ein Verstehen des Textes, welches aus Erfahrung kommt.

3. Die Psalmen gehören zu den wichtigsten Gebetstexten des Christen, zumal des Mönchs. Luthers Auslegung von Ps 68(69),17 mit ihrer Anleitung zur Meditation nimmt diesen Sachverhalt ernst, indem sie den Hörer dazu führen will, solches Psalmgebet aufrichtiger und damit sachgemäßer mitzuvollziehen[476].

4. Die Meditation als geprägte Form christlicher Frömmigkeit gehört also untrennbar zur sachgemäßen Auslegung eines biblischen Textes. Diesem Zusammenhang wird Luther in mehrfacher Weise gerecht:

- Er übt selbst Exegese *und* Meditation.
- Im exegetischen Lehrvortrag hat er die Möglichkeit, der Meditation zu biblisch-theologischer Durchdringung zu verhelfen.
- Er gibt, weil der Lehrvortrag keinen Rahmen bietet für die Übung der Meditation, genaue Anleitung für ihren Vollzug oder er weist doch zumindest auf die lebendige Praxis des Meditierens hin.

Es mag nun scheinen, als seien die von uns herausgearbeiteten Linien des Verhältnisses von Exegese und Meditation engstens an das Schema vom vierfachen Schriftsinn gebunden. Dies ist jedoch keineswegs der Fall. Zwar sahen wir an unserem Beispiel besonders schön die Einfügung der Meditation in ein exegetisches Modell. Die grundsätzliche enge Beziehung von Exegese und Meditation bleibt aber auch dann bestehen, als Luther das Modell vom vierfachen Schriftsinn endgültig verlassen und verworfen hat. So verweist er etwa in den Operationes, die klar nach seinen neuen hermeneutischen Grundsätzen gearbeitet sind[477], auf die Notwendigkeit der Affektkonformität und gibt ganz konkrete Anleitung zur Meditation einzelner Psalmverse im Sinne der ruminatio[478]. Unverändert bleibt es Luthers Grundsatz im Umgang mit dem Wort Gottes, daß dieses nur auf dem Hintergrund von religiöser Erfahrung recht

[474] Vgl. o. S. 172f. [475] Vgl. o. S. 87.
[476] Vgl. WA 3,433,36–434,1.
[477] Vgl. etwa Hahn, Auslegungsgrundsätze 203–208.
[478] AWA 2,62,6–63,22; vgl. o. S. 59.

verstanden werden kann[479], von Erfahrung, die ihrerseits aber, wie wir herausgearbeitet haben[480], an den meditativen Umgang mit ebendiesem Wort gebunden ist. Die Meditation ist und bleibt für Luther nicht ein im Belieben des einzelnen stehender Zusatz zur Auslegung des Textes, sondern sie müßte, wenn man seine Hermeneutik systematisch darstellen wollte, in der Methodenlehre selbst ihren Platz finden[481].

3.4.4.4. *Das Turmerlebnis als meditatio von Röm 1,17*

Wenn wir nun auf das sogenannte Turmerlebnis Luthers und auf die diesbezügliche Forschung zu sprechen kommen, so nähern wir uns einem Acker, der bereits vielfach umgepflügt worden ist[482]. Es kann im Rahmen dieser Untersuchung nicht unsere Absicht sein, dies ein weiteres Mal zu tun. Wohl aber wollen wir eine einzige neue Furche ziehen, indem wir jenes soviel besprochene Ereignis in den Duktus unserer bisherigen Überlegungen einordnen und es als meditatio von Röm 1,17 darstellen. Damit tritt die Methode in den Vordergrund, die Frage also, *wie* Luther zu seiner reformatorischen Erkenntnis gekommen ist, während bisher vornehmlich – in enger Verknüpfung beider Fragestellungen – nach der Datierung und nach dem Inhalt des Turmerlebnisses geforscht wurde.

Das wichtigste Selbstzeugnis Luthers über seine reformatorische Entdeckung findet sich bekanntlich in der Vorrede zum ersten Band der Gesamtausgabe seiner lateinischen Schriften von 1545[483]. Es begegnen in diesem berühmten Text mehrere Hinweise auf den meditatio-Charakter des Ereignisses. Zunächst fällt auf, daß Luther seine Tätigkeit im Umfeld des Ereignisses mit den Worten derjenigen Bibelstelle bezeichnet, die für ihn wie für die Tradition die wichtigste biblische Begründung des Meditierens darstellte[484], nämlich mit den Worten von Ps 1,2: „meditabundus dies et noctes“[485]. Die Wahl des Partizips Futur

---

[479] Vgl. Ebeling, Evangelienauslegung 391–402, 435–439. Für die gegenwärtige Problemlage vgl. die sich an Luther anschließenden systematischen Erwägungen bei Ebeling, Schrift und Erfahrung, bes. S. 114.

[480] Vgl. o. S. 99ff.

[481] Vgl. Ebeling, Evangelienauslegung 436, im Rahmen des Versuchs, Luthers Hermeneutik, hier seine hermeneutischen Grundsätze bei der Evangelienauslegung, systematisch darzustellen.

[482] Für die Fülle diesbezüglicher Literatur verweisen wir hier auf den von B. Lohse herausgegebenen Sammelband zum „Durchbruch der reformatorischen Erkenntnis bei Luther“ (1968), darin besonders auf den Aufsatz von O. H. Pesch (Zur Frage nach Luthers reformatorischer Wende. 1966), der die Diskussion bis 1966 übersichtlich darstellt. Sodann sei auf die Darstellung von M. Brecht aus dem Jahr 1981 verwiesen (Luther 215–230), wo überdies wichtige neue Literatur angeführt wird (Anmerkungen, ebd. S. 482ff.). Vgl. auch Loewenich, Luther (1982), S. 79–89.

[483] WA 54,179–187 (zusammenhängend auf das Turmerlebnis bezogen: S. 185,12–186,20). An weiteren Texten sind vor allem einige Äußerungen in Tischreden zu nennen (WA TR 2, Nr. 1681; WA TR 3, Nr. 3232; WA TR 4, Nr. 4007; WA TR 5, Nr. 5247 u. 5553) sowie eine Passage aus der Genesisvorlesung (WA 43,537,12–25; zum Quellenwert der Stelle vgl. Aland, Weg 55ff.).

[484] Vgl. o. S. 18, 44, 66.

[485] WA 54,186,3.

zeigt, daß Luther sich vom Futur des Vulgatatextes (meditabitur) leiten läßt. Bei der Bedeutung, die Ps 1,2 für die Praxis des Meditierens hatte, läßt sich vermuten, daß auch an unserer Stelle dieser Bibelvers auf dem Hintergrund eines konkrete Formen tragenden Umgangs mit dem Wort angeführt wird. Erhärtet wird diese Vermutung durch eine weitere Beobachtung. Luther bringt nämlich sein Verhalten gegenüber dem Paulustext Röm 1,17 auch in folgender Weise zur Sprache: „... pulsabam ... importunus eo loco Paulum, ardentissime sitiens scire, quid S. Paulus vellet“[486]. Wir haben schon bei der Analyse von Luthers Ausführungen zu Ps 1,2 im Rahmen der Dictata bemerkt, daß pulsare die Tätigkeit betenden Meditierens meint, wobei das Bild vom an den Fels schlagenden Mose angesprochen ist[487]. Darauf, daß *betendes* Meditieren gemeint ist, mag hier zusätzlich die Kennzeichnung mit importunus deuten, falls damit das biblische Beispiel vom unverschämt bittenden Freund anklingt[488]. Keinesfalls darf also pulsare an unserer Stelle übersetzt werden etwa mit „(Paulus diese Stelle) zum Vorwurf machen“[489] oder mit „sich (mit Paulus an dieser Stelle) herumschlagen“[490].

Wir können somit davon ausgehen, daß es sich bei dem Turmerlebnis, wie Luther es in der Vorrede und an anderen Stellen schildert, um einen Durchbruch beim Meditieren im präzisen Sinn dieses Begriffes handelt. Diese Einsicht läßt sich konkretisieren, indem wir zeigen, daß das Turmerlebnis alle Züge dessen trägt, was wir als Geisterfahrung im Vollzug des Meditierens nach vier Kennzeichen herausgearbeitet haben[491]:

1. Es ist der *Heilige Geist*, der Luther das Verständnis von Röm 1,17 eröffnet. Die Vorrede von 1545 spricht davon nicht ausdrücklich, wohl aber eine Reihe anderer Texte[492].

2. Es handelt sich bei der Suche nach dem Sinn von Röm 1,17 um *Schriftmeditation.*

3. Das Ereignis selbst ist so eng an das Verständnis des biblischen Wortes (eigentlich sogar von biblischen Wörtern) gebunden, daß seine *Worthaftigkeit* außer Frage steht. Es nimmt nicht nur vom Wort seinen Ausgang, es besteht nicht nur in der Erhellung einer Wortverbindung bzw. eines einzelnen Wortes,

---

[486] WA 54,186,1f.

[487] Vgl. o. S. 48f. Vgl. in unserem Text das Partizip sitiens (WA 54,186,2): Luther erwartet für seinen geistlichen Durst Wasser aus dem Felsen, d.h. von der Heiligen Schrift bzw. Christus. Vgl. die richtige Deutung bei Oberman, Iustitia 422. Zur Verwendung von pulsare in anderen Texten zum Turmerlebnis vgl. WA 43,537,15; WA TR 5, Nr. 5553 (S. 235,2).

[488] Vgl. Lk 11,5–8 Vulg. (hier allerdings in V. 8 improbitas). Vgl. auch die unmittelbare Fortsetzung Lk 11,9–13 Vulg. (pulsate et aperietur vobis etc.).

[489] So Pfeiffer, Ringen Luthers 180, bes. 180 A.79, wo pulsare als juristischer Terminus gedeutet wird.

[490] So Fausel, D. Martin Luther 42.

[491] Vgl. o. S. 89.

[492] Vgl. WA TR 2, Nr. 1681 (S. 177,8); WA TR 3, Nr. 3232 (S. 228,15 bzw. 23 u. 32); auch WA 43,537,21f. (illustrante spiritu sancto).

sondern es führt unmittelbar zu einem neuen Verständnis der gesamten Heiligen Schrift[493].

4. Obwohl sich Luthers Meditieren und das Ereignis selbst bis ins Grammatikalisch-Philologische auf das Wort beziehen, muß man den Vorgang über seine verstandesmäßige Komponente hinaus als umfassende *Erfahrung* deuten. Darauf weist die Terminologie[494], die in vielfältiger Weise den affektiven Bereich einbezieht[495]. Zusätzlich wird deutlich, daß es sich um Erfahrung auf dem Boden von Anfechtung handelt[496].

Wenn demgemäß das Turmerlebnis als Geisterfahrung beim Meditieren über der Heiligen Schrift zu charakterisieren ist, so reiht es sich ein in den großen Bogen von Äußerungen Luthers über solche Geisterfahrung, wie wir sie von 1516 bis 1539 verfolgt haben. Es war also kein einmaliges Ereignis im Hinblick auf seine Struktur, wohl aber in bezug auf den Wert der dadurch erfolgten Erkenntnis und auf die Bedeutung, die es für Luthers Weg erlangt hat.

Über den Aufweis dieser Struktur hinaus lassen sich noch genauere Angaben machen über die Weise des Meditierens, dem Luther im Zusammenhang mit seinem Turmerlebnis folgte. Aus der Vorrede von 1545 ergibt sich folgender Ablauf:

Ein schweres theologisches und zugleich existentielles Problem ist für Luther die Bedeutung eines einzigen Begriffes, des der iustitia Dei. Er versteht Gottes Gerechtigkeit mit der Tradition als Strafgerechtigkeit, will und kann sich jedoch mit diesem Verständnis nicht zufriedengeben[497]. Das Ringen um die Klärung des Begriffes konzentriert sich auf die Stelle Röm 1,17, genauer Röm 1,17a: Iustitia Dei revelatur in illo (scil. euangelio). Beim unablässigen Meditieren dieses Pauluswortes führt Gottes Erbarmen ihn auf die connexio verborum, d.h. auf die Fortführung von V. 17a durch das Zitat Hab 2,4: Iustus ex fide vivit[498]. Luther entdeckt, daß sich beide Vershälften gegenseitig erklären. Daraus ergibt sich das neue Verständnis der iustitia Dei als der Gerechtigkeit, durch

---

[493] WA 54,186,9f.: „Ibi continuo alia mihi facies totius scripturae apparuit". Vgl. WA 43,537,24f.

[494] Vgl. o. S. 84, vgl. auch das auf Erfahrung zielende pulsare (dazu o. S. 48f., 176).

[495] Dies läßt sich auf Schritt und Tritt in allen auf die Entdeckung bezogenen Texten verfolgen. In der Vorrede von 1545 finden wir etwa die folgenden Wendungen: „miro ... *ardore* captus fueram" (WA 54,185,14f.), „*ardentissime sitiens* scire" (186,2), „me prorsus renatum esse *sensi*, et apertis portis in ipsam paradisum intrasse" (186,8f.).

[496] Am Ende seiner Vorrede bezeichnet sich Luther, wenn man die entsprechende negative Aussage über andere Menschen positiv auf ihn selbst bezieht, als tentatus et expertus (vgl. WA 54,186,28). Diese Kennzeichnung ist wohl mit dem Ereignis des Durchbruchs und dem vorangehenden Ringen in Verbindung zu bringen (vgl. Stracke, Selbstzeugnis 127). Man vergleiche auch in der Vorrede und in den anderen Texten die Schrecken, die Luther durch sein altes Verständnis der iustitia Dei entstanden waren.

[497] Man vergleiche auch etwa WA TR 5, Nr. 5247, zu den Problemen, die Luther mit dem Begriff der iustitia Dei über Röm 1,17 hinaus vor allem in den Psalmen hatte.

[498] Daß die connexio verborum die Einbeziehung der Habakukstelle meint, wird aus anderen Texten noch deutlicher; vgl. etwa WA TR 5, Nr. 5553.

die Gott den Sünder aus Glauben gerecht macht. Luther prüft nun nach dem Gedächtnis analoge Begriffe der gesamten Bibel nach und stellt fest, daß sie in derselben Weise wie die iustitia Dei zu verstehen sind. – Dieses Vorgehen Luthers entspricht sehr genau dem Vorgehen, das er bei der Auslegung von Ps 1,2 im Rahmen der Operationes empfiehlt[499]. Es besteht dort, erstens, in der sorgfältigen Betrachtung des Wortlautes des zu meditierenden Textes (observatio intenta verborum[500]), zweitens im wechselseitigen Zusammenhalten und Vergleichen mit verschiedenen anderen Stellen der Heiligen Schrift (collatio mutua diversarum scripturarum). Diese zweigliedrige Regel in den Operationes ist sehr präzise und zudem allgemeingültig formuliert. Wir dürfen deshalb annehmen, daß die folgende Anwendung am Beispiel des 5. Gebotes nur eine mögliche Weise ist, wie die Regel in die Praxis umgesetzt werden kann. Im Falle des Turmerlebnisses würde sich die Regel folgendermaßen konkretisieren: Die observatio intenta verborum ist die eindringende, den Wortlaut und vor allem die connexio verborum auf das genaueste berücksichtigende Betrachtung von Röm 1,17; die collatio mutua diversarum scripturarum ist das gedächtnismäßige Durchwandern der Heiligen Schrift nach ähnlichen Stellen, die dann gegenseitig Licht aufeinander werfen. Man könnte allerdings, da Luthers Meditationsregel nicht notwendig im Sinne von streng geschiedenen und einander folgenden Schritten aufgefaßt werden muß, auch daran denken, daß im Grunde schon bei Paulus selbst eine collatio mutua von Schriftstellen vorliegt, wenn in Röm 1,17 die Aussage von der Offenbarung der Gottesgerechtigkeit im Evangelium (V. 17a) mit dem Zitat Hab 2,4 (V. 17b) verbunden ist. Luther hätte dann diese collatio mutua des Paulus bei seinem Meditieren als connexio verborum entdeckt und durch Einbeziehung der gesamten Heiligen Schrift erweitert. Wie dem auch sei, die enge Verwandtschaft der meditatio, wie Luther sie in den Operationes empfiehlt, und der meditatio des Turmerlebnisses dürfte einleuchten.

Es erhebt sich, wenn man schon eine solche Verwandtschaft konstatiert, sofort die seit Jahrzehnten diskutierte und bis heute nicht übereinstimmend gelöste Frage nach der zeitlichen Ansetzung jenes Turmerlebnisses. Wir können diese komplizierte Diskussion mit den beiden Schwerpunkten der biographischen Beurteilung der Vorrede von 1545 und der theologischen Wertung von

---

[499] AWA 2,42,6ff. Vgl. dazu die Ausführungen o. S. 53f., wo wir die von Luther geschilderte meditatio mit monastischer Meditationspraxis in Verbindung gebracht haben. Daß bei Luthers Umgang mit der Bibel auch humanistische Einflüsse mitgespielt haben, ist in Anbetracht des engen Verhältnisses von Meditation und Exegese nicht verwunderlich. Falsch gewichtet erscheint es uns aber, wenn von der „Wissenschaftsmethode der reformatorischen Entdeckung" gesprochen wird (Junghans, Luther als Bibelhumanist 7). Wir meinen, daß der Charakter des Turmerlebnisses und des Umgangs mit Röm 1,17 in der Zeit davor, der von der meditatio bestimmt ist, durch eine solche Einordnung verzeichnet wird.

[500] Die Bestimmung, daß es sich um verba legis handelt, erklärt sich aus der Bezugnahme auf Ps 1,2 und kann bei allgemeiner Anwendung der Regel vernachlässigt werden.

Luthers Frühwerk hier nicht aufnehmen[501]. Jedoch können wir auch zu dieser Frage einige Gesichtspunkte herausstellen, wie sie sich aus unseren Untersuchungen zur meditatio bei Luther ergeben:

1. Luther versteht selbst, wie wir gezeigt haben, sein Turmerlebnis als Durchbruch bei Meditation im Sinne von Ps 1,2. Wir besitzen von ihm zwei ausführliche Darlegungen zu Ps 1,2, und zwar diejenige aus der unvollendeten Druckbearbeitung der Dictata vom Herbst 1516 und diejenige aus den Operationes, die in ihrer gedruckten Form auf Anfang 1519 zu datieren ist[502]. Unser Aufweis der engen Verwandtschaft der meditatio des Turmerlebnisses mit der Meditationsregel in den Operationes spricht nun eher für die sogenannte Spätdatierung, d. h. für eine Datierung auf das Jahr 1518[503]. Während die Definition von 1516 die konstanten Strukturen meditativer Geisterfahrung aufzeigt, wäre in der Definition der Operationes ein Niederschlag eines speziellen Ereignisses dieser Art, eben des Turmerlebnisses, zu sehen. Falls sich die Dinge so verhalten, weist darauf auch der sehr persönlich gefärbte Satz, mit dem Luther in den Operationes seine Meditationsregel einleitet: „Non possum satis digne huius verbi (scil. meditari) vim et gratiam commendare; consistit enim haec meditatio primum in observatione intenta verborum legis . . .“[504] Der Lobpreis der meditatio würde so durch die Nennung derjenigen Meditationsregel begründet, die sich nur wenige Monate zuvor als so außerordentlich fruchtbringend erwiesen hat.

2. Wenn für Luther sein Turmerlebnis zwar nicht das einzige, wohl aber das wichtigste und folgenschwerste Erlebnis der Geisterfahrung beim Meditieren war, so liegt es umgekehrt nahe, daß er, wenn er grundlegend über meditatio spricht, an jene herausragende Erfahrung denkt. Wir beobachten unter diesem Gesichtspunkt die spätere Definition der meditatio von 1539[505]. Dort spricht Luther an herausragender Stelle, nämlich in der Vorrede zum 1. Band der Wittenberger Ausgabe seiner deutschen Schriften, nach einem Rückblick auf die Anfänge der Reformation, welche die Bibel der Vergessenheit entrissen hätten[506], von der meditatio der Heiligen Schrift. Er bezieht sich dabei ausdrücklich auf eigene Übung[507]. In unserem Zusammenhang auffällig ist die Tatsache, daß er bei der dritten Stufe der Trias oratio – meditatio – tentatio ausgerechnet

[501] Vgl. o. S. 175.

[502] Vgl. Schubert, in: Schubert/Meissinger, Vorlesungstätigkeit 12f. Die eigentliche Vorlesung wurde möglicherweise schon Ende 1518 begonnen.

[503] Vgl. die Übersicht über die verschiedenen Möglichkeiten der Datierung und ihre jeweiligen Vertreter bei Aland, Weg 8f. Eine Spätdatierung wurde neuerdings vertreten durch M. Brecht, Luther 215–230 (vgl. auch ders., Iustitia Christi).

[504] AWA 2,42,6f.

[505] In der Vorrede zum 1. Band der Wittenberger Ausgabe (WA 50,657–661); vgl. dazu o. S. 62f., 91ff.

[506] Genauer spricht Luther von der Zeit vor der Reformation, als die Bibel vergessen bzw. geringgeachtet gewesen sei (WA 50, 657,9ff.; 658,5f.25–28).

[507] Vgl. WA 50,658,30.

die Anfechtung durch die „Papisten“ anführt, durch die er selbst erst ein guter Theologe geworden sei[508]. Eingeleitet wird dieses Beispiel aus dem eigenen Leben durch den Satz: „... so bald Gottes wort auffgehet durch dich, so wird dich der Teuffel heimsuchen, dich zum rechten Doctor machen, und durch seine anfechtunge leren, Gottes wort zu suchen und zu lieben“[509]. Luther sieht also einen unmittelbaren Zusammenhang gegeben zwischen dem Aufgehen des Wortes Gottes beim Meditieren und der folgenden Bewährung in der Anfechtung durch die öffentlichen Gegner. Dieser Zusammenhang entspricht der Spätdatierung. Bei einer Datierung in die Zeit der ersten Psalmenvorlesung, wie sie von den meisten Vertretern einer Frühdatierung vorgeschlagen wird, wären dem entscheidenden Durchbruch bei der meditatio von Röm 1,17 noch Jahre äußerlich ruhiger Lehrtätigkeit gefolgt.

3. Unser Aufweis, daß es sich bei der meditatio des Turmerlebnisses um eine Frömmigkeitspraxis mit festen, für Luther typischen Konturen handelt, unterstreicht die Berechtigung einer Fragerichtung, die das Turmerlebnis als biographisch-historisches Schlüsselereignis ernst nimmt. Vor allem K. Aland ist diesbezüglichen Äußerungen Luthers mit großer Sorgfalt nachgegangen[510], wobei er ausdrücklich einen von E. Bizer mit seiner theologiegeschichtlichen Methode nur gestreiften Aspekt aufgegriffen und bearbeitet hat[511]. Er gelangte auf diesem Weg unter Auswertung umfangreichen Quellenmaterials zur Spätdatierung auf das Frühjahr 1518[512].

Diese drei Hinweise zur Datierung, die wir aus unseren Untersuchungen zur meditatio bei Luther gewonnen haben, weisen nicht für sich allein, wohl aber in Verbindung mit anderen Arbeiten auf das Jahr 1518. Auf eine eigene Analyse der Chronologie in Luthers Vorrede von 1545 mußte dabei verzichtet werden[513]. Freilich stellt sich nun wie bei allen Versuchen der Spätdatierung die Frage, wie ein Durchbruch beim Problem der iustitia Dei im Jahr 1518 mit der Tatsache zu vereinen ist, daß schon in den frühen Vorlesungen, zumal in den Dictata und in der Römerbriefvorlesung, die neue Konzeption der iustitia Dei klar vorhanden zu sein scheint[514]. In Ergänzung oder zumindest nicht im Gegensatz zu den theologiegeschichtlichen Untersuchungen, wie sie mit dem Ergebnis einer Spätdatierung vor allem von E. Bizer, von O. Bayer und neuer-

[508] WA 50,660,10–14; vgl. o. S. 93.

[509] WA 50,660,8ff.

[510] Aland, Weg (1965).

[511] Vgl. Aland, Weg 9f.

[512] Ebd. 104 u. ö. Bisher nicht beachtetes „autobiographisches“ Material wurde durch B. Köster, Durchbruch (1975), für die Spätdatierung geltend gemacht.

[513] Insgesamt schließen wir uns der Analyse von Aland, Weg 40–53, an. Die von Schäfer, Datierung (1969), vorgelegte Analyse der Vorrede mit dem Ergebnis einer Frühdatierung ist u. E. nicht haltbar. Zwar ist es sinnvoll, die Vorrede zu den im 1. Band der Wittenberger Ausgabe tatsächlich enthaltenen Schriften in Beziehung zu setzen, aber die von Schäfer daraus gezogenen Schlüsse halten wir nicht für zwingend.

[514] Vgl. die systematische Darstellung der Forschungslage zum Frühwerk bei Pesch, Reformatorische Wende 494–497.

dings M. Brecht geleistet worden sind[515], beantworten wir die Frage mit dem Hinweis auf den meditatio-Charakter des Turmerlebnisses. Dieser Hinweis soll im folgenden nach mehreren Seiten präzisiert werden:

- Das Turmerlebnis bettete Gedanken, die vorher in einer vorwiegend verstandesmäßigen Weise vorhanden waren, ein in eine umfassende, den angefochtenen Menschen tröstlich berührende *Erfahrung*. Gedankenlinien und Lebenslinien kreuzten und verdichteten sich zu einem Schlüsselerlebnis.
- Das Turmerlebnis bedeutet nicht den Einbruch einer völlig neuen Erkenntnis bezüglich der iustitia Dei, sondern den *Durchbruch* von etwas latent Vorhandenem zu befreiender Klarheit[516].
- Das Erlebnis des Durchbruchs nach einer langen Periode betender Meditation, bei dem Gott selbst durch seinen Heiligen Geist spürbar am Werk war, bedeutete eine Bestätigung vorher schon erwogener Gedanken, mithin die *Gewißheit* des sich seines Grundes bewußten Denkens und des daraus erwachsenden Handelns.
- Das Turmerlebnis bedeutete für Luther eine göttliche Bestätigung seiner von früh an ungewöhnlichen „Erwartungshaltung gegenüber der Bibel"[517], mithin eine Bestätigung des Grundsatzes von der alleinigen *Autorität der Heiligen Schrift.* Das neue Verständnis der iustitia Dei wurde Luther aus der Bibel selbst, aus der connexio verborum in Röm 1,17, zuteil. Dadurch ist das Turmerlebnis auch von hermeneutischer Tragweite[518].

Freilich – und das ist nun abschließend zu der Darstellung der Vorrede von 1545 und entsprechender anderer Äußerungen zu sagen – verkürzt Luther die tatsächliche Perspektive des Ereignisses, wenn er seine Bedeutung auf das neue Verständnis eines Begriffes einengt[519] und wenn er dies in einer Weise tut, die das Dunkel vom Licht übergangslos scheidet. Wir meinen jedoch, daß gerade das letztere für die persönliche Verarbeitung und für die Darstellung von Bekehrungserlebnissen aller Art typisch ist. Andererseits deutet Luther durch die Charakterisierung seines Erlebnisses als Durchbruch im Vollzug der meditatio Linien an, die, wenn wir sie ausziehen, die tatsächliche Perspektive wieder erkennen lassen.

---

[515] Vgl. o. S. 179 A.503. E. Bizer ist natürlich mit seinem Buch „Fides ex auditu" (1. Aufl. 1958) gemeint. O. Bayer (Promissio, 1971, auch: Die reformatorische Wende in Luthers Theologie, 1969) muß hier wegen seiner Untersuchungen zum Promissio-Begriff genannt werden, wenngleich das Turmerlebnis selbst bei ihm aus dem Blickfeld gerät.

[516] Vgl. WA TR 5, Nr. 5518 (S. 270,7ff.): „Ich war lang irre, wuste nicht, wie ich drinnen war. Ich wuste wol etwas, oder wuste doch nichts, was es ware, bis so lang das ich vber den locum ad Rom. 1. kam: Iustus ex fide vivet."

[517] Brecht, Beobachtungen 253; vgl. den gesamten Aufsatz.

[518] Vgl. Ebeling, Evangelienauslegung 274–277. Diese Ausführungen gelten, soweit sie den Charakter des Ereignisses betreffen, auch unter dem Vorzeichen einer Spätdatierung. Das Turmerlebnis ist dann nicht so sehr auslösender Faktor, sondern Bestätigung und Ermutigung.

[519] Vgl. jedoch auch WA TR 5, Nr. 5518, wo Luther die Unterscheidung von Gesetz und Evangelium als Folge des neuen Verständnisses der iustitia Dei herausstreicht.

Schluß

Wir stehen am Ende unserer Untersuchungen zur Meditation bei Luther. Als Ergebnis könnte man insgesamt festhalten, daß Meditation als eine klar umrissene Frömmigkeitspraxis im Umgang mit dem Wort Gottes für Luther das selbstverständliche Zentrum seines Lebens und Wirkens darstellt. Der Umgang mit dem Wort ist bei ihm nicht, wie in Teilen des späteren Protestantismus, ein weitgehend gestaltloses und oft genug reichlich kopflastiges Hören, sondern eine konkrete, den ganzen Menschen in allen Bezügen seiner Existenz erfassende Frömmigkeitspraxis, für deren Nachvollzug sich Ratschläge und Regeln aufstellen lassen. Solche Regeln des Vollzugs standen für Luther nie im Gegensatz zu dem besonderen Charakter des Wortes Gottes als eines Wortes, dessen Wirksamkeit ganz in den Händen dessen liegt, von dem es ausgegangen ist.

Luthers Meditieren ist tiefgreifend geprägt von dem breiten Strom mittelalterlicher meditatio, der ihn im Erfurter Kloster der Augustinereremiten erfaßt hatte. Dies dürfte nach unseren Untersuchungen feststehen, auch wenn gerade in bezug auf das mittelalterliche Meditieren noch ein gutes Stück Forschungsarbeit zu bewältigen wäre[520]. Deutlich geworden sind freilich auch die Korrekturen bzw. Umpolungen, die Luther an der traditionellen meditatio vorgenommen hat. So läßt sein verändertes Verständnis der Gnade kein gestuftes System geistlicher Übungen mehr zu, wie es etwa bei Gerhard Zerbolt gegeben war. Ferner stellt die neuartige Konzeption von religiöser Erfahrung dem meditierenden Menschen nicht mehr ein Erlebnis mystischen Charakters als Ziel vor Augen, sondern sie führt ihn mitten in die unter der Spannung von Anfechtung und Trost gelebten Zwiespältigkeiten des Lebens hinein. Inhaltlich setzt Luther vor allem dadurch neue Akzente, daß die Heilige Schrift und – in enger Verwandtschaft mit dieser – der Katechismus als Gegenstände der Meditation beherrschend in den Mittelpunkt treten.

So sehr nun freilich eine solche Meditation die Kraftquelle von Luthers eigenem Leben und Wirken bildete, so wenig stand sie doch andererseits in der festumrissenen Form, in der wir sie herauszuarbeiten versuchten, an vorderster Stelle der Punkte, welche die Reformation als ihre Aufgabe betrachtete. Wahrscheinlich war dort, wo man die Heilige Schrift als Zentrum des geistlichen Lebens auch des einzelnen Christen anerkannte, eine Weise des Umgangs mit ihr selbstverständlich. Dem entspricht es, daß insgesamt Luthers Äußerungen zur Meditation den Eindruck erwecken, als wollten sie Vorhandenes korrigie-

[520] Vgl. o. S. 14.

ren, nicht aber ein Vakuum füllen[521]. Zur Festigung dieser Überlegungen müßte freilich die Praxis der Meditation bei den anderen Reformatoren sowie bei weniger herausragenden evangelischen Christen der Reformationszeit in eingehenden Untersuchungen erhoben werden. Zu fragen wäre auch, wie und warum der breite Strom des Meditierens, der Luther noch erreicht und von ihm eine wesentliche Neuausrichtung erfahren hatte, im evangelischen Bereich allem Anschein nach versickert, unterirdisch weitergeflossen und immer nur punktuell wieder zutage getreten ist[522].

Ob von diesem Strom in unserer gegenwärtigen Lage[523] etwas zu zutage tritt, daß es auf breiterer Basis Bestand hat, ist noch offen. Die Kirche der Reformation jedenfalls, der das Wort Gottes von ihrer Geschichte her in einer besonderen Weise anvertraut ist, wird, so meinen wir, gut daran tun, da und dort erscheinende Bäche dieses Stromes aufzufangen und sie kritisch mit entsprechenden Wassern zu verbinden, die aus anderen Richtungen kommen. Ohne Bild gesprochen bedeutet dies, daß die vielfältigen Bemühungen um Meditation, die gegenwärtig über Konfessionsgrenzen hinweg in der Kirche, aber auch außerhalb der Kirche zu konstatieren sind, als Bemühungen um eine neue ganzheitliche Lebensweise des Menschen zu verstehen und nach sorgfältiger Prüfung an genuin christlichen und dann auch reformatorischen Maßstäben des Meditierens fruchtbar zu machen wären für den Umgang mit Gottes Wort. Durch eine neuartige, zeitgemäße Einübung in den Umgang mit dem Wort Gottes und durch eine entsprechende Neubesinnung würden wir dieses Wort, wie die Untersuchung zu Luther gezeigt hat, keineswegs mit Notwendigkeit menschlicher Aktivität unterwerfen, sondern es gerade als dasjenige Wort würdigen, das den Menschen mit Verstand und Sinnen, mit Kopf und Herz in allen Bezügen seiner Existenz ergreifen will.

---

[521] Vgl. Ruhbach, Meditation als Meditation der Heiligen Schrift 105.
[522] Vgl. die Skizze der Entwicklung bei Ruhbach, aaO. 107ff.
[523] Vgl. in der Einleitung o. S. 11f.

Literaturverzeichnis

Quellen (Sammelwerke)

CR	Corpus Reformatorum, Berlin u. a., 1834 flg.
PL	Patrologiae cursus completus. Accurante Jacques-Paul Migne. Series Latina, Paris 1841–1864.
AWA	Archiv zur Weimarer Ausgabe der Werke Martin Luthers. Texte und Untersuchungen. Köln/Wien 1981 flg.
Cl.	Luthers Werke in Auswahl, hrsg. von Otto Clemen u. a., 8 Bde., Berlin 1912–1933.
EA (1. Aufl.)	Erste Erlanger Ausgabe, 67 Bde., Erlangen 1826–1857.
EA var	Erlanger Ausgabe, lat. Teil: D. Martini Lutheri opera latina varii argumenti ad reformationis historiam imprimis pertinentia, 7 Bde., Frankfurt/M. u. Erlangen 1865–1873.
Enders	Dr. Martin Luthers Briefwechsel. Bearbeitet von Ernst Ludwig Enders, 19 Bde., Frankfurt/M. 1884–1932.
LD	Luther Deutsch. Die Werke Martin Luthers in neuer Auswahl für die Gegenwart herausgegeben von Kurt Aland, 10 Bde. + Gesamtregister u. Lutherlexikon, Stuttgart/Göttingen 1957–1970.
W (1. Aufl.)	D. Martin Luthers sämtliche Schriften, hrsg. von Johann Georg Walch, 23 Bde., Halle 1740–1750.
WA	Weimarer Ausgabe, Weimar 1883 flg. WA BR = Briefe WA DB = Deutsche Bibel WA TR = Tischreden

Anmerkung: Abkürzungen erfolgen in der Regel nach dem Abkürzungsverzeichnis von TRE (Theologische Realenzyklopädie, hrsg. von Gerhard Krause u. Gerhard Müller, Berlin–New York 1976 flg.).

Quellen (in den genannten Sammelwerken nicht enthalten)

Altenstaig, Johannes, Vocabularius theologiae, Hagenau 1517.

Benedikt von Nursia: s. Regula Benedicti.

Biel, Gabriel, Canonis missae expositio, ed. Heiko A. Oberman/William J. Courtenay, 4 Bde., VIEG 31–34, Wiesbaden 1963–1967.

Bonaventura, Opera omnia, ed. PP. Coll. S. Bonaventurae, 10 Bde., Quaracchi 1882–1902.

(Ps.-) Bonaventura, Meditationes Vitae Christi, in: S. Bonaventurae Opera, 7 Bde., Lyon 1668, Bd. 6, S. 334–401.

Florentius Radewijns, Tractatulus Devotus, ed. Goossens, in: L. A. M. Goossens, De meditatie in de eerste tijd van de Moderne Devotie, Haarlem-Antwerpen 1952, S. 209–254.

García Jiménez de Cisneros, Exercitatorium vitae spiritualis, in: ders., Obras completas (span./lat.), ed. Cipriano Baraut, 2 Bde., SDM 15.16, Abadía de Montserrat 1965, Bd. 2 (texto), S. 89–455.

–, Schule des geistlichen Lebens auf den Wegen der Beschauung (= Exercitatorium), übers. von Maria Raphaela Schlichtner, Freiburg/B. 1923.
Gerhard Zerbolt von Zutphen, De spiritualibus ascensionibus, ed. Mahieu, in: J. Mahieu, Gerard Zerbolt van Zutphen, Van geestelijke opklimmingen (lat./niederl.), Bruges 1941.
Gerson, Johannes, Opera, ed. L. E. Dupin, 5 Bde., Antwerpen 1706.
–, Oeuvres complètes, ed. Palémon Glorieux, 10 Bde., Paris/Tournai 1960–1973.
–, De Mystica Theologia, ed. André Combes, Lugano 1958.
Johannes Schiphower, Chronicon Archicomitum Oldenburgensium, in: Heinrich Meibom (Hrsg.), Scriptores Rerum Germanicarum Bd. 2, Helmstedt 1688, S. 121–192.
Jordan von Sachsen (Quedlinburg), Liber Vitasfratrum, ed. Rudolf Arbesmann/Winfried Hümpfner, Cass(A) 1, New York 1943.
–, Meditationes de passione Christi, Inc., s. l., s. a. (Hain 9443).
Konrad von Zenn, Liber de monastica vita u. Nova tractatio de monastica vita
- Hs. Wien NB 4934, a. 1459 (Zit.: W)
- Hs. München BStB Clm. 8391, 15.s. (Zit.: M).

Konstitutionen: Constitutiones fratrum Heremitarum S. Augustini ad apostolicorum privilegiorum formam pro reformatione Alemanniae, Nürnberg 1504, wird erscheinen in: Staupitz, Sämtliche Schriften, Bd. 5 (Gutachten und Satzungen), zitiert nach dem Manuskript des Bearbeiters.
Ludolf von Sachsen, Vita Jesu Christi, ed. L.-M. Rigollot, 4 Bde., Paris 1870.
Luther, Martin, Simplex et aptissimus orandi modus, per D. Mart. Luth. in gratiam amici cuiusdam scriptus. Wittenberg 1537 (= lat. Übers. d. Schrift f. Meister Peter, WA 38,358–375, durch Johann Freder).
Mathesius, Johannes, Ausgewählte Werke, Bd. 3 (Luthers Leben in Predigten), ed. Georg Loesche, Prag 1898.
Mauburnus, Johannes, Rosetum exercitiorum spiritualium, Paris 1510.
Mittelalterliche Bibliothekskataloge Deutschlands und der Schweiz, hrsg. von der Bayerischen Akademie der Wissenschaften, bearb. von Paul Lehmann, Paul Ruf u. a., 4 Bde. (mit Teilbänden), München 1918–1979.
Paltz, Johann von, Werke, 3 Bde., Spätmittelalter und Reformation 2–4, Berlin/New York 1983 flg.
–, Coelifodina, Leipzig 1504, in: Paltz, Werke Bd. 1, Spätmittelalter und Reformation 2, Berlin/New York 1983.
–, Supplementum Coelifodinae, Leipzig 1510, zitiert nach dem Manuskript der Bearbeiter von Paltz, Werke Bd. 2 (vor kurzem erschienen: Berlin/New York 1983).
Ratzeberger, Matthias, Die handschriftliche Geschichte Ratzebergers über Luther und seine Zeit, ed. Chr. Gotthold Neudecker, Jena 1850.
Regula Benedicti: Sancti Benedicti Regula Monachorum, ed. D. C. Butler, Freiburg/B. 1912.
Reinhard von Laudenburg, Passio Domini nostri Jesu Christi, Nürnberg 1501.
Staupitz, Johann von, Sämtliche Schriften, 7 Bde., Spätmittelalter und Reformation 13–19, Berlin/New York, 1979 flg.
–, Salzburger Predigten 1512, Cod. St. Peter (Salzburg) b V 8, zitiert nach dem Manuskript des Bearbeiters in Staupitz, Sämtliche Schriften Bd. 3.
–, Tübinger Predigten (abgek. TüPr.), ed. G. Buchwald/E. Wolf, QFRG 8, Leipzig 1927, Nachdruck New York/London 1971.
Vulgata: Biblia sacra iuxta vulgatam versionem, ed. R. Weber, 2 Bde., Stuttgart [2]1975 (zit. mit zusätzl. Zeichensetzung).
Wilhelm von St. Thierry, Epistola ad fratres de Monte Dei, in: Davy, Marie-Magdeleine, Un traité de la vie solitaire. Epistola ad fratres de Monte Dei par Guillaume de Saint-Thierry, 2 Bde., Paris 1940/1946, Bd. 1: Edition critique du texte latin.

Anmerkung: Zeichensetzung und Rechtschreibung erfolgen bei Quellen, die nicht in kritischer Edition vorliegen, in der Regel nach modernen Gesichtspunkten. Bei doppelter Verifizierung eines Zitates trifft jeweils die erste für unsere Version des Textes zu.

Sekundärliteratur und Hilfsmittel

Acquoy, Johannes Gerard Ryk, Het klooster te Windesheim en zijn invloed, 3 Bde., Utrecht 1875–1880.

Aland, Kurt, Der Weg zur Reformation. Zeitpunkt und Charakter des reformatorischen Erlebnisses Martin Luthers, TEH NS 123, München 1965 (auszugsweise auch in: Lohse, Durchbruch 384–412).

Albrecht, Otto, Quellenkritisches zu Aurifabers und Rörers Sammlungen der Buch- und Bibeleinzeichnungen Luthers, ThStKr 92 (1919), 279–306.

Althaus, Paul, Die Theologie Martin Luthers, Gütersloh ^{5}1980 (= ^{2}1963).

Appel, Helmut, Anfechtung und Trost im Spätmittelalter und bei Luther, SVRG 165, Leipzig 1938.

Assche, M. van, „Divinae vacare lectioni". De „ratio studiorum" von sint Benedictus, SE 1 (1948), 13–34.

Bacht, Heinrich, „Meditatio" in den ältesten Mönchsquellen, in: ders., Das Vermächtnis des Ursprungs, Würzburg 1972, S. 244–264.

Baier, Walter, Untersuchungen zu den Passionsbetrachtungen in der Vita Christi des Ludolf von Sachsen, 3 Bde., ACar 44, Salzburg 1977 (abgek.: Baier, VC).

Balogh, Josef, „Voces Paginarum", Ph. 82 (1927), 84–109.202–240.

Balthasar, Hans Urs von, Herrlichkeit. Eine theologische Ästhetik, Bd. 1 (Schau der Gestalt), Einsiedeln 1961.

Bandt, Hellmut, Luthers Lehre vom verborgenen Gott. Eine Untersuchung zu dem offenbarungsgeschichtlichen Ansatz seiner Theologie, ThA 8, Berlin 1958.

Barth, Hans-Martin, Der Teufel und Jesus Christus in der Theologie Martin Luthers, FKDG 19, Göttingen 1967.

–, Erfahrung, die der Glaube bringt. Beobachtungen zu einer These Martin Luthers, WPKG 69 (1980), 567–579.

Bayer, Oswald, Die reformatorische Wende in Luthers Theologie, ZThK 66 (1969), 115–150.

–, Promissio. Geschichte der reformatorischen Wende in Luthers Theologie, FKDG 24, Göttingen 1971.

Bayer, Oswald/Brecht, Martin, Unbekannte Texte des frühen Luther aus dem Besitz des Wittenberger Studenten Johannes Geiling, ZKG 92 (1971), 229–259.

Beintker, Horst, Die Überwindung der Anfechtung bei Luther. Eine Studie zu seiner Theologie nach den Operationes in Psalmos 1519–21, ThA 1, Berlin 1954.

–, Glaube und Bibelverständnis, CV 3 (1960), 14–26.

–, Verbum Domini Manet in Aeternum. Eine Skizze zum Schriftverständnis der Reformation, ThLZ 107 (1982), 161–175.

–, Art. Anfechtung, RGG^{3} 1,370.

Beisser, Friedrich, Claritas scripturae bei Martin Luther, FKDG 18, Göttingen 1966.

Benz, Ernst, Meditation in östlichen Religionen und im Christentum, in: L. Boros, J. B. Lotz u. a., Bewußtseinserweiterung durch Meditation, Freiburg/B. ^{2}1974, S. 89–117.

Berlière, Ursmer, L'ascèse bénédictine des origines à la fin du XIIe siècle, Paris 1927.

Bernard, Charles-André, L'oraison méthodique en Occident, StMiss 25 (1976), 255–277.

Bizer, Ernst, Fides ex auditu. Eine Untersuchung über die Entdeckung der Gerechtigkeit Gottes durch Martin Luther, Neukirchen 1958 (^{3}1966).

Boden, Liselotte M., Meditation und pädagogische Praxis, München 1978.

Böhmer, Heinrich, Loyola und die deutsche Mystik, BVSAW.PH 73 (1921), 1–43 (1. Heft), Leipzig 1921.

–, Luthers erste Vorlesung, BVSAW.PH 75 (1923), 3–58 (1. Heft), Leipzig 1924.

Bopp, Leander, Die oratio mentalis im kirchlichen Gesetzbuch, BenM 28 (1952), 210–218.287–304.

Bornkamm, Heinrich, Martin Luther in der Mitte seines Lebens, aus d. Nachlaß hrsg. von Karin Bornkamm, Göttingen 1979.

Brecht, Martin, Iustitia Christi. Die Entdeckung Martin Luthers, ZThK 74 (1977), 179–223.

–, Beobachtungen über die Anfänge von Luthers Verhältnis zur Bibel, in: ders. (Hrsg.), Text – Wort – Glaube, FS Kurt Aland, AKG 50, Berlin/New York 1980, S. 234–254.
–, Martin Luther. Sein Weg zur Reformation 1483–1521, Stuttgart 1981.
Brecht, Martin: s. Bayer/Brecht.
Brouette, Émile, Art. Devotio moderna I, TRE 8,605–609.
Bruin, Cebus Cornelis de, Middeleeuwse Levens van Jesus als leidraad voor meditatie en contemplatie, NAKG 58 (1978), 129–155.
Bühler, Paul Theophil, Die Anfechtung bei Martin Luther, Zürich 1942.
Burgdorf, Martin, Der Einfluß der Erfurter Humanisten auf Luthers Entwicklung bis 1510, Leipzig 1928.
Capua, Francesco di, Osservazioni sulla lettura e sulla preghiera ad alta voce presso gli antichi, RAAN 28 (1953), 59–99.
Carr, Deanna Marie, A Consideration of the Meaning of Prayer in the Life of Martin Luther, CTM 42 (1971), 620–629.
Damerau, Rudolf, Luthers Gebetslehre, 2 Bde., Selbstverlag Marburg 1975/77.
Debongnie, Pierre, Jean Mombaer de Bruxelles, Louvain 1928.
–, Art. Dévotion moderne, DSp 3,727–747.
–, Art. Exercises spirituels III, DSp 4 II, 1923–1933.
Denifle, Heinrich, Luther und das Luthertum in der ersten Entwicklung, Bd. I,1: Mainz ²1904, Bd. I,2: Mainz ²1906.
Dietz, Philipp, Wörterbuch zu Dr. Martin Luthers deutschen Schriften (A – Hals), Leipzig 1870–1872, Nachdruck Hildesheim 1961.
Dohna, Lothar Graf zu/Wetzel, Richard, Einführung in die Staupitz-Gesamtausgabe, in: Staupitz, Sämtliche Schriften Bd. 2, Berlin/New York 1979, S. 3–21.
Dress, Walter, Die Theologie Gersons. Eine Untersuchung zur Verbindung von Nominalismus und Mystik im Spätmittelalter, Gütersloh 1931.
Du Cange: Glossarium mediae et infimae latinitatis. Conditum a Carolo Du Fresne Domino Du Cange. Editio nova aucta pluribus verbis aliorum scriptorum a Léopold Favre, 10 Bde., Niort 1883–1887, Nachdruck Graz 1954.
Düfel, Hans, Luthers Stellung zur Marienverehrung, KiKonf 13, Göttingen 1968.
Ebeling, Gerhard, Evangelische Evangelienauslegung. Eine Untersuchung zu Luthers Hermeneutik, Darmstadt ²1962 (um Vorwort, Berichtigungen und Ergänzungen erweiterter Nachdruck der Ausgabe München 1942, FGLP 10. Ser. 1).
–, Die Anfänge von Luthers Hermeneutik, in: ders., Lutherstudien Bd. 1, Tübingen 1971, S. 1–68 (erstmals ZThK 48, 1951, 172–230).
–, Die Klage über das Erfahrungsdefizit in der Theologie als Frage ihrer Sache, in: ders., Wort und Glaube Bd. 3, Tübingen 1975, S. 3–28.
–, Schrift und Erfahrung als Quelle theologischer Aussagen, ZThK 75 (1978), 99–116.
Edel, Gottfried, Das gemeinkatholische mittelalterliche Erbe beim jungen Luther. Beiträge zu einer methodischen Grundlegung, ÖTS 21, Marburg 1962.
Elm, Kaspar, Neue Beiträge zur Geschichte des Augustiner-Eremitenordens im 13. und 14. Jahrhundert. Ein Forschungsbericht, AKuG 42 (1960), 357–387.
Elze, Martin, Züge spätmittelalterlicher Frömmigkeit in Luthers Theologie, ZThK 62 (1965), 381–402.
–, Das Verständnis der Passion Jesu im ausgehenden Mittelalter und bei Luther, in: Heinz Liebing/Klaus Scholder (Hrsg.), Geist und Geschichte der Reformation, FS Hanns Rückert, AKG 38, Berlin 1966.
Ernout, A. – Meillet, A., Dictionnaire étymologique de la langue latine, Paris ⁴1959.
Evangelischer Gemeindekatechismus, im Auftrag der Katechismuskommission der VELKD hrsg. von Horst Reller u. a., Gütersloh 1979.
Evangelische Spiritualität. Überlegungen und Anstöße zur Neuorientierung, hrsg. von der Kirchenkanzlei im Auftrag des Rates der EKD, Gütersloh ²1980 (= ¹1979).

Fausel, Heinrich, D. Martin Luther. Der Reformator im Kampf um Evangelium und Kirche. Sein Werden und Wirken im Spiegel eigener Zeugnisse, Stuttgart 1955.

Ficker, Johannes, Luther als Professor, HUR 34, Halle/S. 1928.

Frör, Kurt, Theologische Grundfragen zur Interpretation des Kleinen Katechismus D. Martin Luthers, MPTh 52 (1963), 478–487.

Gebrehiiwet, Mihreteab, Christ-Mysticism in the theology and spirituality of Martin Luther, Chicago, III., Lutheran School of Theology at Chicago, S. T. D., Diss., 1976 (Xerox).

Georges, Karl Ernst, Ausführliches lateinisch-deutsches Handwörterbuch, 2 Bde., Hannover [11]1962 (Nachdruck der von Heinrich Georges bearbeiteten 8. Aufl.).

Götze, Alfred, Frühneuhochdeutsches Glossar, Bonn [2]1920 (Nachdruck Berlin 1971).

Goez, Werner, Luthers „Ein Sermon von der Bereitung zum Sterben" und die mittelalterliche ars moriendi, LuJ 48 (1981), 97–114.

Goossens, Leonardus Antonius Maria, De meditatie in de eerste tijd van de Moderne Devotie, Haarlem–Antwerpen 1952.

Goossens, Mathias, Art. Méditation II,1; DSp 10,914–919.

Grimm, Jacob u. Wilhelm (Begründer), Deutsches Wörterbuch, 17 Bde. u. Quellenverzeichnis, Leipzig 1854–1960.

Grisar, Hartmann, Luther, 3 Bde., Freiburg/B. 1911/1912.

Grünewald, Stanislaus, Franziskanische Mystik. Versuch einer Deutung mit besonderer Berücksichtigung des hl. Bonaventura, München 1932.

Gutiérrez, David, De antiquis Ordinis Eremitarum Sancti Augustini bibliothecis, AAug 23 (1953/54), 164–372.

–, Die Augustiner vom Beginn der Reformation bis zur katholischen Restauration, 1518–1648, Rom 1975 (span. 1971), = Geschichte des Augustinerordens Bd. 2 (zit. Geschichte II).

–, Los Agustinos en la edad media 1357–1517, Rom 1977, = Historia de la Orden de San Agustin, Vol. 1,2.

–, Art. Ermites de Saint-Augustin, DSp 4 I, 983–1018.

Haecker, Theodor: Vergil, Hirtengedichte. Lateinisch und deutsch. Deutsch von Th. Haecker, Leipzig 1932.

Hahn, Fritz, Luthers Auslegungsgrundsätze und ihre theologischen Voraussetzungen, ZSTh 12 (1935), 165–218.

Hamel, Adolf, Der junge Luther und Augustin, 2 Bde., Gütersloh 1934/1935.

Hamm, Berndt, Frömmigkeitstheologie am Anfang des 16. Jahrhunderts. Studien zu Johannes von Paltz und seinem Umkreis, BHTh 65, Tübingen 1982.

Harnack, Adolf von, Über den privaten Gebrauch der heiligen Schriften in der alten Kirche, Leipzig 1912.

Heckel, Th., Einführung, in: D. Martin Luther, Vierzehn Tröstungen für Mühselige und Beladene, übers. u. eingel. von Th. Heckel, SLG 15, Gütersloh 1948, S. 5–42.

Heimbrock, Hans-Günter, Frömmigkeit als Problem der Praktischen Theologie, PTh 71 (1982), 18–32.

Heintze, Gerhard, Luthers Predigt von Gesetz und Evangelium, FGLP 10. Ser. 11, München 1958.

Hirsch, Emanuel, Luther über die oratio mentalis, ZSTh 6 (1928/1929), 136–141 (auch in: ders., Lutherstudien Bd. 2, Gütersloh 1954, S. 99–103).

Holl, Karl, Was verstand Luther unter Religion?, in: ders., Gesammelte Aufsätze zur Kirchengeschichte, Bd. 1 (Luther), Tübingen [6]1932, S. 1–110.

–, Luthers Bedeutung für den Fortschritt der Auslegungskunst, in: ders., Gesammelte Aufsätze zur Kirchengeschichte, Bd. 1 (Luther), Tübingen [6]1932, S. 544–582.

Hümpfner, Winfried, Introduction: s. Jordan von Sachsen, Liber Vitasfratrum.

Hyma, Albert, The Christian Renaissance. A History of the „Devotio Moderna", Grand Rapids, Mich. 1924.

Iparraguirre, Ignacio, Nuevas formas de vivir el ideal religioso (siglos 15 y 16), in: A. Huerga, I. Iparraguirre u. a., Historia de la Espiritualidad Bd. 2, Barcelona 1969, S. 143–247.

Iserloh, Erwin, Sacramentum und Exemplum. Ein augustinisches Thema lutherischer Theologie, in: Erwin Iserloh/Konrad Repgen (Hrsg.), Reformata reformanda, FS Hubert Jedin, 2 Bde., RGST.S 1,1–2, Münster/W. 1965, Bd. 1, S. 247–264.

Jacob, Günter, Der Gewissensbegriff in der Theologie Luthers, BHTh 4, Tübingen 1929.

–, Die Übung der Meditation bei Luther, in: ders., Kirche auf Wegen der Erneuerung. Gesammelte Aufsätze aus drei Jahrzehnten, Berlin 1966, S. 153–161 (erstmals: EvJ 15, 1950, 46–52).

Joest, Wilfried, Ontologie der Person bei Luther, Göttingen 1967.

Junghans, Helmar, Luther als Bibelhumanist, Luther 53 (1982), 1–9.

Kawerau, Gustav, Der Briefwechsel des Justus Jonas, 2 Bde., Halle 1884/1885, Nachdruck Hildesheim 1964.

Kist, Johannes, Die Matrikel der Geistlichkeit des Bistums Bamberg (1400–1556), Veröffentlichungen der Gesellschaft für Fränkische Geschichte IV,7; Würzburg 1965.

Kluge, Friedrich, Etymologisches Wörterbuch der deutschen Sprache, Berlin/New York ^{21}1975 (= ^{20}1967).

Köhler, Walther, Luther und die Kirchengeschichte, Bd. 1, Erlangen 1900.

–, Wie Luther den Deutschen das Leben Jesu erzählt hat, SVRG 35/Nr. 127–128, Leipzig 1917.

Köpf, Ulrich, Religiöse Erfahrung in der Theologie Bernhards von Clairvaux, BHTh 61, Tübingen 1980.

–, Art. Erfahrung III/1, TRE 10,109–116.

Köster, Beate, Bemerkungen zum zeitlichen Ansatz des reformatorischen Durchbruchs bei Martin Luther, ZKG 86 (1975), 208–214.

Köstlin-Kawerau = Köstlin, Julius, Martin Luther. Sein Leben und seine Schriften, 2 Bde., Berlin ^{5}1903 (neubearb. v. Gustav Kawerau).

Kolde, Theodor, Die deutsche Augustiner-Kongregation und Johann von Staupitz, Gotha 1879.

Kriechbaum, Friedel, Grundzüge der Theologie Karlstadts, Hamburg-Bergstedt 1967.

Kunzelmann, Adalbero, Geschichte der deutschen Augustiner-Eremiten, Teil 3 (Die bayerische Provinz bis zum Ende des Mittelalters), Cass. 26,3; Würzburg 1972.

–, Geschichte der deutschen Augustiner-Eremiten, Teil 5 (Die sächsisch-thüringische Provinz und die sächsische Reformkongregation bis zum Untergang der beiden), Cass. 26,5; Würzburg 1974.

Leclercq, Jean, Wissenschaft und Gottverlangen, Düsseldorf 1963 (franz. 1957).

–, La dévotion médiévale envers le Crucifié, La Maison-Dieu 75 (1963), 119–132.

Leturia, Pedro de, La „Devotio moderna“ en el Montserrat de San Ignacio, in: ders., Estudios ignacianos, Bd. 2 (Estudios espirituales), Rom 1957, S. 73–88.

Lievens, Robrecht, Jordanus van Quedlinburg in de Nederlanden. Een onderzoek van de handschriften, Gent 1958 (Uitgaven van de Koninklijke Vlaamsche Academie voor Taal- en Letterkunde. R. 6, Nr. 82).

Loewenich, Walther von, Luthers Theologia crucis, München ^{4}1954 (um Nachwort u. Anhang erweiterte Wiedergabe d. 1. Aufl. München 1929, FGLP 2. Ser. 2).

–, Luther als Ausleger der Synoptiker, FGLP 10. Ser. 5, München 1954.

–, Martin Luther. Der Mann und das Werk, München 1982.

Lohse, Bernhard, Mönchtum und Reformation. Luthers Auseinandersetzung mit dem Mönchsideal des Mittelalters, FKDG 12, Göttingen 1963.

Lohse, Bernhard (Hrsg.), Der Durchbruch der reformatorischen Erkenntnis bei Luther, WdF 123, Darmstadt 1968.

Looshorn, Johann, Die Geschichte des Bisthums Bamberg Bd. 4, München 1900.

Lortz, Joseph, Martin Luther. Grundzüge seiner geistigen Struktur, in: Erwin Iserloh/Konrad Repgen (Hrsg.), Reformata reformanda, FS Hubert Jedin, 2 Bde., RGST.S 1,1–2; Münster/W. 1965, Bd. 1, S. 214–246.

Ludolphy, Ingetraut, Luther als Beter, Luther 33 (1962), 128–141 (auch in dies., Was Gott an uns gewendet hat. Lutherstudien, Berlin 1965, S. 63–80).

Mattioli, Nicola, Il beato Simone Fidati da Cascia, Rom 1898.

Metzger, Günther, Gelebter Glaube. Die Formierung reformatorischen Denkens in Luthers erster Psalmenvorlesung, dargestellt am Begriff des Affekts, FKDG 14, Göttingen 1964.

Meyer zu Uptrup, Klaus, Zeit mit Gott. Liturgie, Meditation und Gebet, Stuttgart 1982.
Moeller, Bernd, Frömmigkeit in Deutschland um 1500, ARG 56 (1965), 5–30.
Mokrosch, Reinhold, Art. Devotio moderna II, TRE 8, 609–616.
Mühlen, Karl-Heinz zur, Nos Extra Nos. Luthers Theologie zwischen Mystik und Scholastik, BHTh 46, Tübingen 1972.
–, Art. Affekt II, TRE 1, 599–612.
Müller, Christa, Das Lob Gottes bei Luther, FGLP 7. Ser. 1, München 1934.
Müller, Hans Michael, Erfahrung und Glaube bei Luther, Leipzig 1929.
Oberman, Heiko A., Simul gemitus et raptus. Luther und die Mystik, in: Ivar Asheim (Hrsg.), Kirche, Mystik, Heiligung und das Natürliche bei Luther, Göttingen 1967, S. 20–59.
–, „Iustitia Christi“ und „Iustitia Dei“. Luther und die scholastische Lehre von der Rechtfertigung, in: Lohse, Durchbruch, 413–444 (engl. 1966).
–, Contra vanam curiositatem, ThSt(B) 113, Zürich 1974.
–, Werden und Wertung der Reformation. Vom Wegestreit zum Glaubenskampf, Spätscholastik und Reformation 2, Tübingen 1977.
Otto, Rudolf, West-Östliche Mystik, Gotha 1926.
Ozment, Steven E., Homo spiritualis. A Comparative Study of the Anthropology of Tauler, Gerson and Martin Luther (1509–1516) in the context of their theological thought, SMRT 6, Leiden 1969.
Palmieri, A., Art. Ambroise de Cora, DHGE 2, 1116–1119.
Pesch, Otto H., Zur Frage nach Luthers reformatorischer Wende, in: Lohse, Durchbruch 445–505 (erstmals: Cath(M) 20, 1966, 216–243.264–280).
Peters, Albrecht, Die Theologie der Katechismen anhand der Zuordnung ihrer Hauptstücke, LuJ 43 (1976), 7–35.
–, Das Vaterunser – Auslegung in Luthers Katechismen, Lutherische Theologie und Kirche 3 (1979), 69–87 (I). 101–115 (II), 4 (1980), 66–82 (III).
–, Vermittler des Christenglaubens. Luthers Katechismen nach 450 Jahren, Luther 51 (1980), 26–44.
Pfeiffer, Gerhard, Das Ringen des jungen Luther um die Gerechtigkeit Gottes, in: Lohse, Durchbruch 163–202 (erstmals: LuJ 26, 1959, 25–55).
Pinomaa, Lennart, Der existentielle Charakter der Theologie Luthers. Das Hervorbrechen der Theologie der Anfechtung und ihre Bedeutung für das Lutherverständnis, AASF Ser. B 47,3; Helsinki 1940.
Prenter, Regin, Spiritus creator, München 1954 (dän. 1944).
Preuss, Hans, Das Frömmigkeitsmotiv von Luthers Tessaradecas und seine mittelalterlichen Wurzeln, NKZ 26 (1915), 217–243.
–, Martin Luther. Der Künstler, Gütersloh 1931.
–, Luther. Der Christenmensch, Gütersloh 1942.
Quiring, Horst, Luther und die Mystik, ZSTh 13 (1936), 150–174.179–240.
Rabbow, Paul, Seelenführung. Methodik der Exerzitien in der Antike, München 1954.
Raeder, Siegfried, Das Hebräische bei Luther untersucht bis zum Ende der ersten Psalmenvorlesung, BHTh 31, Tübingen 1961.
–, Grammatica Theologica. Studien zu Luthers Operationes in Psalmos, BHTh 51, Tübingen 1977.
Rahner, Karl, Die Lehre von den „geistlichen Sinnen“ im Mittelalter, in: ders., Schriften zur Theologie Bd. 12, Zürich/Einsiedeln/Köln 1975, S. 137–172.
Ratschow, Carl Heinz, Von der Meditation, in: Gotthold Müller (Hrsg.), Rechtfertigung, Realismus, Universalismus in biblischer Sicht, FS Adolf Köberle, Darmstadt 1978, S. 71–84.
Rayez, André, Art. Exercises spirituels II, DSp 4 II, 1908–1923.
Richstaetter, Carl, Christusfrömmigkeit in ihrer historischen Entfaltung, Köln 1949.
Ritter, Werner H., Offenbarung und Erfahrung, WPKG 69 (1980), 557–567.
Rooij, J. van, Gerard Zerbolt van Zutphen, Bd. 1 (Leven en geschriften), Nijmegen/Utrecht/Antwerpen 1936.

Rosenthal-Metzger, Julie, Das Augustinerkloster in Nürnberg, Mitteilungen des Vereins für Geschichte der Stadt Nürnberg 30 (1931), 1–106.
Rost, Gerhard, Der Gedanke der Gleichförmigkeit mit dem leidenden Christus in der Frömmigkeit des jungen Luther, LRb 11 (1963), 2–12.
Rousse, Jacques, Art. Lectio divina et lecture spirituelle I, DSp 9,470–487.
Ruh, Kurt, Zur Theologie des mittelalterlichen Passionstraktats, ThZ 6 (1950), 17–39.
Ruhbach, Gerhard, Meditation als Meditation der Heiligen Schrift. Ein Gang durch die Kirchengeschichte, ThBeitr 9 (1978), 97–109.
Ruhland, Friedrich Theophil, Luther und die Brautmystik. Nach Luthers Schrifttum bis 1521, Diss. Gießen 1938.
Ruppert, Fidelis, Meditatio – ruminatio. Zu einem Grundbegriff christlicher Meditation, EuA 53 (1977), 83–93.
Sander, Erich, Geistliche Zucht und Übung bei Luther, Diss. (unvollendet), Münster/W. o.J. (ca. 1940), masch., Universitätsarchiv Münster/W., Evang.-Theol. Fakultät, Diss. Nr. A 41.
–, Miszellen zum frühen und späten Luther als Ergänzungen und Berichtigungen zur Weimarer Ausgabe, ZKG 56 (1937), 593–604.
Sauvage, Michel, Art. Méditation II,2; DSp 10,919–927.
Schäfer, Rolf, Zur Datierung von Luthers reformatorischer Erkenntnis, ZThK 66 (1969), 151–170.
–, Oratio, meditatio, tentatio. Drei Hinweise Luthers auf den Gebrauch der Bibel, in: Oswald Bayer/Gerd-Ulrich Wanzeck, Festgabe für Friedrich Lang zum 65. Geburtstag, masch. (Kopie), Tübingen 1978, S. 671–681.
Scheel, Otto, Martin Luther. Vom Katholizismus zur Reformation, 2 Bde., Tübingen [3]1921/[4]1930.
Scherschel, Rainer, Der Rosenkranz – das Jesusgebet des Westens, FThSt 116, Freiburg/B. 1979.
Schmidt, Kurt Dietrich, Luther lehrt beten, Luther 34 (1963), 31–41 (auch in: ders., Ges. Aufsätze, hrsg. von M. Jacobs, Göttingen 1967, S. 137–148).
Schubert, Hans von/Meissinger, Karl August, Zu Luthers Vorlesungstätigkeit, SHAW.PH 1920 (9. Abhandlung).
Schwarz, Reinhard, Fides, Spes und Caritas beim jungen Luther unter besonderer Berücksichtigung der mittelalterlichen Tradition, AKG 34, Berlin 1962.
–, Vorgeschichte der reformatorischen Bußtheologie, AKG 41, Berlin 1968.
Seeberg, Reinhold, Lehrbuch der Dogmengeschichte, Bd. 4 I (Die Lehre Luthers), Leipzig [4]1933.
Seitz, Manfred, Christliche Meditation, in: ders., Praxis des Glaubens. Gottesdienst, Seelsorge und Spiritualität, Göttingen 1978, S. 199–205 (erstmals: Unser Auftrag 5, 1976, 96–100).
–, Art. Askese VII/IX, TRE 4,239–241.250–259.
Severus, Emmanuel von, Das Wort „Meditari" im Sprachgebrauch der Heiligen Schrift, GuL 26 (1953), 365–375.
–, Silvestrem tenui musam meditaris avena. Zur Bedeutung der Wörter meditatio und meditari beim Kirchenlehrer Ambrosius, in: H. Rahner/E. v. Severus (Hrsg.), Perennitas, FS Th. Michels, Münster/W. 1963, S. 25–31.
–, Meditation – Besinnung und Bericht nach zwei Jahrzehnten, GuL 46 (1973), 50–59.
Severus, Emmanuel von/Solignac, Aimé, Art. Méditation I, DSp 10, 906–914.
Sieben, Hermann Josef, Art. Lectio divina et lecture spirituelle II, DSp 9, 487–496.
Solignac, Aimé: s. Severus/Solignac.
Spijker, W. van't, Experientia in reformatorisch licht, ThRef 19 (1976), 236–255.
Spitta, W., Die Anfechtung bei Luther und Tauler in den Predigten über das kanaanäische Weib (Mtth. 15,21–28), PTh 28 (1932), 220–229.
Stählin, Wilhelm, Geistliche Übung, Das Gottesjahr 18 (1938), 8–16.
Stahleder, Erich, Die Handschriften der Augustiner-Eremiten und Weltgeistlichen in der ehemaligen Reichsstadt Windsheim, QFGBW 15, Würzburg 1963.
Steinlein, Hermann, Luthers Anlage zur Bildhaftigkeit, LuJ 22 (1940), 9–45.
Steinmetz, David C., Religious Ecstasy in Staupitz and the Young Luther, SCJ 11 (1980), 23–37.
Stelzenberger, Johann, Die Mystik des Johannes Gerson, BSHT 10, Breslau 1928.

Stracke, Ernst, Luthers großes Selbstzeugnis von 1545 über seine Entwicklung zum Reformator, SVRG 44/Nr. 140, Leipzig 1926 (teilw. abgedr. in Lohse, Durchbruch 107–114).

Stuhlmacher, Peter, Vom Verstehen des Neuen Testaments, NTD Ergänzungsreihe Bd. 6, Göttingen 1979.

Stupperich, Robert, Luther und das Fraterhaus in Herford, in: Heinz Liebing/Klaus Scholder (Hrsg.), Geist und Geschichte der Reformation, FS Hanns Rückert, AKG 38, Berlin 1966, S. 219–238.

–, Devotio moderna und reformatorische Frömmigkeit, JVWKG 60 (1967), 11–26.

Sudbrack, Josef, Die geistliche Theologie des Johannes von Kastl. Studien zur Frömmigkeitsgeschichte des Spätmittelalters, 2 Bde., BGAM 27, Münster/W. 1966/67.

–, Art. Méditation III, DSp 10,927–934.

Sudhaus, Siegfried, Lautes und leises Beten, ARW 9 (1906), 185–200.

Tarvainen, Olavi, Der Gedanke der Conformitas Christi in Luthers Theologie, ZSTh 22 (1953), 26–43.

Vandenbroucke, François, La Spiritualité du Moyen Age. Nouveaux milieux, nouveaux problèmes, du XIIe au XVIe siècle, = Teil II in: J. Leclercq/F. Vandenbroucke/L. Bouyer, La Spiritualité du Moyen Age, Paris 1961.

–, La dévotion au Crucifié à la fin du moyen âge, La Maison-Dieu 75 (1963), 133–143.

Vernet, Félix, La spiritualité médiévale, Bibliothèque Catholique des Sciences Religieuses 33, Paris 1929.

Viebig, Johannes, Gottes Wort lernen. 450 Jahre Luthers Kleiner Katechismus, Luther 51 (1980), 130–138.

Vogelsang, Erich, Der confessio-Begriff des jungen Luther (1513–1522), LuJ 12 (1930), 91–108.

–, Der angefochtene Christus bei Luther, Berlin/Leipzig 1932.

–, Die unio mystica bei Luther, ARG 35 (1938), 63–80.

Vogüé, Adalbert de, Les deux fonctions de la méditation dans les Règles monastiques anciennes, RHSp 51 (1975), 3–16.

Volz, Hans, Die Lutherpredigten des Johannes Mathesius, QFRG 12, Leipzig 1930 (Nachdruck New York/London 1971).

Walde, A. – Hofmann, J. B., Lateinisches etymologisches Wörterbuch, 2 Bde., Heidelberg [3]1938/[3]1954.

Watrigant, Henri, La méditation méthodique et l'école des Frères de la vie commune, RAM 3 (1922), 134–155.

–, La méditation méthodique et Jean Mauburnus, RAM 4 (1923), 13–29.

Weijenborg, Reinoud, Luther et les cinquante et un Augustins d'Erfurt, RHE 55 (1960), 819–875.

Wertelius, Gunnar, Oratio continua. Das Verhältnis zwischen Glaube und Gebet in der Theologie M. Luthers, Lund 1970.

Wolf, Ernst, Staupitz und Luther. Ein Beitrag zur Theologie des Johannes von Staupitz und deren Bedeutung für Luthers theologischen Werdegang, QFRG 9, Leipzig 1927 (Nachdruck New York/London 1971).

Wolter, Hans, Meditation bei Bernhard von Clairvaux, GuL 29 (1956), 206–218.

Wulf, Friedrich, Das innere Gebet (oratio mentalis) und die Betrachtung (meditatio), GuL 25 (1952), 382–390.

Zarncke, Lilly, Die Exercitia Spiritualia des Ignatius von Loyola in ihren geistesgeschichtlichen Zusammenhängen, SVRG 49/Nr. 151, Leipzig 1931.

Zezschwitz, Gerhard von, Die Christenlehre im Zusammenhang. Ein Hilfsbuch für Religionslehrer und reifere Confirmanden, 4 Bde., Leipzig, 2. Aufl. 1883–1888.

Zöckler, Otto, Askese und Mönchtum, Frankfurt/M. [2]1897.

Zumkeller, Adolar, Die Lehrer des geistlichen Lebens unter den deutschen Augustinern vom dreizehnten Jahrhundert bis zum Konzil von Trient, in: Sanctus Augustinus vitae spiritualis magister Bd. 2, Rom 1959, S. 239–338.

–, Manuskripte von Werken der Autoren des Augustiner-Eremitenordens in mitteleuropäischen Bibliotheken, Cass. 20, Würzburg 1966.

Personenregister

Kursivgedruckte Zahlen verweisen auf die Anmerkungen der betreffenden Seite. Alle anderen Zahlen beziehen sich auf den fortlaufenden Text einschließlich der dazugehörigen Anmerkungen.